Outros títulos de Paulo Coelho:

O Alquimista
Brida
A bruxa de Portobello
O demônio e a srta. Prym
O diário de um mago
A espiã
Hippie
Maktub
Manual do guerreiro da luz
O Monte Cinco
Na margem do rio Piedra eu sentei e chorei
Onze minutos
Ser como o rio que flui
Veronika decide morrer
O Zahir

"Ó Maria, concebida sem pecado, rogai por nós, que recorremos a Vós." Amém.

Copyright © 2008 by Paulo Coelho

Publicado mediante acordo com Sant Jordi Asociados Agencia Literaria S.L.U, Barcelona, Espanha.

Todos os direitos reservados.

A Editora Paralela é uma divisão da Editora Schwarcz S.A.

p. 9 - "Seja você quem for", Walt Whitman. Tradução de Geir Campos publicada em *Folhas das folhas de relva*, Ediouro.
p. 129 - "A estrada não percorrida", Robert Frost. Tradução de Celina Portocarrero.

Grafia atualizada segundo o Acordo Ortográfico da Língua Portuguesa de 1990, que entrou em vigor no Brasil em 2009.

CAPA Alceu Chiesorin Nunes
REVISÃO Camila Saraiva e Valquíria Della Pozza

Dados Internacionais de Catalogação na Publicação (CIP)
(Câmara Brasileira do Livro, SP, Brasil)

Coelho, Paulo
  O vencedor está só / Paulo Coelho. — 1ª ed. — São Paulo : Paralela, 2019.

  ISBN 978-85-8439-154-7

  1. Ficção brasileira I. Título.

19-31042   CDD-B869.3

Índice para catálogo sistemático:
1. Ficção : Literatura brasileira B869.3

Cibele Maria Dias – Bibliotecária – CRB-8/9427

[2019]
Todos os direitos desta edição reservados à
EDITORA SCHWARCZ S.A.
Rua Bandeira Paulista, 702, cj. 32
04532-002 — São Paulo — SP
Telefone: (11) 3707-3500
editoraparalela.com.br
atendimentoaoleitor@editoraparalela.com.br
facebook.com/editoraparalela
instagram.com/editoraparalela
twitter.com/editoraparalela

Para N. D. de Pietat,
encontrada na terra para mostrar
o caminho do Bom Combate.

Em seguida, disse aos discípulos: "É por isso que vos digo: Não vos preocupeis quanto à vossa vida, com o que haveis de comer, nem quanto ao vosso corpo, com o que haveis de vestir; pois a vida é mais que o alimento, e o corpo mais que o vestuário.

Reparai as aves: não semeiam nem colhem, não têm despensa nem celeiro, e Deus alimenta-as. Quanto mais não valeis vós do que as aves! E quem de vós, pelo facto de se inquietar, pode acrescentar um côvado à extensão da sua vida? Se nem as mínimas coisas podeis fazer, porque vos preocupais com as restantes?

Reparai nos lírios, como crescem! Não trabalham nem fiam; pois Eu digo-vos: Nem Salomão, em toda a sua glória, se vestiu como um deles."

Lucas 12,22-27

Seja você quem for
agora segurando minha mão,
sem uma coisa há de ser tudo inútil
— é um leal aviso o que lhe dou
antes que continue a me tentar:
não sou aquele que você imagina,
mas muito diferente.

Quem é que gostaria
de vir a ser um seguidor meu?
Quem é que gostaria de lançar
sua candidatura ao meu afeto?

O caminho é suspeito,
o resultado é incerto, destrutivo talvez;
teriam que abrir mão de tudo mais
tendo eu a pretensão
de ser seu padrão único e exclusivo;
sua iniciação haveria de ser ainda assim
extensa e fatigante,
toda a teoria da sua vida passada
e toda conformidade com as vidas em redor
precisariam ser abandonadas;
por isso deixe-me agora
antes de perturbar-se ainda mais,
deixe cair sua mão do meu ombro,
coloque-me de lado e siga seu caminho.

Walt Whitman, *Folhas de relva*

O retrato

No momento em que termino de escrever estas páginas, existem vários ditadores no poder. Um país do Oriente Médio foi invadido pela única superpotência mundial. Os terroristas estão ganhando cada vez mais adeptos. Os fundamentalistas cristãos são capazes de eleger presidentes. A busca espiritual é manipulada por várias seitas que alegam deter o "conhecimento absoluto". Cidades inteiras são riscadas do mapa pela fúria da natureza. O poder do mundo inteiro está concentrado nas mãos de seis mil pessoas, segundo pesquisa de um reputado intelectual americano.

Existem milhares de prisioneiros de consciência em todos os continentes. A tortura volta a ser tolerada como um método de interrogatório. Os países ricos fecham suas fronteiras. Os países pobres assistem a um êxodo sem precedentes de seus habitantes em busca do Eldorado. Os genocídios continuam em pelo menos dois países africanos. O sistema econômico dá mostras de exaustão, e grandes fortunas começam a ruir. O trabalho escravo infantil tornou-se uma constante. Centenas de milhões de pessoas vivem abaixo da linha da pobreza absoluta. A proliferação nuclear é aceita como irreversível. Surgem novas doenças. Antigas doenças ainda não foram controladas.

Mas é este o retrato do mundo em que vivo?

Claro que não. Quando resolvi fotografar minha época, escrevi este livro.

PAULO COELHO

3h17

A pistola Beretta Px4 compacta é um pouco maior que um telefone celular, pesando em torno de setecentos gramas, e capaz de disparar dez tiros. Pequena, leve, incapaz de deixar uma marca visível no bolso que a carrega, o pequeno calibre tem uma enorme vantagem; em vez de atravessar o corpo da vítima, a bala vai batendo nos ossos e arrebentando tudo que encontra em sua trajetória.

Evidente que as chances de sobreviver a um tiro desse calibre também são altas; existem milhares de casos em que nenhuma artéria vital é cortada, e a vítima tem tempo de reagir e desarmar seu agressor. Mas, se a pessoa que atira tem alguma experiência no assunto, pode escolher entre uma morte rápida — visando a zona entre os olhos, o coração — ou algo mais lento, colocando o cano da arma em determinado ângulo junto das costelas, e apertando o gatilho. Ao ser atingida, a pessoa demora algum tempo para se dar conta de que está ferida de morte — tenta contra-atacar, fugir, pedir socorro. A grande vantagem é essa: tem tempo suficiente para ver quem a está matando, enquanto vai perdendo a força aos poucos, até cair por terra, sem muito sangramento externo, sem entender direito por que aquilo está acontecendo.

Está longe de ser uma arma ideal para os entendidos no assunto: "É muito mais adequada para mulheres que para espiões", diz alguém do serviço secreto inglês para James Bond no primeiro filme da série, enquanto lhe confisca a antiga pistola, entregando um novo modelo. Mas isso servia apenas para os profissionais, claro, porque para o que ele pretendia não havia nada melhor.

Comprou sua Beretta no mercado negro, de modo que será impossível identificar a arma. Tem cinco balas no carregador, embora pretenda utilizar apenas uma, em cuja ponta fez um "X" usando uma lima de unha. Desta maneira, quando for disparada e atingir algo sólido, irá se partir em quatro fragmentos.

Mas usará a Beretta apenas em último caso. Tem outros métodos para apagar um mundo, destruir um universo, e com toda certeza ela vai entender o recado assim que a primeira vítima for encontrada. Saberá que fez aquilo em nome do amor, que não tem nenhum ressentimento, e que a aceitará de volta sem perguntas sobre o que aconteceu nos últimos dois anos.

Espera que seis meses de cuidadoso planejamento deem resultado, mas só vai ter certeza disso a partir da manhã seguinte. Esse é seu plano: deixar que as Fúrias, antigas figuras da mitologia grega, desçam com suas asas negras até aquela paisagem branca e azul, cercada de diamantes, botox, carros de alta velocidade que são absolutamente inúteis porque não comportam mais de dois passageiros. Sonhos de poder, de sucesso, de fama e dinheiro — tudo isso pode ser interrompido de uma hora para outra com os pequenos artefatos que trouxe consigo.

Poderia já ter subido para o seu quarto, porque a cena que aguardava aconteceu às 23h11, embora ele estivesse preparado para esperar mais tempo. O homem entrou acompanhado da bela mulher, ambos vestidos com traje a rigor, para mais uma dessas festas de gala realizadas todas as noites depois dos jantares importantes, mais concorridas do que a estreia de qualquer filme apresentado no Festival.

Igor ignorou a mulher. Usou uma das mãos para trazer até o rosto um jornal francês (a revista russa iria despertar suspeitas), de modo que ela não pudesse vê-lo. Era uma precaução desnecessária: ela jamais olhava à sua volta, como sempre fazem as que se sentem rainhas do mundo. Estão ali para brilhar, evitam prestar atenção ao que os outros estão usando — porque dependendo do número de diamantes e da exclusividade da roupa alheia isso resultará em depressão, mau humor, sentimento de inferioridade, mesmo que a roupa e os acessórios tenham custado uma fortuna.

Seu acompanhante, bem-vestido e de cabelos prateados, foi até o bar e pediu champanhe, aperitivo necessário antes de uma noite que promete muitos contatos, boa música, e excelente visão da praia e dos iates ancorados no porto.

Viu que tratou a garçonete com respeito. Disse "obrigado" quando recebeu as taças. Deixou uma boa gorjeta.

Os três se conheciam. Igor sentiu uma imensa alegria, quando a adrenalina começou a misturar-se com seu sangue; no dia seguinte iria fazer com que ela soubesse de sua presença ali. Em um dado momento, iriam se encontrar.

E só Deus sabia o resultado deste encontro. Igor, um católico ortodoxo, havia feito uma promessa e um juramento em uma igreja em Moscou, diante das relíquias de Santa Madalena (que estavam na capital russa por uma semana, para que os fiéis pudessem adorá-las). Passou quase cinco horas na fila e ao chegar perto estava convencido de que tudo não passava de uma invenção dos sacerdotes. Mas não queria correr o risco de faltar com a sua palavra.

Pediu que o protegesse, que conseguisse atingir seu objetivo sem que fosse necessário muito sacrifício. E prometeu um ícone de ouro, que seria encomendado a um renomado pintor que vivia em um mosteiro de Novosibirsk, quando tudo terminasse e pudesse colocar de novo os pés em sua terra natal.

Às três horas da manhã, o bar do Hotel Martinez cheira a cigarro e suor. Embora Jimmy já tenha acabado de tocar piano (Jimmy usa um sapato de cada cor em seus pés), e a garçonete esteja extremamente cansada, as pessoas que ainda ali se encontram se recusam a ir embora. Para elas, é preciso ficar neste lobby, pelo menos por mais uma hora, pela noite inteira, até que algo aconteça!

Afinal de contas, já se passaram quatro dias desde o início do Festival de Cinema de Cannes, e ainda não aconteceu nada. Em mesas diferentes, o pensamento é o mesmo: encontrar-se com o Poder. As mulheres bonitas aguardam um produtor que se apaixone por elas e lhes dê um papel importante no próximo filme. Ali estão alguns atores conversando entre si, rindo e fingindo que nada daquilo lhes diz respeito, mas sempre com um olho na porta.

Alguém vai chegar.

Alguém precisa chegar. Os novos diretores, cheios de ideias na cabeça, currículos com vídeos universitários, leituras exaustivas de teses sobre fotografia e roteiro, esperam um golpe de sorte; alguém que ao voltar de uma festa procure uma mesa vazia, peça um café, acenda um cigarro, sinta-se exausto de ir sempre aos mesmos lugares, e esteja aberto para uma aventura nova.

Quanta ingenuidade.

Se isso acontecesse, a última coisa que tal pessoa gostaria de escutar é um novo "projeto que ainda ninguém fez"; mas o desespero é capaz de enganar o desesperado. Os poderosos que entram de vez em quando dão apenas uma olhada em torno, e sobem para seus quartos. Não estão preocupados. Sabem que não precisam temer nada. A Superclasse não perdoa traições, e todos conhecem os seus limites — não chegaram aonde estão pisando a cabeça dos outros, embora isso seja o que diz a lenda. Por outro lado, se alguma coisa imprevista e importante estiver esperando para ser descoberta — seja no mundo do cinema, da música, da moda —, isso virá através das pesquisas, e não dos bares de hotel.

A Superclasse está agora fazendo amor com a moça que conseguiu penetrar na festa e aceita tudo. Tirando a maquiagem, olhando as rugas, pensando que já é hora de uma nova cirurgia plástica. Procurando nas notícias online o que saiu sobre o recente anúncio que fez durante o dia. Tomando a inevitável pílula para dormir, e o chá que promete emagrecimento sem muito esforço. Preenchendo o menu com os itens desejados para o café da manhã no quarto, e o colocando na maçaneta da porta, junto com o papel de "Não perturbar". A Superclasse está fechando os olhos e pensando: "Espero que o sono venha logo, amanhã tenho um encontro marcado antes das dez horas".

Mas no bar do Martinez todos sabem que os poderosos estão ali. E, se estão ali, têm uma chance.

Não lhes passa pela cabeça que o Poder só conversa com o Poder. Que precisam se encontrar de vez em quando, beber e comer juntos, prestigiar grandes festas, alimentar a fantasia de que o mundo do luxo e glamour é acessível a todos com coragem bastante para perseverar numa ideia. Evitar guerras quando elas não são lucrativas, e estimular a agressividade entre países ou companhias, quando sentem que isso pode trazer mais poder e mais dinheiro. Fingir que são felizes, embora agora sejam reféns de seu próprio sucesso. Continuar lutando para aumentar sua riqueza e influência, mesmo que ela já seja enorme; porque a vaidade da Superclasse é concorrer com ela mesma, e ver quem está no topo do topo.

No mundo ideal, o Poder conversaria com atores, diretores, estilistas e escritores, que neste momento estão com os olhos vermelhos de cansaço, pensando em como vão voltar para seus quartos alugados em cidades afastadas, para amanhã começarem de novo a maratona de pedidos, de possibilidades de encontros, de disponibilidade.

No mundo real, o Poder está a esta hora trancado em seus quartos checando seu correio eletrônico, reclamando de que as festas sempre se parecem, que a joia da amiga era maior que a sua, que o iate que o concorrente comprou tem uma decoração única, e como é possível?

Igor não tem com quem conversar, e tampouco isso lhe interessa. O vencedor está só.

Igor, o bem-sucedido dono e presidente de uma companhia telefônica na Rússia. Reservou com antecedência de um ano a melhor suíte no Martinez (que obriga todos a pagar por pelo menos doze dias de hospedagem, independente de quanto tempo vão permanecer), chegou nesta tarde em jato privado, tomou um banho, e desceu na esperança de ver uma única e simples cena.

Durante algum tempo foi incomodado por atrizes, atores, diretores, mas tinha uma ótima resposta para todos:

— *Don't speak English, sorry. Polish.*

Ou:

— *Don't speak French, sorry. Mexican.*

Alguém tentou ensaiar algumas palavras em espanhol, mas Igor apelou para um segundo recurso. Anotar números em um caderno, para não parecer nem jornalista (que interessa a todos), nem um homem ligado à indústria de filmes. Ao seu lado, uma revista de economia em russo (afinal de contas, a maioria não sabia distinguir russo de polonês ou espanhol) com a foto de um desinteressante executivo na capa.

Os frequentadores do bar acham que entendem bem o gênero humano, deixam Igor em paz, pensando que deve ser um desses milionários que vão a Cannes apenas para ver se encontram uma namorada. Depois da quinta pessoa a sentar a sua mesa e pedir uma água mineral alegando que "não existe outra cadeira vazia", o boato corre, todos ali já sabem que o homem solitário não pertence à indústria do cinema ou da moda, e ele é deixado de lado como "perfume".

"Perfume" é a gíria que as atrizes (ou "starletes", como são chamadas durante o Festival) usam: é fácil trocar de marca, e muitas vezes podem ser verdadeiros tesouros. Os "perfumes" serão abordados nos dois últimos dias do festival, se não conseguirem encontrar absolutamente nada de interessante na indústria do filme. Portanto, aquele homem estranho, com aparência de rico, pode esperar. Todas elas sabem que é melhor sair dali com um namorado (que pode ser convertido em produtor de cinema) do que ir para o próximo evento, repetindo sempre o mesmo ritual — beber, sorrir (sobretudo sorrir), fingir que não está olhando ninguém, enquanto o coração bate acelerado, os minutos no relógio vão passando rápido, as noites de gala ainda não acabaram, elas não foram convidadas, mas eles foram.

Já sabem o que os "perfumes" vão dizer, porque é sempre a mesma coisa, mas fingem acreditar:

a) "Eu posso mudar sua vida."
b) "Várias mulheres gostariam de estar no seu lugar."
c) "No momento você ainda é jovem, mas pense daqui a alguns anos. É hora de fazer um investimento mais a longo prazo."

d) "Sou casado, mas minha esposa..." (aqui a frase pode ter diferentes finais: "está doente", "prometeu suicidar-se se eu a deixar" etc.)
e) "Você é uma princesa e merece ser tratada como tal. Sem que eu mesmo soubesse, eu a esperava. Não acredito em coincidências, e acho que devemos dar uma oportunidade a esta relação."

A conversa não varia. O que varia é conseguir o máximo de presentes possíveis (de preferência joias, que podem ser vendidas), ser convidada para algumas festas em alguns iates, pegar o maior número de cartões de visita, escutar de novo a mesma conversa, achar um jeito de ser convidada para as corridas de Fórmula 1, nas quais o mesmo tipo de gente aparece, e nas quais talvez a grande chance estará esperando.

"Perfume" também é como os jovens atores se referem às velhas milionárias, com plástica e botox, mais inteligentes que os homens. Elas jamais perdem tempo: chegam também nos últimos dias, sabendo que todo o poder de sedução está no dinheiro.

Os "perfumes" masculinos se enganam: acham que as longas pernas e os rostos juvenis se deixaram seduzir, e agora podem ser manipuladas à vontade. Os "perfumes" femininos confiam no poder de seus brilhantes, e apenas nisso.

Igor não conhece nenhum desses detalhes: é sua primeira vez ali. E acaba de confirmar, para sua surpresa, que ninguém parece muito interessado em filmes — exceto as pessoas daquele bar. Folheou algumas revistas, abriu o envelope onde sua companhia havia colocado os convites para as festas mais importantes, e absolutamente nenhum deles mencionava uma estreia. Antes de desembarcar na França, procurou saber quais os filmes que concorriam — teve imensa dificuldade em conseguir essa informação. Até que um amigo comentou:

— Esqueça os filmes. Cannes é um festival de moda.

Moda. O que as pessoas estão pensando? Acham que moda é aquilo que muda com a estação do ano? Vieram de todos os cantos do mundo para mostrar seus vestidos, suas joias, sua coleção de sapatos? Não sabem o que isso significa. "Moda" é apenas uma maneira de dizer: eu pertenço ao seu mundo. Uso o mesmo uniforme do seu exército, não atire nesta direção.

Desde que grupos de homens e mulheres começaram a conviver nas cavernas, a moda é a única maneira de dizer algo que todos entendam, mesmo sem se conhecerem: nos vestimos da mesma maneira, sou da sua tribo, nos unimos contra os mais fracos e assim sobrevivemos.

Mas ali está gente que acredita que "moda" é tudo. A cada seis meses gastam uma fortuna para mudar um pequeno detalhe e continuar na exclusiva tribo dos ricos. Se fizessem agora uma visita ao Silicon Valley, onde bilionários das indústrias de informática usam relógios de plástico e calças surradas, entenderiam que o mundo já não é o mesmo, todos parecem ter o mesmo nível social, ninguém está dando a menor atenção para o tamanho do diamante, a marca da gravata, o modelo da pasta de couro. Por sinal, gravatas e pastas de couro são inexistentes naquela região do mundo, mas ali perto está Hollywood, uma máquina relativamente mais poderosa — embora decadente — que ainda consegue fazer com que os ingênuos acreditem nos vestidos de alta-costura, nos colares de esmeralda, nas limusines gigantescas. E como é isso que ainda aparece nas revistas, quem tem interesse em destruir uma indústria de bilhões de dólares de anúncios, vendas de objetos inúteis, troca de tendências desnecessárias, criação de cremes repetitivos mas com rótulos diferentes?

Ridículos. Igor não consegue esconder seu ódio por aqueles cujas decisões afetam a vida de milhões de homens e mulheres trabalhadores, honestos, que levam seu cotidiano com dignidade porque têm saúde, um lugar para morar, e o amor de sua família.

Perversos. Quando tudo parece estar em ordem, quando as famílias se reúnem em torno da mesa para jantar, o fantasma da Superclasse aparece, vendendo sonhos impossíveis: luxo, beleza, poder. E a família se desagrega.

O pai passa horas em claro em trabalho extra para poder comprar o novo modelo de tênis para o filho, ou ele será olhado na escola como um marginal. A esposa chora em silêncio porque suas amigas vestem roupas de marca, e ela não tem dinheiro. Os adolescentes, em vez de conhecerem os verdadeiros valores da fé e da esperança, sonham em virar artistas. As moças do interior perdem a identidade própria, começam a considerar a possibilidade de ir para a cidade grande e aceitar qualquer coisa, absolutamente qualquer coisa, desde que possam ter determinada joia. Um mundo que devia caminhar em direção à justiça passa a girar em torno da matéria, que em seis meses já não serve para nada, precisa ser renovada, e só assim o circo pode continuar mantendo no topo do mundo aquelas criaturas desprezíveis que agora se encontram em Cannes.

Claro, Igor não se deixa influenciar por esse poder destruidor. Continua com um dos mais invejáveis trabalhos do mundo. Continua ganhando muito mais dinheiro por dia do que poderia gastar em um ano, mesmo que resolvesse se permitir todos os prazeres possíveis — legais ou ilegais. Não tem dificuldades em seduzir uma mulher, mesmo antes que ela saiba se é ou não um homem rico — já testou muitas vezes, e sempre deu resultado. Acaba de fazer quarenta anos, está em plena forma, fez o check-up anual e não descobriu nenhum problema de saúde. Não tem dívidas. Não precisa vestir determinada marca de roupa, frequentar tal restaurante, passar as férias na praia aonde "todo mundo irá", comprar um modelo de relógio só porque tal esportista bem-sucedido recomendou. Pode assinar importantes contratos com uma caneta de alguns centavos, usar casacos confortáveis e elegantes, feitos à mão em uma pequena loja ao lado do seu escritório, sem nenhuma etiqueta visível. Pode fazer o que deseja, sem precisar provar a ninguém que é rico, tem um trabalho interessante, e é entusiasmado pelo que faz.

Talvez aí esteja o problema: sempre entusiasmado pelo que faz. Está convencido de que essa é a razão pela qual a mulher que horas atrás entrou no bar não esteja sentada à sua mesa.

Tenta continuar pensando, passando o tempo. Pede a Kristelle mais uma dose de bebida — sabe o nome da garçonete porque há uma hora, quando o movimento era menor (as pessoas estavam nos jantares), pediu um copo de uísque, e ela comentou que ele parecia triste, que devia comer alguma coisa e levantar seu ânimo. Ele agradeceu a preocupação, e ficou contente que alguém realmente se incomodasse com seu estado de espírito.

Talvez ele seja o único que sabe como se chama a pessoa que o está servindo; o resto quer saber o nome — e se possível, o cargo — das pessoas que estão sentadas às mesas e nas poltronas.

Tenta continuar pensando, mas já passa das três horas da manhã, a bela mulher e o homem educado — por sinal, muito parecido fisicamente com ele — não apareceram de novo. Talvez tenham ido diretamente para o quarto e agora estão fazendo amor, talvez ainda estejam bebendo champanhe em um dos iates que começam suas festas quando todas as outras já estavam chegando ao final. Talvez estejam deitados, lendo revistas, sem olhar um para o outro.

    Isso não tem importância. Igor está sozinho, cansado, precisa dormir.

7h22

Acorda às 7h22. Era muito mais cedo do que o seu corpo pedia, mas ainda não teve tempo de se adaptar à diferença horária entre Moscou e Paris; se estivesse em seu escritório, já teria tido pelo menos duas ou três reuniões com seus subordinados, e estaria se preparando para almoçar com algum novo cliente.

Mas ali tem outra tarefa: encontrar alguém e sacrificar essa pessoa em nome do amor. Precisa de uma vítima, de modo que Ewa possa entender o recado ainda de manhã.

Toma banho, desce para tomar seu café em um restaurante com quase todas as mesas livres, e vai caminhar pela Croisette, a calçada diante dos principais hotéis de luxo. Não há trânsito — parte da pista está impedida, e só carros com autorização oficial podem passar. A outra está vazia, porque mesmo as pessoas que vivem na cidade ainda estão se preparando para ir ao trabalho.

Não tem ressentimentos — já superou a fase mais difícil, quando não podia dormir por causa do sofrimento e do ódio que sentia. Hoje em dia, é capaz de entender a atitude de Ewa: afinal de contas, a monogamia é um mito que foi empurrado ao ser humano goela abaixo. Leu muito sobre o assunto: não se trata de excesso de hormônios ou vaidade, mas de uma configuração genética encontrada em praticamente todos os animais.

As pesquisas não erram: cientistas que aplicaram testes de paternidade em pássaros, macacos, raposas descobriram que o fato de essas espécies desenvolverem uma relação social muito parecida com o casamento, isso não quer dizer que sejam fiéis uns aos outros. Em 70% dos casos, o filhote é bastardo. Igor guarda na memória um parágrafo de David Barash, professor de psicologia da Universidade de Washington, em Seattle:

"Dizem que apenas os cisnes são fiéis, mas até isso é uma mentira. A única espécie da natureza que não comete adultério é uma ameba, *Diplozoon paradoxum*. Os dois parceiros se encontram quando ainda são jovens, e seus corpos se fundem em um único organismo. Todo o resto é capaz de trair."

Por isso não pode acusar Ewa de nada — ela apenas seguiu um instinto da raça humana. Mas como foi educada por convenções sociais que não respeitam a natureza, neste momento deve sentir-se culpada, achar que ele não a ama mais, que nunca a perdoaria.

Pelo contrário; está disposto a tudo, inclusive a mandar recados que terminarão com universos e mundos de outras pessoas, apenas para que entenda que não somente será bem-vinda, como o passado será enterrado sem uma pergunta sequer.

Encontra uma jovem arrumando suas mercadorias na calçada. Peças de artesanato de gosto discutível.

Sim, ela é o sacrifício. Ela é a mensagem que deve enviar — e que com toda certeza será entendida assim que chegar ao seu destino. Antes de aproximar-se, a contempla com ternura; ela não sabe que daqui a pouco, se tudo conspirar a favor, sua alma estará vagando nas nuvens, livre para sempre daquele trabalho idiota, que jamais a permitirá chegar aonde os seus sonhos gostariam que estivesse.

— Quanto custa? — indaga em francês fluente.

— Qual o senhor deseja?
— Todas.
A menina — que não devia ter mais de vinte anos — sorri.
— Não é a primeira vez que me propõem isso. O próximo passo será: quer dar um passeio comigo? Você é bonita demais para estar aqui, vendendo estas coisas. Eu sou...
— ... não, eu não sou. Eu não trabalho em cinema. Eu não vou fazer de você uma atriz e mudar sua vida. Tampouco estou interessado nas coisas que vende. Tudo que preciso é conversar, e podemos fazer isso aqui mesmo.
A menina olha para outro lado.
— São meus pais que fazem este trabalho, e me orgulho do que faço. Um dia alguém passará por aqui e irá reconhecer o valor destas peças. Por favor, siga adiante, não será difícil encontrar alguém para escutar o que tem a dizer.
Igor tira um maço de notas do bolso, e coloca gentilmente ao lado dela.
— Perdoe minha grosseria. Disse isso apenas para que abaixasse o preço. Muito prazer, meu nome é Igor Dalev. Cheguei ontem de Moscou e ainda estou confuso com a diferença horária.
— Meu nome é Olivia — diz a moça, fingindo acreditar na mentira.
Sem pedir permissão, senta-se ao seu lado. Ela afasta-se um pouco.
— O que quer conversar?
— Pegue as notas primeiro.
Olivia hesita. Mas, olhando em volta, entende que não tem nenhuma razão para ter medo. Os carros começam a circular pela única pista disponível, jovens dirigem-se para a praia, e um casal de velhos se aproxima pela calçada. Coloca o dinheiro no bolso sem contar quanto tem ali — a vida lhe deu bastante experiência para saber que é mais que suficiente.

— Obrigado por ter aceitado minha oferta — responde o russo. — O que quero conversar? Na verdade, nada muito importante.

— Você deve estar aqui por alguma razão. Ninguém visita Cannes em uma época em que a cidade fica insuportável para seus moradores e para os turistas.

Igor olha o mar e acende um cigarro.

— Fumar é perigoso.

Ele ignora o comentário.

— Para você, qual o sentido da vida? — pergunta.

— Amar.

Olivia sorri. Era uma ótima maneira de começar o dia — falando de coisas mais profundas que o preço de cada peça de artesanato, ou a maneira como as pessoas estavam vestidas.

— E para o senhor, qual o sentido?

— Sim, amar. Mas pensei que também era importante ter dinheiro suficiente para mostrar aos meus pais que eu era capaz de vencer. Consegui, e hoje eles se orgulham de mim. Encontrei a mulher perfeita, criei uma família, gostaria de ter filhos, honrar e temer a Deus. Os filhos, entretanto, não vieram.

Olivia achou que seria muito delicado perguntar por quê. O homem de seus quarenta anos, falando um francês perfeito, continua:

— Pensamos em adotar uma criança. Passamos dois ou três anos pensando nisso. Mas a vida começou a ficar muito movimentada — viagens, festas, encontros, negociações.

— Quando o senhor sentou aqui para conversar, pensei que era mais um milionário excêntrico em busca de aventura. Mas fico contente em conversar sobre essas coisas.

— Você pensa no seu futuro?

— Penso, e acho que meus sonhos são iguais aos seus. Claro que pretendo ter filhos.

Ela deu uma pausa. Não queria ferir o companheiro que aparecera de maneira tão inesperada.

— ... se for possível, é claro. Às vezes, Deus tem outros planos.

Ele parece não ter dado atenção à resposta.

— Para o festival só vêm milionários?

— Milionários, gente que acha que é milionária, ou gente que quer ficar milionária. Durante estes dias, esta parte da cidade parece um hospício, todos se comportam como pessoas importantes, exceto as pessoas que são realmente importantes — estas são mais gentis, não precisam provar nada a ninguém. Nem sempre compram o que eu tenho para vender, mas pelo menos sorriem, dizem algumas palavras delicadas, e me olham com respeito. O que o senhor está fazendo aqui?

— Deus construiu o mundo em seis dias. Mas o que é o mundo? É aquilo que você ou eu vemos. Cada vez que morre uma pessoa, uma parte do universo é destruída. Tudo aquilo que este ser humano sentiu, experimentou, contemplou desaparece com ele, da mesma maneira que as lágrimas desaparecem na chuva.

— "Como lágrimas na chuva"... Sim, eu vi um filme que usava esta frase. Não me lembro qual.

— Não vim para chorar. Vim para mandar recados à mulher que amo. E, para isso, preciso apagar alguns universos ou mundos.

Em vez de ficar assustada com o comentário, Olivia ri. Realmente aquele homem bonito, bem-vestido, falando francês fluente, não parece ter nada de louco. Estava cansada de escutar sempre os mesmos comentários: você é muito bonita, você podia estar em situação muito melhor, qual o preço disso, quanto custa aquilo, é caríssimo, vou dar uma volta e volto mais tarde (o que nunca acontecia, claro) etc. Pelo menos o russo tinha senso de humor.

— E por que destruir o mundo?

— Para reconstruir o meu.

Olivia pode tentar consolar a pessoa ao seu lado. Mas tem medo de escutar a famosa frase "Gostaria que você desse um sentido à minha vida", e a conversa iria acabar logo, porque ela tinha outros planos para o seu futuro. Além do mais, seria completamente idiota de sua parte tentar ensinar a um homem mais velho e mais bem-sucedido como ultrapassar suas dificuldades.

A saída era procurar saber mais de sua vida. Afinal de contas, ele havia pagado — e bem — por seu tempo.

— Como pretende fazer isso?

— Você conhece alguma coisa sobre sapos?

— Sapos?

Ele continua:

— Vários estudos biológicos demonstram que um sapo colocado num recipiente com a mesma água de sua lagoa fica estático durante todo o tempo em que aquecemos o líquido. O sapo não reage ao gradual aumento de temperatura, às mudanças de ambiente, e morre quando a água ferve, inchado e feliz.

"Por outro lado, outro sapo que seja jogado nesse recipiente com a água já fervendo, salta imediatamente para fora. Meio chamuscado, porém vivo."

Olivia não entende direito o que isso tem a ver com a destruição do mundo. Igor continua:

— Já me comportei como um sapo fervido. Não percebi as mudanças. Achava que tudo estava bem, que o mal ia passar, era só uma questão de tempo. Estive prestes a morrer porque perdi a coisa mais importante na vida e, em vez de reagir, fiquei boiando, apático, na água que se aquecia a cada minuto.

Olivia toma coragem e faz a pergunta:

— O que você perdeu?

— Na verdade eu não perdi; existem momentos em que a vida separa determinadas pessoas apenas para que ambas entendam quanto uma é importante para a outra. Digamos que ontem à noite vi minha mulher com outro homem. Sei que ela deseja voltar, que ainda me ama, mas não tem coragem de dar esse passo. Há sapos fervidos que ainda acreditam que o fundamental é a obediência, e não a competência: manda quem pode, e obedece quem tem juízo. E, nisso tudo, onde está a verdade? É melhor sair meio chamuscado de uma situação, mas vivo e pronto para agir.

"E tenho certeza de que você pode me ajudar nessa tarefa."

Olivia imagina um pouco o que passa pela cabeça do homem ao seu lado. Como é que alguém podia abandonar uma pessoa que parecia tão interessante, capaz de conversar sobre coisas que jamais escutara? Enfim, o amor não tem lógica mesmo — apesar de sua pouca idade, sabe disso. Seu namorado, por exemplo, pode fazer coisas brutais, de vez em quando a espanca sem razão, e mesmo assim ela não consegue passar um dia longe dele.

De que estavam falando mesmo? De sapos. E de que ela podia ajudá-lo. Claro que não pode, portanto é melhor mudar de assunto.

— E como pretende destruir o mundo?

Igor aponta a única pista de trânsito livre na Croisette.

— Digamos que eu não deseje que você vá a uma festa, mas não posso falar isso abertamente. Se eu esperar a hora do congestionamento, e parar um carro no meio desta rua, em dez minutos toda a avenida em frente à praia estará congestionada. Os motoristas vão pensar: "Deve ter sido um acidente", e terão um pouco de paciência. Em quinze minutos, a polícia chega com um caminhão para rebocar o carro.

— Isso já aconteceu centenas de vezes.

— Mas eu teria saído do carro e espalhado pregos e objetos cortantes diante dele. Com todo cuidado, sem que ninguém se dê conta. Eu teria a paciência de pintar todos esses objetos de preto, de modo que se confundissem com o asfalto. No momento em que o caminhão se aproximasse, seus pneus seriam destruídos. Agora temos dois problemas, e o engarrafamento já está chegando nos subúrbios desta pequena cidade, onde você possivelmente mora.

— Muito criativo como ideia. Mas o máximo que conseguiria era que eu me atrasasse por uma hora.

Foi a vez de Igor sorrir.

— Bem, eu podia discorrer algumas horas sobre como aumentar este problema — quando as pessoas se juntassem para ajudar, por exemplo, eu jogaria algo como uma pequena bomba de fumaça debaixo do caminhão. Todos se assustariam. Eu entraria no meu carro, fingindo desespero, e daria a partida no motor, só que ao mesmo tempo espalharia um pouco de fluido de isqueiro no tapete do carro, e atearia fogo. Daria tempo para saltar e assistir à cena: o carro incendiando aos poucos, o tanque de gasolina sendo atingido, a explosão, o carro de trás também sendo atingido — e a reação em cadeia. Tudo isso usando um carro, alguns pregos, uma bomba de fumaça que pode ser comprada em qualquer loja, e uma pequena lata de fluido de isqueiro...

Igor tira um tubo de ensaio do bolso, com um pouco de líquido dentro.

— ... do tamanho disto aqui. Isso eu devia ter feito quando vi que Ewa iria partir. Atrasar sua decisão, fazer com que pensasse mais um pouco, que medisse as consequências. Quando as pessoas começam a refletir sobre as decisões que precisam tomar, geralmente terminam desistindo — é preciso muita coragem para dar determinados passos.

"Mas fui orgulhoso, achei que era provisório, que iria se dar conta. Tenho certeza de que agora está arrependida, e deseja voltar — eu repito. Mas para isso será preciso que eu destrua alguns mundos."

A expressão dele havia mudado, e Olivia já não estava achando graça nenhuma na história. Levanta-se.

— Bem, eu preciso trabalhar.

— Mas eu lhe paguei para que me escutasse. Paguei o suficiente por todo o seu dia de trabalho.

Ela coloca a mão no bolso para retirar o dinheiro que lhe havia sido entregue, e neste momento vê a pistola apontada para o seu rosto.

— Sente-se.

Seu primeiro impulso foi correr. O casal de velhos aproximava-se lentamente.

— Não corra — diz ele, como se pudesse ler seus pensamentos. — Não tenho a menor intenção de atirar, se você sentar-se e ouvir até o final. Se você não fizer nada, apenas me obedecer, eu juro que não atiro.

Na cabeça de Olivia uma série de opções desfila rapidamente: correr em zigue-zague era a primeira delas, mas percebe que suas pernas estão frouxas.

— Sente-se — repetiu o homem. — Não vou atirar em você se fizer o que estou mandando. Eu prometo.

Sim. Seria uma loucura disparar aquela arma em uma manhã de sol, com carros passando na rua, pessoas indo para a praia, o trânsito ficando cada vez mais denso, outras pessoas começando a caminhar pela calçada. Melhor fazer o que o homem diz — simplesmente porque não tem condições de agir de outra forma; está quase desmaiando.

Obedece. Agora precisa convencê-lo de que não é uma ameaça, escutar suas lamentações de marido abandonado, prometer que não tinha visto nada, e assim que um policial aparecer fazendo a ronda habitual, atirar-se no chão e gritar por socorro.

— Sei exatamente o que está sentindo — a voz do homem procura acalmá-la. — Os sintomas do medo são os mesmos desde a noite dos tempos. Era assim quando os seres humanos enfrentavam as bestas selvagens, e continua sendo da mesma maneira até hoje: o sangue desaparece da face e da epiderme, protegendo o corpo e evitando o sangramento — daí a sensação de palidez. Os intestinos se afrouxam e soltam tudo, para evitar que matérias tóxicas contaminem o organismo. O corpo recusa a mover-se em um primeiro momento, para não provocar a fera, e evitar que ela ataque a qualquer gesto suspeito.

"Tudo isso é um sonho", pensa Olivia. Lembra-se dos pais, que na verdade deviam estar ali naquela manhã, mas que haviam passado a noite trabalhando nas bijuterias porque o dia devia ser movimentado. Há algumas horas, fazia amor com seu namorado, que julgava ser o homem de sua vida, embora abusasse dela de vez em quando; os dois tiveram um orgasmo simultâneo, o que não acontecia fazia muito tempo. Depois do café daquela manhã, decidiu não tomar a ducha de sempre, porque se sentia livre, cheia de energia, contente com a vida.

Não, isso não está acontecendo. Melhor demonstrar também um pouco de calma.

— Vamos conversar. O senhor comprou toda a mercadoria, e vamos conversar. Eu não me levantei para ir embora.

Ele encosta discretamente o cano da arma nas costelas da moça. O casal de velhos passa, olhando para os dois sem nada perceber. Ali está a filha do português, como sempre tentando impressionar os homens com suas sobrancelhas cerradas e seu sorriso infantil. Não era a primeira vez que a viam com um estranho, que pela roupa parecia ser rico.

Olivia os olha fixamente, como se o olhar pudesse dizer qualquer coisa. O homem ao seu lado diz com uma voz alegre:

— Bom dia!

O casal se afasta sem dizer palavra — não costumavam falar com estranhos, ou cumprimentar vendedoras ambulantes.

— Sim, vamos conversar — o russo quebrou o silêncio. — Não vou fazer nada disso com o trânsito, estava dando apenas um exemplo. Minha mulher vai saber que estou aqui quando começar a receber os recados. Não vou fazer o mais óbvio, que é procurar encontrá-la — preciso que venha até mim.

Ali está uma saída.

— Posso dar os recados, se quiser. Basta me dizer em que hotel está hospedada.

O homem ri.

— Você tem o vício de todas as pessoas de sua idade: achar-se mais esperta que o resto dos seres humanos. No momento em que sair daqui, irá imediatamente até a polícia.

O sangue gelou. Então, iriam ficar ali naquele banco o dia inteiro?

Ele iria atirar de qualquer maneira, já que ela conhecia seu rosto?

— O senhor disse que não iria atirar.

— Prometi que não farei isso, se você se comportar como alguém mais adulta, que respeita a minha inteligência.

Sim, ele tem razão. E ser mais adulta é falar um pouco de si mesma. Quem sabe, aproveitar-se da compaixão que sempre existe na mente de um louco. Explicar que vive uma situação semelhante, embora não seja verdade.

Um rapaz passa correndo, com seu iPod nos ouvidos. Nem sequer se dá ao trabalho de olhar para o lado.

— Moro com um homem que faz da minha vida um inferno, e mesmo assim não consigo me libertar dele.

Os olhos de Igor mudam.

Olivia acredita que encontrou uma maneira de sair daquela armadilha. "Seja inteligente. Não se ofereça, procure pensar na mulher do homem que está ao seu lado."

Seja verdadeira.

— Ele me isolou de meus amigos. Vive com ciúmes, embora tenha todas as mulheres que deseja. Critica tudo que faço, diz que não tenho ambição nenhuma. Controla o pouco dinheiro que ganho como comissão na venda das bijuterias.

O homem está em silêncio, olhando o mar. A calçada se enche de gente; o que aconteceria se simplesmente se levantasse e fugisse? Ele seria capaz de atirar? A arma era de verdade?

Mas sabe que havia tocado em um assunto que parecia deixá-lo mais à vontade. Melhor não correr o risco de fazer uma loucura — ela se lembra do olhar e da voz de minutos antes.

— Mesmo assim, não consigo deixá-lo. Mesmo que aparecesse o melhor, mais rico, mais generoso ser humano da face da Terra, eu não trocaria meu namorado por nada. Não sou masoquista, não tenho prazer em ser constantemente humilhada — mas eu o amo.

Sentiu o cano da arma pressionar de novo suas costelas. Havia dito algo errado.

— Eu não sou igual a este canalha do seu namorado — a voz agora era puro ódio. — Trabalhei muito para construir tudo que tenho. Trabalhei duro, recebi muitos golpes, sobrevivi a todos eles, lutei com honestidade, embora às vezes precisasse ser duro e implacável. Sempre fui um bom cristão. Tenho amigos influentes, e jamais fui ingrato. Enfim, fiz tudo certo.

"Nunca destruí ninguém no meu caminho. Sempre que pude, estimulei minha mulher a fazer o que queria, e o resultado foi esse: estou agora sozinho. Sim, já matei seres humanos durante uma guerra idiota, mas não perdi o senso da realidade. Não sou um veterano de guerra traumatizado, que entra em um restaurante e dispara sua metralhadora a esmo. Não sou um terrorista. Podia achar que a vida foi injusta comigo, que me roubou o que há de mais importante: o amor. Mas existem outras mulheres, e as dores do amor sempre passam. Preciso agir, cansei de ser um sapo que ia sendo cozinhado aos poucos."

— Se sabe que existem outras mulheres, se sabe que as dores passam, por que então sofrer tanto?

Sim, estava se comportando como adulta — surpresa com a calma com que tentava controlar o louco ao seu lado.

Ele pareceu vacilar.

— Não sei responder direito. Talvez porque já fui abandonado muitas vezes. Talvez porque precise provar a mim mesmo do que sou capaz. Talvez porque tenha mentido, e não existam outras mulheres — apenas uma. Tenho um plano.

— Qual é seu plano?

— Já lhe disse. Destruir alguns mundos, até que ela se dê conta de que é importante para mim. De que sou capaz de correr qualquer risco para tê-la de volta.

A polícia!

Ambos notaram que um carro de polícia se aproximava.

— Desculpe — disse o homem. — Eu pretendia conversar um pouco mais, a vida também não é justa com você.

Olivia entende a sentença de morte. E como agora não tinha mais nada a perder, faz menção de se levantar de novo. Entretanto, a mão daquele estrangeiro toca o seu ombro direito, como se a abraçasse com carinho.

Samozashchita Bez Orujiya, ou Sambo, como é mais conhecido entre os russos, é a arte de matar rapidamente com as mãos, sem que a vítima se dê conta do que está acontecendo. Foi desenvolvida ao longo dos séculos, quando povos ou tribos precisavam enfrentar invasores sem a ajuda de qualquer arma. Foi amplamente utilizada pelo aparelho soviético para eliminar alguém sem deixar vestígios. Tentaram introduzi-la como arte marcial nas Olimpíadas de 1980 em Moscou, mas foi descartada por ser perigosa demais — apesar de todos os esforços dos comunistas de então para incluir nos Jogos um esporte que só eles sabiam praticar.

Ótimo. Dessa maneira, só mesmo algumas poucas pessoas conhecem seus golpes.

O polegar direito de Igor pressiona a jugular de Olivia, e o sangue deixa de circular até o cérebro. Enquanto isso, sua outra mão pressiona determinado ponto perto das axilas, provocando a paralisia dos músculos. Não há contrações; agora é apenas uma questão de esperar dois minutos.

Olivia parece ter adormecido em seus braços. O carro policial cruza por detrás deles, usando a via preferencial e fechada para o trânsito. Nem sequer notam o casal abraçado — têm outras coisas com que se preocupar naquela manhã: precisam fazer o máximo para que a circulação de automóveis não seja interrompida, o que é uma tarefa absolutamente impossível de ser cumprida à risca. Acabam de receber uma chamada pelo rádio, parece que um milionário bêbado havia batido com sua limusine a três quilômetros dali.

Sem retirar o braço que apoia a garota, Igor abaixa-se e usa a outra mão para recolher a toalha diante do banco, onde estavam expostas aquelas coisas de mau gosto. Dobra o tecido com agilidade, fazendo um travesseiro improvisado.

Quando vê que não há ninguém por perto, com todo carinho deita o corpo inerte no banco; a moça parece dormir — e, em seus sonhos, devia estar se lembrando de um lindo dia, ou tendo pesadelos com o namorado violento.

Somente o casal de velhos havia notado que estavam juntos. E caso se descobrisse um crime — o que Igor achava difícil, porque não havia marcas visíveis — iriam descrevê-lo para a polícia como alguém louro, ou negro, mais velho ou mais jovem do que realmente parecia; não havia a menor razão para se preocupar, as pessoas jamais prestam atenção ao que está ocorrendo no mundo.

Antes de partir, deu um beijo na testa da bela adormecida, e murmurou:

— Como você viu, cumpri minha promessa. Não atirei.

Depois de dar alguns passos, começou a sentir uma imensa dor de cabeça. Era normal: o sangue estava inundando o cérebro, reação absolutamente aceitável para quem acaba de libertar-se de um estado de extrema tensão.

Apesar da dor de cabeça, estava feliz. Sim, tinha conseguido.

Sim, era capaz. E estava mais feliz ainda porque havia libertado a alma daquele corpo frágil, daquele espírito que não conseguia reagir aos abusos de um covarde. Se aquela relação doentia continuasse, em breve a moça iria ficar deprimida e ansiosa, perder a autoestima e ficar cada vez mais dependente do poder do seu namorado.

Nada disso tinha acontecido com Ewa. Sempre fora capaz de tomar suas decisões, tivera o seu apoio moral e material quando decidira abrir sua loja de alta-costura, era livre para viajar quando e quanto quisesse. Tinha sido um homem, um marido exemplar. E, mesmo assim, ela havia cometido um erro — não soube entender seu amor, como também não entendeu seu perdão. Mas esperava que recebesse os recados — afinal, no dia em que ela resolvera partir, ele disse que iria destruir mundos para tê-la de volta.

Pega o celular recém-comprado, descartável, onde colocou o menor crédito possível. Digita uma mensagem.

11h

Segundo a lenda, tudo começa com uma desconhecida moça francesa de dezenove anos, posando de biquíni na praia para os fotógrafos que nada tinham a fazer durante o Festival de Cannes de 1953. Pouco tempo depois, era alçada ao estrelato, e seu nome se transformou em uma lenda: Brigitte Bardot. E agora todo mundo pensa que pode fazer a mesma coisa! Ninguém entende a importância de ser atriz; a beleza é a única coisa que conta.

E por causa disso as longas pernas, os cabelos tingidos, as falsas louras viajam centenas, milhares de quilômetros para estarem ali, nem que seja para passarem o dia inteiro na areia, com a esperança de serem vistas, fotografadas, descobertas. Querem escapar da armadilha que espera todas as mulheres: transformar-se em donas de casa, preparando o jantar para o marido toda noite, levando os filhos para o colégio todos os dias, tentando descobrir um pequeno detalhe na vida monótona dos seus vizinhos para que possam ter assunto com as amigas. Querem a fama, o brilho e o glamour, a inveja dos habitantes de sua cidade, das meninas e meninos que sempre as trataram como patinho feio, sem saber que iriam desabrochar como um cisne, uma flor cobiçada por todos. Uma carreira no mundo dos sonhos, é isso o que importa — mesmo que precisem pedir dinheiro emprestado para uma aplicação de silicone nos seios, ou a compra de vestidos mais provocantes. Aulas de teatro? Não é preciso, basta a beleza e os contatos certos: o cinema é capaz de tudo.

Desde que você consiga entrar no mundo do cinema.

Tudo para escapar da armadilha da cidade do interior, e dos dias repetitivos. Existem milhões de pessoas que não se importam com isso, portanto que elas vivam suas vidas da maneira que acharem melhor. Quem vem para o Festival deve deixar o medo em casa e estar preparada para tudo: agir sem nenhuma hesitação, mentir sempre que for necessário, diminuir a idade, sorrir para quem detesta, fingir que se interessa por pessoas sem atração alguma, dizer "eu te amo" sem pensar nas consequências, apunhalar pelas costas a amiga que a ajudou em determinado momento mas que agora se transformou em uma concorrente indesejável. Caminhar para a frente, sem remorsos ou vergonha. A recompensa merece qualquer sacrifício.

Fama.

Brilho e glamour.

Estes pensamentos irritam Gabriela: não é a melhor maneira de começar um novo dia. Além do mais, está de ressaca.

Mas pelo menos tem um consolo: não despertou em um hotel cinco-estrelas, com um homem ao seu lado dizendo que ela precisava vestir-se e sair, porque ele tem muitas coisas importantes para tratar, como comprar ou vender filmes que havia produzido.

Levanta-se e olha à sua volta, para ver se alguma de suas amigas ainda está ali. Claro que não, tinham partido para a Croisette, as piscinas, os bares de hotel, os iates, os possíveis almoços e os encontros na praia. Cinco colchonetes se espalhavam pelo chão do pequeno apartamento conjugado, alugado por temporada a um preço exorbitante. Em torno dos colchonetes, roupas desarrumadas, sapatos virados ao contrário, cabides caídos no chão e que ninguém se dera ao trabalho de recolocar no armário.

"*Aqui, as roupas merecem mais espaço que as pessoas.*"

Claro, como nenhuma delas podia se dar ao luxo de sonhar com Elie Saab, Karl Lagerfeld, Versace, Galliano, restava o que parecia ser infalível, mas mesmo assim ocupava praticamente o apartamento inteiro: biquínis, minissaias, camisetas, sapatos de salto plataforma e uma quantidade imensa de maquiagem.

"*Um dia vestirei o que eu quero. No momento, preciso apenas de uma oportunidade.*"

Por que deseja uma oportunidade?

Simples. Porque sabe que é a melhor de todas, apesar da sua experiência na escola, da decepção que dera aos seus pais, dos desafios que tem procurado enfrentar desde então para provar a si mesma que pode superar as dificuldades, as frustrações e as derrotas que sofreu. Nasceu para vencer e brilhar, não tem a menor dúvida.

"*E quando conseguir o que sempre desejei, sei que vou me perguntar: me amam e me admiram porque sou eu mesmo, ou porque sou famosa?*"

Conhece pessoas que atingiram o estrelato nos palcos. Ao contrário do que imaginava, não estão em paz; são inseguras, cheias de dúvidas, infelizes quando estão fora de cena. Desejam ser atores para que não precisem representar a si mesmos, vivem com medo de dar um passo errado que possa acabar com sua carreira.

"*Mas sou diferente. Sempre fui eu mesma.*"

Verdade? Ou será que todos os que estão no seu lugar pensam a mesma coisa?

Levanta-se e prepara um café — a cozinha está suja, nenhuma das suas amigas se preocupou em lavar a louça. Não sabe por que acordou com tanto mau humor e tantas dúvidas. Conhece o seu trabalho, dedicou-se a ele com toda sua alma, e ainda assim parece que ninguém deseja reconhecer seu talento. Conhece também os seres humanos, principalmente os homens — futuros aliados em uma batalha que terá que vencer logo, porque já está com vinte e cinco anos, e em breve estará velha demais para a indústria dos sonhos. Sabe que:

a) eles são menos traiçoeiros do que as mulheres;
b) jamais reparam em nossas roupas, porque a única coisa que fazem é nos despir com seus olhos;
c) seios, coxas, nádegas, barriga: basta ter isso no lugar e o mundo será conquistado.

Por causa desses três itens, e porque sabe que todas as outras mulheres que estão concorrendo com ela procuram exagerar seus atributos, ela dá atenção apenas ao item "c" de sua lista. Faz ginástica, procura manter-se em forma, evita regimes e veste-se exatamente ao contrário do que manda a lógica: suas roupas são discretas. Tem dado resultado até agora, termina parecendo mais jovem do que é. Espera que também dê resultado em Cannes.

Seios, nádegas, coxas. Pois que prestem atenção a isso no momento, se for absolutamente indispensável. Chegará o dia em que poderão ver tudo o que é capaz.

Bebe seu café e começa a entender seu mau humor. Está cercada pelas mulheres mais belas do planeta! Embora não se julgue feia, não existe a menor possibilidade de concorrer com elas. Precisa decidir o que fazer; esta viagem foi uma decisão difícil, o dinheiro está contado, e não tem muito tempo para conseguir um contrato. Já foi a vários lugares nos dois primeiros dias, distribuiu seu currículo, suas fotos, mas tudo que conseguiu foi ser convidada para a festa da véspera — um restaurante de quinta categoria, com a música a todo o volume, e onde não apareceu ninguém da Superclasse. Bebeu para perder a inibição, foi além do que seu organismo podia suportar, e terminou sem saber onde estava, e o que fazia ali.

Tudo parecia estranho — a Europa, a maneira como as pessoas se vestiam, as línguas diferentes, a falsa alegria de todos os presentes, que gostariam de ter sido convidados para algo mais importante, e no entanto estavam naquele local de menor importância, ouvindo a mesma música, conversando aos gritos sobre a vida dos outros e a injustiça dos poderosos.

Gabriela está cansada de falar da injustiça dos poderosos. Eles são assim, e ponto-final. Escolhem quem desejam, não têm que dar satisfações a ninguém — e por isso ela precisa de um plano. Muitas outras moças com o mesmo sonho (mas sem o mesmo talento, claro) devem estar distribuindo seus currículos e suas fotos; os produtores que vieram ao Festival estão inundados de pastas, DVDs, cartões de visita.

O que pode fazer a diferença?

Precisa pensar. Não terá outra chance como essa, sobretudo porque gastou o resto do dinheiro que tinha para chegar até ali. E — terror dos terrores — está ficando velha. Vinte e cinco anos. Sua última oportunidade.

Bebe o café olhando pela pequena janela, que dá para um beco sem saída. Tudo que consegue ver é uma tabacaria, e uma menina comendo chocolate. Sim, sua última oportunidade. Espera que seja bastante diferente da primeira.

Volta ao passado, aos onze anos de idade, a primeira peça de teatro na escola em Chicago, onde passara a infância estudando em um dos colégios mais caros da região. Seu desejo de vencer não nascera de uma aclamação unânime por parte do público presente, composto de pais, mães, parentes e professores.

Muito pelo contrário: representava o Chapeleiro Louco que encontra Alice em seu País das Maravilhas. Passara em um teste com muitos outros meninos e meninas, já que o papel era um dos mais importantes da peça.

A primeira frase que deveria dizer era: "Você precisa cortar o cabelo".

Neste momento, Alice responderia: "Isso mostra que o senhor não tem educação com os convidados".

Quando chegou o esperado momento, tantas vezes ensaiado e repetido, estava tão nervosa que errou o texto, dizendo "Você precisa crescer os cabelos". A menina que representava Alice respondeu com a mesma frase sobre a má educação, e isso não teria feito nenhuma diferença para a plateia. Gabriela, entretanto, percebeu seu erro.

E perdeu a fala. Sendo o Chapeleiro Louco um personagem necessário para que a cena continuasse, e como as crianças não estão acostumadas a improvisar no palco (embora façam isso na vida real), ninguém sabia o que fazer — até que, depois de longos minutos com os atores olhando uns para os outros, a professora começou a aplaudir, disse que tinha chegado a hora do intervalo e mandou todos saírem de cena.

Gabriela não apenas saiu de cena, mas saiu da escola em prantos. No dia seguinte, soube que a cena do Chapeleiro Louco tinha sido cortada, com os atores seguindo direto para o jogo de cricket com a Rainha. Embora a professora dissesse que isso não tinha a menor importância, já que a história de *Alice no País das Maravilhas* era mesmo sem pé nem cabeça, na hora do recreio todos os meninos e meninas se reuniram e lhe deram uma surra.

Não era a primeira surra que levava. Aprendera a se defender com a mesma energia com que conseguia atacar as crianças mais fracas — e isso acontecia pelo menos uma vez por semana. Mas dessa vez, apanhou sem dizer uma palavra e sem derramar uma lágrima. Sua reação foi tão surpreendente que a briga durou pouquíssimo — afinal de contas, tudo que seus colegas esperavam é que estivesse sofrendo e gritando, mas, como ela parecia não se importar, perderam o interesse.

Porque naquele momento, a cada tapa que recebia, Gabriela pensava:

"Serei uma grande atriz. E todos, absolutamente todos, irão se arrepender do que fizeram."

Quem diz que as crianças não são capazes de decidir o que querem da vida?

Os adultos.

E, quando crescemos, terminamos acreditando que eles são mais sábios, que têm toda razão do mundo. Muitas crianças passaram pela mesma situação quando representavam o Chapeleiro Louco, a Bela Adormecida, Aladim ou Alice — e naquele momento decidiram abandonar para sempre as luzes dos refletores e os aplausos da plateia. Mas Gabriela, que até seus onze anos jamais tinha perdido uma só batalha, era a mais inteligente, a mais bonita, a que tirava as melhores notas na classe, entendia intuitivamente: "Se eu não reagir agora, estarei perdida".

Uma coisa era apanhar de colegas — porque também sabia bater. Outra coisa era carregar pelo resto dos seus dias uma derrota. Porque todos nós sabemos disso: o que começa com um erro em uma peça de teatro, com a incapacidade de dançar bem como os outros, suportar comentários sobre pernas finas demais ou cabeça grande demais, coisas que qualquer criança enfrenta, pode ter duas consequências radicalmente diversas.

Alguns poucos resolvem se vingar, procurando ser os melhores naquilo que todos achavam que eram incapazes de fazer. "Vocês um dia ainda terão inveja de mim", pensam.

A maior parte, porém, aceita que tem um limite, e a partir daí tudo fica pior. Crescem inseguros, obedientes (embora sempre sonhem com o dia em que serão livres e capazes de fazer tudo que lhes dá vontade), casam para que não digam que eram tão feias assim (embora continuem se achando feias), têm filhos para que não digam que são estéreis (embora realmente tenham vontade de ter filhos), se vestem bem para que não digam que se vestem mal (embora já saibam que vão dizer de qualquer maneira, independente da roupa que estiverem usando).

O episódio da peça já tinha sido esquecido pela escola na semana seguinte. Mas Gabriela havia decidido que um dia voltaria àquela mesma escola — dessa vez como uma atriz mundialmente conhecida, com secretários, guarda-costas, fotógrafos e uma legião de fãs. Representaria *Alice no País das Maravilhas* para as crianças abandonadas, seria notícia, e seus velhos amigos de infância poderiam dizer:

"Um dia estivemos no mesmo palco com ela!"

Sua mãe queria que se formasse em engenharia química; assim que terminou o colégio, seus pais a enviaram para o Illinois Institute of Technology. Enquanto estudava os caminhos das proteínas e a estrutura do benzeno durante o dia, convivia com Ibsen, Coward, Shakespeare durante a noite, em um curso de teatro que pagava com o dinheiro enviado por seus pais para a compra de roupas e de livros exigidos pela universidade. Conviveu com os melhores profissionais, teve professores excelentes. Recebeu elogios, cartas de recomendação, atuou (sem que seus pais soubessem) como corista em um grupo de rock e dançarina do ventre em um espetáculo sobre Lawrence da Arábia.

Era sempre bom aceitar todos os papéis: um dia, alguém importante estaria na plateia por acaso. Iria convidá-la para um verdadeiro teste. Seus dias de provação, sua luta por um lugar diante dos refletores estariam terminados.

Os anos começaram a passar. Gabriela aceitava comerciais de TV, anúncios de pasta de dente, trabalhos de modelo, e uma vez viu-se tentada a responder a um convite de um grupo especializado em contratar acompanhantes de executivos, porque precisava desesperadamente de dinheiro para mandar preparar um material impresso com suas fotos, que pretendia enviar às mais importantes agências de modelos e atrizes dos

Estados Unidos. Mas foi salva por Deus — em quem nunca perdera a fé. Naquele mesmo dia lhe ofereceram um papel de figurante no videoclipe de uma cantora japonesa, que ia ser rodado sob o viaduto onde passa o trem suspenso que corta a cidade de Chicago. O pagamento foi mais alto do que esperava (pelo visto, os produtores tinham pedido uma fortuna para a equipe estrangeira), e com o dinheiro extra conseguiu produzir o tão sonhado livro de fotos (ou book, como chamavam em todas as línguas do mundo) — que também custou muito mais caro do que imaginava.

Sempre dizia a si mesma que ainda estava em início de carreira, embora dias e meses começassem a voar. Era capaz de representar Ofélia em *Hamlet* durante o curso de teatro, mas a vida lhe oferecia geralmente anúncios de desodorantes e cremes de beleza. Quando ia até uma agência mostrar o book e as cartas de recomendação de professores, amigos, gente com quem já tinha trabalhado, encontrava-se na sala de espera com várias moças que se pareciam com ela, todas sorrindo, todas se odiando mutuamente, fazendo o possível para conseguir qualquer coisa, absolutamente qualquer coisa que lhes desse "visibilidade", como diziam os profissionais.

Esperava horas até que chegasse sua vez, e enquanto isso lia livros de meditação e de pensamento positivo. Terminava sentada diante de uma pessoa — homem ou mulher — que jamais prestava atenção às cartas, ia direto às fotos, e não fazia nenhum comentário. Anotavam seu nome. Eventualmente era chamada para um teste — que uma em cada dez vezes dava certo. Lá estava ela de novo, com todo o talento que julgava possuir, diante de uma câmera e de gente mal-educada, que sempre reclamava: "Fique mais à vontade, sorria, vire para a direita, abaixe um pouco o queixo, umedeça seus lábios".

Pronto: mais uma foto de um novo tipo de café estava terminada.

E quando não era chamada? Tinha um único pensamento: rejeição. Mas aos poucos foi aprendendo a conviver com isso, entendeu que estava passando por provas necessárias, sendo testada em sua perseverança e sua fé. Recusava-se a aceitar o fato de que o curso, as cartas, o currículo cheio de apresentações pequenas em lugares sem importância, tudo isso não servia para absolutamente...

O telefone celular tocou.

... nada.

O telefone celular continuou tocando.

Sem entender direito o que estava acontecendo — estava viajando em direção ao seu passado, enquanto olhava a tabacaria e a menina comendo chocolate —, ela atendeu.

A voz do outro lado dizia que o teste tinha sido confirmado para daqui a duas horas.

O TESTE TINHA SIDO CONFIRMADO!

Em Cannes!

Afinal, tinha valido a pena todo o esforço de cruzar o oceano, desembarcar em uma cidade onde todos os hotéis estavam cheios, encontrar-se no aeroporto com outras moças na mesma situação que ela (uma polonesa, duas russas, uma brasileira), saírem batendo em portas até conseguirem um pequeno conjugado a preço exorbitante. Depois de tantos anos tentando a sorte em Chicago, viajando para Los Angeles de tempos em tempos em busca de mais agentes, mais anúncios, mais rejeições, seu futuro estava na Europa!

Daqui a duas horas?

Não havia a menor possibilidade de pegar um ônibus porque não conhecia as linhas. Estava hospedada no alto de uma colina, e até agora só tinha descido aquela ladeira íngreme duas vezes — para distribuir seus books e para a festa insignificante da noite anterior. Quando chegava lá embaixo, pedia carona a estranhos, geralmente homens solitários em seus lindos carros conversíveis. Todos sabiam que Cannes era um lugar seguro, e toda mulher sabia que a beleza ajudava muito nesses momentos, mas não podia contar com a sorte, precisava resolver o problema por si mesma. Em um teste de elenco, horário é rigoroso, esta é uma das primeiras coisas que se aprende em qualquer agência de artistas. Além disso, como notara no primeiro dia que o trânsito estava sempre engarrafado, tudo que restava era vestir-se e sair correndo. Em uma hora e meia estaria lá — lembrava-se do hotel onde a produtora estava instalada, porque tinha feito parte da peregrinação que fizera na tarde anterior, em busca de uma chance.

O problema agora era o mesmo de sempre:

"Que roupa devo usar?"

Atacou com fúria a mala que tinha trazido, escolheu uma calça jeans Armani produzida na China, e comprada em um mercado negro nos subúrbios de Chicago por um quinto do preço. Ninguém ia dizer que era uma falsificação, porque não era: todos sabiam que as companhias chinesas enviavam 80% da produção para as lojas originais, enquanto seus empregados se encarregavam de colocar à venda — sem nota fiscal — os 20% restantes. Era, digamos, a sobra do estoque.

Vestiu uma camiseta branca, DKNY, mais cara que a calça; fiel aos seus princípios, sabia que quanto mais discreta, melhor. Nada de saias curtas e decotes ousados — porque se outras pessoas tivessem sido convidadas para o teste, estariam todas vestidas assim.

Hesitou sobre a maquiagem. Escolheu uma base muito discreta, e contornos de lábios mais discretos ainda. Já tinha perdido preciosos quinze minutos.

11h45

As pessoas nunca estão satisfeitas com nada. Se têm pouco, querem muito. Se têm muito, querem ainda mais. Se têm ainda mais, desejam ser felizes com pouco, mas são incapazes de fazer qualquer esforço nesse sentido.

Será que não entendem que a felicidade é tão simples? O que queria aquela menina que passou correndo, vestida de jeans e blusa branca? O que podia ser tão urgente, que a impedia de contemplar o belo dia de sol, o mar azul, as crianças em seus carrinhos, as palmeiras na orla da praia?

"Não corra, menina! Você jamais poderá fugir das duas presenças mais importantes na vida de qualquer ser humano: Deus e a morte. Deus está acompanhando os seus passos, irritado porque vê que não presta atenção no milagre da vida. E a morte? Você acaba de passar por um cadáver, e nem sequer notou."

Igor caminhou várias vezes pelo local do assassinato. Em um dado momento, concluiu que suas idas e vindas despertariam suspeitas; decidiu então ficar à prudente distância de duzentos metros do local, apoiado na balaustrada que dava para a praia, usando óculos escuros (o que nada tinha de suspeito, não apenas por causa do sol, mas também pelo fato de que óculos escuros, em um lugar de celebridades, são sinônimo de status).

Está surpreso em ver que já é quase meio-dia, e mesmo assim ninguém se deu conta de que há uma pessoa morta na principal avenida de uma cidade que neste período era o centro de atenções do mundo.

    Um casal agora se aproxima do banco, visivelmente irritado. Começaram a gritar com a Bela Adormecida; são os pais da moça, que a insultam ao ver que não está trabalhando. O homem a sacode com alguma violência. Em seguida, a mulher debruça-se e cobre o seu campo de visão.

    Igor não tem dúvidas do que acontecerá em seguida.

    Gritos femininos. O pai tirando o telefone portátil do bolso, afastando-se um pouco, agitado. A mãe sacudindo a filha, o corpo que não dá mostras de reagir. Os transeuntes se aproximam; agora sim, ele pode tirar seus óculos escuros e chegar perto, afinal de contas é mais um curioso na multidão.

    A mãe chora, abraçada à moça. Um jovem a afasta e tenta respiração boca a boca, mas logo desiste — o rosto de Olivia já mostra uma ligeira tonalidade púrpura.

    — Ambulância! Ambulância!

    Várias pessoas ligam para o mesmo número, todos sentem-se úteis, importantes, dedicados. Já se pode ouvir o som da sirene à distância. A mãe grita cada vez mais alto, uma moça tenta abraçá-la e pedir que se acalme mas ela a empurra. Alguém apoia o cadáver e tenta mantê-lo sentado, outro pede que a deixe deitada no banco, era tarde demais para qualquer providência.

    — Com toda certeza, excesso de droga — comenta alguém ao seu lado. — Essa juventude está mesmo perdida.

    Os que escutaram o comentário concordam com a cabeça. Igor continua impassível, enquanto assiste à chegada dos paramédicos, os aparelhos sendo retirados do carro, os choques elétricos no coração, um médico mais experiente acompanha tudo aquilo sem dizer nada, pois sabe que não há mais nada a fazer mas não quer que seus subordinados sejam acusados de negligência. Descem a maca, colocam-na na ambulância, a mãe se agarra com a filha, discutem um pouco com ela, mas terminam permitindo que entre, saem em disparada.

Do momento em que o casal havia descoberto o cadáver até a partida do veículo, não se passaram mais de cinco minutos. O pai ainda está ali, atordoado, sem saber exatamente aonde ir, o que fazer. Ignorando de quem se trata, a mesma pessoa que fizera o comentário sobre a droga vai até ele e repete sua versão dos fatos:

— Não se preocupe, senhor. Isso acontece todos os dias aqui.

O pai não reage. Mantém o celular aberto nas mãos e olha o vazio. Ou não entende o comentário, ou não sabe o que acontece todos os dias, ou está em um estado de choque que lhe enviara rapidamente para uma dimensão desconhecida, em que a dor não existe.

Assim como surgira do nada, a multidão se dispersa. Fica apenas o homem com o celular aberto, e o homem com os óculos escuros nas mãos.

— O senhor conhecia a vítima? — pergunta Igor.

Não há resposta.

Melhor fazer o mesmo que os outros — continuar caminhando pela Croisette, e ver o que está acontecendo naquela manhã ensolarada de Cannes. Assim como o pai, não sabe exatamente o que está sentindo: destruiu um mundo que não seria capaz de reconstruir, mesmo que tivesse todo o poder do mundo. Será que Ewa merecia isso? Do ventre daquela menina — Olivia, ele sabia seu nome, e isso o incomodava muito porque já não era mais apenas um rosto na multidão — poderia ter saído um gênio que iria descobrir a cura do câncer ou como costurar um acordo para que o mundo finalmente pudesse viver em paz. Acabara não apenas com uma pessoa, mas com todas as gerações futuras que poderiam nascer dali; o que tinha feito? Será que o amor, por maior e mais intenso que fosse, era capaz de justificar isso?

Errou com a primeira vítima. Ela jamais será notícia, Ewa jamais entenderá o recado.

Não pense, já aconteceu. Você está preparado para ir mais longe, siga adiante. A menina vai entender que sua morte não foi inútil, mas um sacrifício em nome do amor maior. Olhe para os lados, veja o que está acontecendo na cidade, comporte-se como um cidadão normal — porque você já teve sua fatia de sofrimento nesta vida, e merece agora um pouco de conforto e tranquilidade.

Aproveite o Festival. Você está preparado.

Mesmo que estivesse com roupa de banho, seria difícil chegar até a beira do mar. Pelo visto, os hotéis tinham direito a grandes fatias de areia onde espalhavam suas cadeiras, seus logotipos, seus garçons, seus guarda-costas, que em cada acesso à área reservada pediam a chave do quarto ou algum tipo de identificação do hóspede. Outras fatias da praia eram ocupadas por grandes toldos brancos, onde alguma produtora de filme, marca de cerveja ou produto de beleza estava lançando uma novidade no que chamavam de "almoço". Nesses lugares, as pessoas estavam vestidas de maneira normal, considerando-se como "maneira normal" um boné na cabeça, uma camisa colorida e calças claras para os homens; e joias, vestidos leves, bermudas, sapatos de salto baixo para as mulheres.

Óculos escuros para ambos os sexos. E nada de muita exibição do físico, porque a Superclasse já passou da idade de fazer isso, qualquer demonstração pode ser considerada ridícula ou, melhor dizendo, patética.

Igor observa mais um detalhe: telefone celular. A peça mais importante em toda a indumentária.

Era importante receber mensagens ou chamadas a cada minuto, interromper qualquer conversa para atender uma ligação que realmente não tinha nenhuma urgência, ficar digitando textos gigantescos através dos chamados SMS. Todos haviam se esquecido de que essas iniciais queriam dizer serviço de mensagens rápidas (*short message service*), e usavam o pequeno teclado como se fosse uma máquina de escrever. Era lento, desconfortável, capaz de provocar lesões sérias nos polegares, mas que importância tinha isso? Não apenas em Cannes, mas no mundo inteiro, naquele exato momento o espaço estava sendo inundado de coisas como "Bom dia, meu amor, acordei pensando em você e estou contente que exista em minha vida", "Chego em dez minutos, por favor prepare meu almoço e veja se a roupa foi enviada para a lavanderia", "A festa aqui está chatíssima, mas não tenho outro lugar para ir, onde você está?".

Coisas que levavam cinco minutos para serem escritas, e apenas dez segundos para serem faladas, mas o mundo era assim mesmo. Igor sabe bem do que se trata, porque ganhou centenas de milhões de dólares graças ao fato de que o telefone já não era apenas um meio de comunicar-se com os outros, mas um fio de esperança, uma maneira de não achar que se está só, um jeito de mostrar a todos sua própria importância.

E esse mecanismo estava levando o mundo a um estado de demência completa. Através de um engenhoso sistema criado em Londres por apenas cinco euros por mês, uma central envia mensagens-padrão a cada três minutos. Quando se está conversando com alguém que se deseja impressionar, basta antes ligar para determinado número e ativar o sistema. Nesse caso, o alarme soa, o telefone sai do bolso, a mensagem é aberta, olha-se rapidamente, diz-se que tal mensagem pode esperar (claro que podia: estava escrito apenas "conforme pedido" e a hora). Assim, o interlocutor sente-se mais importante, e os negócios avançam com mais rapidez, porque sabe que está diante de uma pessoa ocupada. Três minutos depois a conversa é interrompida de novo por uma nova mensagem, a pressão aumenta, e o usuário pode decidir se vale a pena desligar o telefone por quinze minutos, ou alegar que estava ocupado e livrar-se de uma companhia desagradável.

Em uma única situação o telefone precisava ser obrigatoriamente desligado. Não nos jantares formais, no meio de uma peça de teatro, no momento mais importante de um filme, na ária mais difícil de uma ópera; todos já ouviram um celular tocando em qualquer um desses casos. A única hora em que as pessoas se assustavam realmente com a possibilidade de o telefone ser algo perigoso era quando entravam em um avião e ouviam a mentira de sempre: "Os celulares devem ser desligados durante todo o voo, porque podem interferir nos instrumentos de bordo".

Todos acreditavam e faziam o que os comissários pediam.

Igor sabia quando esse mito tinha sido criado: faz muitos anos que as companhias aéreas tentam vender de qualquer jeito as chamadas feitas através dos telefones na poltrona. Dez dólares por minuto, usando o mesmo sistema de transmissão que um celular usa. Não tinha dado certo, mas mesmo assim a lenda continuou — esqueceram de apagar da lista que a aeromoça lê antes da decolagem. O que ninguém sabia é que em todos os voos havia pelo menos dois ou três passageiros que se esqueciam de desligar os seus. Que os computadores portáteis podiam acessar a internet com o mesmo sistema que permite um telefone móvel funcionar. Nunca, em lugar nenhum do mundo, um avião tinha caído por causa disso.

Agora estavam tentando modificar parte da lenda sem chocar os passageiros, ao mesmo tempo em que mantinham o preço nas alturas: celulares poderiam ser usados desde que utilizassem o sistema de navegação do avião. O preço era quatro vezes maior. Ninguém explicou direito o que é "sistema de navegação do aparelho". Mas, se as pessoas querem se deixar enganar dessa maneira, o problema é delas.

Continua andando. Algo no último olhar daquela menina o incomodou, mas prefere não pensar no assunto.

Mais guarda-costas, mais óculos escuros, mais biquínis na areia, mais roupas claras e joias nos almoços, mais pessoas caminhando apressadas como se tivessem alguma coisa muito importante para fazer naquela manhã, mais fotógrafos espalhados em cada esquina tentando a impossível tarefa de algo inédito, mais revistas e jornais gratuitos sobre o que está acontecendo durante o Festival, mais distribuidores de folhetos dirigidos aos pobres mortais que não tinham sido convidados para as tendas brancas, sugerindo restaurantes que ficavam no alto da colina, distante de tudo, onde pouco se ouvia falar do que acontecia na Croisette, onde as modelos alugavam apartamentos por temporada, esperando que fossem chamadas para um teste que mudaria para sempre sua vida.

Tudo sempre tão esperado. Tudo sempre tão previsível. Se resolvesse entrar agora em um daqueles "almoços", ninguém ousaria pedir sua identificação, porque era ainda cedo e os promotores tinham medo de que o evento terminasse vazio. Em meia hora, porém, dependendo do resultado, os guarda-costas tinham ordens expressas para deixar passar apenas moças bonitas e desacompanhadas.

Por que não testar?

Obedece ao seu impulso — afinal, tem uma missão a cumprir. Desce um dos acessos à praia, que em vez de levar até a areia conduz a um grande toldo branco com janelas de plástico, ar-refrigerado, móveis claros, cadeiras e mesas em sua maior parte vazias. Um dos guarda-costas pergunta se tem convite, ele responde que sim. Finge procurar no bolso. Uma recepcionista vestida de vermelho pergunta se pode ajudar.

Ele estende seu cartão de visita — o logotipo de sua companhia de telefones, Igor Malev, presidente. Afirma que seguramente está na lista, mas deve ter deixado o convite no hotel — viera de uma série de encontros e se esquecera de trazer consigo. A recepcionista lhe dá as boas-vindas e o convida para entrar; aprendera a julgar os homens e mulheres pela maneira com que estavam vestidos, e sabia também que "presidente" quer dizer a mesma coisa em qualquer lugar do mundo. Além do mais, presidente de uma companhia russa! Todos sabem que os russos, quando são ricos, gostam de mostrar que estão nadando em dinheiro. Não era preciso checar a lista.

Igor entra, vai até o bar — na verdade, a tenda é muito bem equipada, dispõe até de uma pista de dança — e pede um suco de abacaxi sem álcool, porque combina com a cor do ambiente.

E sobretudo porque no meio do copo enfeitado com um pequeno guarda-chuva japonês azul está um canudo negro.

Senta-se em uma das muitas mesas vazias. Entre as poucas pessoas presentes estava um homem com mais de cinquenta anos, cabelos tingidos de acaju, bronzeado artificial, o corpo exaustivamente trabalhado em academias de ginástica que prometem a juventude eterna. Usa uma camiseta surrada, e está sentado com outros dois homens, esses em impecáveis ternos de alta-costura. Os dois homens o encaram, e Igor desvia a cabeça — embora continue prestando atenção na mesma mesa, protegido pelos óculos escuros. Os homens de terno continuam analisando quem é o recém-chegado e logo se desinteressam.

Mas Igor continua interessado.

O homem nem sequer tem um celular em cima da mesa, embora seus auxiliares não parem de atender chamadas.

Se deixam entrar um tipo como aquele, malvestido, suado, feio que se acha bonito, e ainda por cima lhe dão uma das melhores mesas. Se o seu celular está desligado. Se nota que volta e meia um garçom aparece por perto, perguntando se deseja algo. Se o homem não se digna sequer a responder, apenas faz um sinal negativo com a mão, Igor sabe que está diante de uma pessoa muito, mas muito importante.

Tira do bolso uma nota de cinquenta euros e dá para o garçom que começa a colocar os talheres e pratos na mesa.

— Quem é o senhor com aquela camiseta azul desbotada? — moveu os olhos em direção à mesa.

— Javits Wild. Um homem muito importante.

Ótimo. Depois de alguém completamente insignificante como a menina na praia, alguém como Javits seria o ideal. Não alguém famoso, mas importante. Alguém que faz parte daqueles que decidem quem deve estar sob a luz dos holofotes, e não se importam nem um pouco em aparecer, porque sabem quem são. Os que movimentam os cordões de suas marionetes, fazendo com que elas se julguem as pessoas mais privilegiadas e cobiçadas do planeta, até que um dia, por uma razão qualquer, resolvem cortar esses fios e os bonecos caem, sem vida e sem poder.

Um homem da Superclasse.

Isso significa: alguém com falsos amigos e muitos inimigos.

— Mais uma pergunta. Seria aceitável destruir mundos em nome de um amor maior?

O garçom riu.

— O senhor é Deus, ou o senhor é gay?

— Nenhum dos dois. Mas obrigado por responder assim mesmo.

Percebe que agira errado. Em primeiro lugar, porque não precisa do apoio de ninguém para justificar o que está fazendo; está convencido de que, se todos no planeta vão morrer um dia, que alguns percam sua vida em nome de algo maior. Tem sido assim desde o início dos tempos, quando homens se sacrificavam para alimentar suas tribos, quando virgens eram entregues aos sacerdotes para aplacar a ira de dragões e de deuses. Em segundo lugar, chamara a atenção de um estranho, mostrando que estava interessado no homem diante de sua mesa.

Ele iria esquecer, mas não há necessidade de riscos desnecessários. Diz a si mesmo que em um festival como esse é normal que as pessoas queiram saber quem são as outras, e mais normal ainda que tal informação seja remunerada. Já fizera isso centenas de vezes, em diversos restaurantes do mundo, e com toda certeza já tinham feito a mesma coisa com ele — pagar ao garçom para saber quem é, para conseguir uma mesa melhor, para enviar uma mensagem discreta. Garçons não apenas estão acostumados, mas esperam esse tipo de comportamento.

Não, ele não irá se lembrar de nada. Está diante de sua próxima vítima; se conseguir levar seu plano até o final, e se o garçom for interrogado, dirá que a única coisa estranha naquele dia foi uma pessoa perguntando se era aceitável destruir mundos em nome de um amor maior. Talvez nem mesmo se lembrasse da frase. Os policiais diriam: "Como era ele?". "Não prestei muita atenção. Mas não era gay." Os policiais estavam acostumados com os intelectuais franceses, que escolhiam geralmente os bares para fazer teses e análises complicadíssimas sobre, por exemplo, a sociologia de um festival de cinema. E deixariam o assunto de lado.

Mas alguma coisa o incomodava.

O nome. Os nomes.

Já matara antes, com as armas e a bênção do seu país. Não sabia quantas pessoas, mas raramente pudera ver suas faces, e nunca, absolutamente nunca, perguntara seus nomes. Porque saber isso significa também ter conhecimento de que está diante de um ser humano, e não de um inimigo. O nome faz com que alguém se transforme em um indivíduo único e especial, com passado e futuro, ascendentes e possíveis descendentes, conquistas e derrotas. As pessoas são os seus nomes, se orgulham deles, o repetem milhares de vezes no curso de uma vida, e se identificam com aquelas palavras. É a primeira palavra que aprendem depois do genérico "papai" e "mamãe".

Olivia. Javits. Igor. Ewa.

Mas o espírito não tem nome, é a verdade pura, está habitando aquele corpo por determinado período, e um dia o deixará — sem que Deus se preocupe em perguntar "quem é você?" quando a alma chega diante do julgamento final. Deus perguntará apenas: "Você amou enquanto estava vivo?". A essência da vida é essa: a capacidade de amar, e não o nome que carregamos em nosso passaporte, cartão de visita, carteira de identidade. Os grandes místicos trocavam seus nomes, e às vezes os abandonavam para sempre. Quando perguntam a João Batista quem ele é, diz apenas: "Sou a voz que clama no deserto". Ao encontrar o sucessor de sua igreja, Jesus ignora que passou a vida inteira respondendo ao chamado de Simão, e passa a chamá-lo Pedro. Moisés pergunta a Deus o seu nome: "Eu sou", é a resposta.

Talvez devesse procurar outra pessoa. Já bastava uma vítima com nome: Olivia. Mas, neste momento, sente que não pode mais recuar, embora esteja decidido a não perguntar mais como se chama o mundo que está prestes a ser destruído. Não pode recuar porque quer ser justo com a pobre menina na praia, completamente desprotegida, uma vítima tão fácil e tão doce. O seu novo desafio — pseudoatlético, cabelo acaju, suado, com um olhar de tédio e um poder que deve ser muito grande — é muito mais difícil. Os dois homens de terno não são apenas assessores; notou que volta e meia suas cabeças percorrem o ambiente, vigiando tudo que acontece ao redor. Se quer ser digno de Ewa e justo com Olivia, precisa mostrar sua coragem.

Deixa o canudo repousando no suco de abacaxi. Aos poucos as pessoas começaram a chegar. Agora é aguardar que o ambiente fique cheio — mas isso não deve demorar muito. Da mesma maneira que não tinha planejado destruir um mundo em plena avenida de Cannes, à luz do dia, tampouco sabe exatamente como executar o seu projeto ali. Mas algo diz a ele que escolheu o local perfeito.

Seu pensamento não está mais na pobre menina da praia; a adrenalina é injetada em seu sangue com rapidez, o coração bate mais rápido, está excitado e contente.

Javits Wild não iria perder seu tempo apenas para comer e beber de graça, em uma dos milhares de festas para as quais devia ser convidado todos os anos. Se estava ali, devia ser por algo ou alguém.

Esse algo, ou esse alguém, com toda certeza seria seu melhor álibi.

12h26

Javits vê os convidados chegando, o ambiente que fica lotado, e pensa a mesma coisa:

"O que eu estou fazendo aqui? Não preciso disso. Aliás, preciso de muito pouca coisa dos outros — tenho tudo o que quero. Sou famoso para aqueles que conhecem o meio cinematográfico, tenho as mulheres que desejo, embora saiba que sou feio e estou malvestido. Faço questão de estar assim. Já passei da época em que tinha um único terno, e, nas raras ocasiões em que conseguia um convite da Superclasse (depois de rastejar, implorar, prometer), me preparava para um almoço desses como se fosse a coisa mais importante do mundo. Hoje sei que a única coisa que varia são as cidades; quanto ao mais, o que acontecerá aqui é previsível e aborrecido.

"Pessoas virão dizer que adoram meu trabalho. Outros me chamarão de herói, e agradecerão pelas chances que estou dando aos excluídos. Mulheres bonitas e inteligentes, que não se deixam confundir pela aparência, irão notar o movimento em torno da minha mesa, perguntarão ao garçom quem sou, e logo vão conseguir uma maneira de se aproximar, convencidas de que a única coisa em que estou interessado é sexo. Todos, absolutamente todos, querem me pedir algo. Por isso me elogiam, me adulam, me oferecem o que julgam que eu preciso. Mas tudo que desejo mesmo é estar só.

"Já assisti a milhares de festas como essa. E não estou aqui por nenhuma razão especial — exceto pelo fato de que não consigo dormir, mesmo que tenha vindo em meu avião particular, uma maravilha tecnológica capaz de voar a mais de onze mil metros de altitude diretamente da Califórnia para a França sem parar para reabastecer. Mudei a configuração original da cabine: embora o avião possa trazer dezoito pessoas com todo o conforto possível, reduzi o número de poltronas para seis convidados, e mantive a cabine separada para os quatro membros da tripulação. Sempre tem alguém pedindo: 'Será que posso ir com você?'. Sempre tenho a desculpa certa: não há lugar."

Javits havia equipado seu novo brinquedo, com preço na casa dos quarenta milhões de dólares, com duas camas, uma mesa de conferências, chuveiro, sistema de som ambiente Miranda (Bang & Olufsen tinha um ótimo desenho e uma excelente campanha de relações públicas, mas era já coisa do passado), duas máquinas de café, um forno de micro-ondas para a equipe e um forno elétrico para ele (porque detestava comida requentada). Javits só bebia champanhe, quem quisesse dividir com ele uma garrafa de Moët & Chandon 1961 era sempre bem-vindo. Mas sua adega no avião tinha todo tipo de bebida para os convidados. E duas telas de 21 polegadas de cristal líquido, sempre prontas para exibir os mais recentes filmes ainda inéditos nos cinemas.

O jato era um dos melhores do mundo (embora os franceses insistissem que o Dassault Falcon tinha mais qualidades), mas, por mais poder e dinheiro que tivesse, não conseguiria mudar todos os relógios da Europa. Naquele momento eram 3h43 em Los Angeles, e só agora começava a sentir-se realmente cansado. Passara a noite em claro, indo de uma festa para outra, respondendo às duas perguntas idiotas que iniciam qualquer conversa:

"Como foi o seu voo?"

Javits sempre respondia com outra pergunta:
"Por quê?"

Como as pessoas já não sabiam exatamente o que dizer, davam um sorriso amarelo, e passavam para a próxima pergunta da lista:

"Vai ficar aqui quanto tempo?"

E Javits retrucava mais uma vez: "Por quê?". Nesse momento, fingia atender seu celular, pedia licença, e se afastava com seus dois inseparáveis amigos.

Ninguém interessante por ali. Mas quem seria interessante para um homem que tem praticamente tudo que o dinheiro pode comprar? Tentara mudar de amigos, procurando gente completamente afastada do meio do cinema: filósofos, escritores, malabaristas de circo, executivos de firmas ligadas à alimentação. No início, tudo era uma grande lua de mel, até que vinha a inevitável pergunta: "Será que gostaria de ler meu roteiro?". Ou a segunda inevitável pergunta: "Tenho um(a) amigo(a) que sempre desejou ser ator/atriz. Você se incomodaria de encontrá-lo(a)?".

Sim, se incomodaria. Tinha outras coisas a fazer na vida além de seu trabalho. Costumava voar uma vez por mês para o Alasca, entrar no primeiro bar, embriagar-se, comer pizza, andar na natureza, conversar com os velhos moradores das pequenas cidades. Treinava duas horas por dia em sua academia de ginástica particular, e mesmo assim estava acima do seu peso, os médicos diziam que a qualquer hora ia ter um problema cardíaco. Pouco se importava com a sua forma física, o que desejava mesmo era descarregar um pouco da tensão constante que parecia esmagá-lo a cada segundo do dia, fazer uma meditação ativa, curar as feridas de sua alma. Quando estava no campo, perguntava sempre às pessoas que encontrava por acaso como era uma vida "normal", porque já havia esquecido isso fazia muito tempo. As respostas variavam, e aos poucos foi descobrindo que estava absolutamente sozinho no mundo, embora sempre cercado de gente.

Terminou compilando uma lista sobre normalidade, baseada mais no que as pessoas faziam do que nas suas respostas.

Javits olha em volta. Há um homem de óculos escuros tomando um suco de frutas, que parece alheio a tudo que o cerca, e contempla o mar como se estivesse longe dali. Bonito, cabelos grisalhos, bem-vestido. Foi um dos primeiros a chegar, devia saber quem ele era, e mesmo assim não fez o menor esforço para apresentar-se. Além do mais, tinha coragem de ficar ali, sozinho! A solidão em Cannes é um anátema, é sinônimo de que ninguém se interessa por você, da sua falta de importância ou de contatos.

Invejou aquele homem. Com toda certeza não se enquadrava na sua "lista de normalidade" que sempre trazia no bolso. Parecia independente, livre, e gostaria muito de conversar com ele, mas estava cansado demais para isso.

Vira-se para um dos "amigos":

— O que é ser normal?

— Você está com algum conflito de consciência? Acha que fez alguma coisa que não devia?

Javits havia feito a pergunta errada para o homem errado. Possivelmente seu companheiro agora passaria a achar que estava arrependido de seus passos, e desejava iniciar uma nova vida. Nada disso. E, mesmo que se arrependesse, era tarde demais para voltar ao ponto de partida; conhecia as regras do jogo.

— Estou perguntando o que é ser normal.

Um dos "amigos" fica desconcertado. O outro continua olhando à sua volta, vigiando o movimento.

— Viver como uma dessas pessoas que não tem ambição nenhuma — responde finalmente.

Javits tira a lista do bolso e a coloca em cima da mesa.

— Ando sempre com isso. E vou acrescentando itens.

O "amigo" responde que não pode ver isso agora, precisa prestar atenção ao que está acontecendo. O outro, porém, mais relaxado e mais seguro, lê o que está escrito:

Lista da normalidade
1) É normal qualquer coisa que nos faça esquecer quem somos e o que desejamos, de modo que possamos trabalhar para produzir, reproduzir e ganhar dinheiro.
2) Ter regras para uma guerra (Convenção de Genebra).
3) Gastar anos fazendo uma universidade, para depois não conseguir trabalho.
4) Trabalhar de nove da manhã às cinco da tarde em algo que não dá o menor prazer, desde que em trinta anos a pessoa consiga aposentar-se.
5) Aposentar-se, descobrir que já não tem mais energia para desfrutar a vida, e morrer em poucos anos, de tédio.
6) Usar botox.
7) Entender que o poder é muito mais importante que o dinheiro, e o dinheiro é muito mais importante que a felicidade.
8) Ridicularizar quem busca a felicidade em vez do dinheiro, chamando-o de "pessoa sem ambição".
9) Comparar objetos como carros, casas, roupas, e definir a vida em função dessas comparações, em vez de tentar realmente saber a verdadeira razão de estar vivo.
10) Não conversar com estranhos. Falar mal do vizinho.
11) Sempre achar que os pais estão certos.
12) Casar, ter filhos, continuar juntos mesmo que o amor tenha acabado, alegando que é para o bem da criança (que parece não estar assistindo às constantes brigas).

12a) Criticar todo mundo que tenta ser diferente.
14) Acordar com um despertador histérico ao lado da cama.
15) Acreditar em absolutamente tudo que está impresso.
16) Usar um pedaço de pano colorido amarrado no pescoço, sem nenhuma função aparente, mas que atende pelo pomposo nome de "gravata".
17) Nunca ser direto nas perguntas, mesmo que a outra pessoa entenda o que se está querendo saber.
18) Manter um sorriso nos lábios quando se está morrendo de vontade de chorar. E ter piedade de todos os que demonstram seus próprios sentimentos.
19) Achar que arte vale uma fortuna, ou que não vale absolutamente nada.
20) Sempre desprezar aquilo que não foi difícil de conseguir, porque não houve o "sacrifício necessário", e portanto não deve ter as qualidades requeridas.
21) Seguir a moda, mesmo que tudo pareça ridículo e desconfortável.
22) Estar convencido de que toda pessoa famosa tem toneladas de dinheiro acumulado.
23) Investir muito na beleza exterior, e se preocupar pouco com a beleza interior.
24) Usar todos os meios possíveis para mostrar que, embora seja uma pessoa normal, está infinitamente acima dos outros seres humanos.
25) Em um meio de transporte público, jamais olhar diretamente nos olhos de uma pessoa, caso contrário isso pode ser interpretado como um sinal de sedução.
26) Quando entrar no elevador, manter o corpo voltado para a porta de saída, e fingir que é a única pessoa lá dentro, por mais lotado que esteja.
27) Jamais rir alto em um restaurante, por melhor que seja a história.

28) No hemisfério Norte, usar sempre a roupa combinando com a estação do ano; braços de fora na primavera (por mais frio que esteja) e casaco de lã no outono (por mais quente que esteja).
29) No hemisfério Sul, encher a árvore de natal de algodão, mesmo que o inverno nada tenha a ver com o nascimento de Cristo.
30) À medida que for ficando mais velho, achar-se dono de toda a sabedoria do mundo, embora nem sempre tenha vivido o suficiente para saber o que está errado.
31) Ir a um chá de caridade e achar que com isso já colaborou o suficiente para acabar com as desigualdades sociais do mundo.
32) Comer três vezes por dia, mesmo sem fome.
33) Acreditar que os outros sempre são melhores em tudo: são mais bonitos, mais capazes, mais ricos, mais inteligentes. É muito arriscado aventurar-se além dos próprios limites, melhor não fazer nada.
34) Usar o carro como uma arma e uma armadura invencível.
35) Dizer impropérios no trânsito.
36) Achar que tudo que seu filho faz de errado é culpa das companhias que ele escolheu.
37) Casar-se com a primeira pessoa que lhe oferecer uma posição social. O amor pode esperar.
38) Dizer sempre "eu tentei", mesmo que não tenha tentado absolutamente nada.
39) Deixar para viver as coisas mais interessantes da vida quando já não tiver mais forças para tal.
40) Evitar a depressão com doses diárias e maciças de programas de TV.
41) Acreditar que é possível estar seguro de tudo que conquistou.

42) Achar que mulheres não gostam de futebol, e que homens não gostam de decoração e cozinha.
43) Culpar o governo por tudo de ruim que acontece.
44) Estar convencido de que ser uma pessoa boa, decente, respeitosa significa que os outros vão pensar que é fraca, vulnerável e facilmente manipulável.
45) Estar igualmente convencido de que a agressividade e a descortesia no trato com os outros são sinônimos de uma personalidade poderosa.
46) Ter medo de fibroscopia (homens) e parto (mulheres).

O "amigo" ri:
— Você devia fazer um filme baseado nisso — comenta.
"Mais um. Não conseguem pensar em outra coisa. Não sabem o que eu faço, apesar de estarem sempre comigo. Eu não faço filmes."

Um filme sempre começava com alguém que já pertence ao meio — o chamado produtor. Leu um livro, ou teve uma ideia brilhante enquanto dirigia pelas autoestradas de Los Angeles, que na verdade é um grande subúrbio em busca de uma cidade. Mas está sozinho, no carro e na vontade de transformar aquela brilhante ideia em algo que possa ser visto na tela.

Descobre se os direitos do livro ainda estão disponíveis. Se a resposta é negativa, vai em busca de outro produto — afinal são publicados mais de sessenta mil títulos por ano só nos Estados Unidos. Se a resposta é positiva, telefona direto para o autor e faz a menor oferta possível, geralmente aceita porque não são apenas os atores e atrizes que gostam de estar associados à máquina dos sonhos: todo autor sente-se mais importante quando suas palavras são transformadas em imagens.

Marcam um almoço. O produtor diz que está diante de "uma obra de arte, extremamente cinematográfica", e que o escritor é um "gênio que merece ser reconhecido". O escritor explica que passou cinco anos trabalhando naquele texto, e pede para participar do roteiro. "Não deve, porque é uma linguagem diferente", é a resposta. "Mas você ficará satisfeito com o resultado."

Completando com: "O filme será fiel ao livro". O que é uma completa e absoluta mentira, e ambos sabem disso.

O escritor pensa que dessa vez precisará aceitar as condições que serão propostas, e diz para si mesmo que na próxima vez será diferente. Concorda. O produtor agora demonstra que é preciso se associar a um grande estúdio, por causa do financiamento do projeto. Diz que terá tal e tal celebridade nos papéis principais — o que é outra mentira completa e absoluta, mas sempre repetida, e que sempre dá resultados no momento de seduzir alguém. Compra a chamada "opção", ou seja, paga algo em torno de dez mil dólares para reter os direitos durante três anos. E o que acontecerá depois? "Bem, pagaremos dez vezes essa quantia, e você terá direito a 2% do lucro líquido." Isso termina a parte financeira da conversa, já que o escritor acredita que ganhará uma fortuna com parte do lucro.

Se tivesse perguntado a amigos, saberia que os contadores de Hollywood conseguem a magia de fazer com que um filme JAMAIS tenha um saldo positivo.

O almoço termina com o produtor já tirando um contrato imenso do bolso, e perguntando se pode assinar agora, para que o estúdio saiba que realmente tem o produto nas mãos. O escritor, de olho na porcentagem (inexistente), e na possibilidade de ver seu nome na fachada de um cinema (também inexistente, pois o máximo que terá é uma linha nos créditos, "baseado no livro de..."), assina sem pensar muito. Vaidade das vaidades, tudo é vaidade, e não há nada de novo debaixo do sol, já dizia Salomão há mais de três mil anos.

O produtor começa a bater nas portas dos estúdios. Já tem um certo nome, de modo que algumas delas se abrem, mas nem sempre sua sugestão é aceita. Neste caso, ele nem sequer se dá ao trabalho de chamar o escritor para um novo almoço — manda uma carta dizendo que, apesar do seu entusiasmo, a indústria do cinema ainda não entendeu aquele tipo de história, e que está devolvendo o contrato (que ele não assinou, claro).

Se a proposta é aceita, o produtor vai até a pessoa na escala mais baixa e menos cara da hierarquia: o roteirista. Aquele que irá passar dias, semanas, meses, escrevendo várias vezes a ideia original ou a adaptação do livro para a tela. Os roteiros são enviados ao produtor (jamais ao autor do livro), que tem por hábito recusar automaticamente o primeiro rascunho, na certeza de que o roteirista pode fazer melhor. Outras semanas e meses de café, insônia e sonho para o jovem talento (ou o velho profissional — aqui não existem meios-termos) que refaz cada uma das cenas, que são recusadas ou transformadas pelo produtor (e o roteirista se pergunta: "Se ele sabe escrever melhor que eu, por que não o faz?". Neste momento, pensa em seu salário, e volta para o computador sem reclamar muito).

Finalmente, o texto está quase pronto: nesta hora, o produtor pede para que sejam retiradas referências políticas que podem criar problema com um público mais conservador; que sejam acrescentados mais beijos, porque as mulheres gostam disso. Que a história tenha começo, meio, fim, e um herói que leva todos às lágrimas com seu sacrifício e sua dedicação. Que alguém perca a pessoa adorada no começo do filme, e reencontre no final. No fundo, a grande maioria dos roteiros pode ser resumida em uma simples linha:

Homem ama mulher. Homem perde mulher. Homem recupera mulher.

Noventa por cento dos filmes são variações dessa mesma linha.

Os filmes que fogem a essa regra precisam ter muita violência para compensar, ou muitos efeitos especiais para agradar à plateia. E a fórmula, já testada milhares de vezes, é sempre vencedora; portanto, é melhor não correr riscos.

Munido de uma história que considera bem escrita, o produtor vai em busca de quem?

Do estúdio que financiou o projeto. Mas o estúdio tem uma fila de filmes para colocar nas cada vez mais escassas salas de cinema do mundo. Pede que aguarde um pouco, ou que procure um distribuidor independente — não sem antes fazer com que o produtor assine outro gigantesco contrato (que inclusive prevê direitos exclusivos para "fora do planeta Terra") se responsabilizando pelo dinheiro gasto.

"E é exatamente nesse momento que entra em cena gente como eu." O distribuidor independente, que pode andar na rua sem ser reconhecido, embora nas festas da indústria todos saibam quem é. A pessoa que não descobriu o tema, não acompanhou o roteiro, não investiu um centavo.

Javits é o intermediário. É o distribuidor!

Recebe o produtor em seu pequeno escritório (o fato de ter um avião grande, casa com piscina, convites para tudo que está acontecendo no mundo é exclusivamente para seu conforto — o produtor não merece nem mesmo água mineral). Pega o DVD com o filme, leva para casa. Assiste aos primeiros cinco minutos. Se gostar, vai até o final — mas isso acontece uma vez a cada cem novos produtos apresentados. Neste caso, gasta dez centavos em uma chamada telefônica, e diz que o produtor volte a se apresentar em tal data, em tal hora.

"Assinamos um compromisso", diz ele, como se estivesse fazendo um grande favor. "Eu distribuo."

O produtor tenta negociar. Quer saber em quantas salas de cinema, em quantos países, quais as condições. Perguntas absolutamente inúteis, porque já sabe o que vai escutar: "Depende das primeiras reações do público-teste". O produto é mostrado para plateias selecionadas entre todas as camadas da sociedade, gente que foi escolhida a dedo por companhias de pesquisa especializadas. O resultado é analisado por profissionais. Se é positivo, outros dez centavos são gastos em uma chamada telefônica, e, no dia seguinte, Javits o recebe com três cópias de mais um contrato gigantesco. O produtor pede tempo para que seu advogado leia. Javits diz que não tem nada contra isso, mas, como precisa fechar o programa da temporada, não pode garantir que, na volta, já não esteja com outro filme no circuito.

O produtor olha apenas a cláusula que diz quanto vai ganhar. Fica satisfeito com o que vê, e assina. Não deseja perder aquela oportunidade.

Já se passaram muitos anos desde que se sentou com o escritor para discutir o assunto, e se esqueceu que agora está vivendo a mesma situação que ele.

Vaidade das vaidades, tudo é vaidade, e não há nada de novo debaixo do sol, já dizia Salomão há mais de três mil anos.

Enquanto vê o salão enchendo de convidados, Javits de novo se pergunta o que estava fazendo ali. Controla mais de quinhentas salas de cinema nos Estados Unidos, tem contrato de exclusividade com outras cinco mil no resto do mundo, onde os exibidores estavam obrigados a comprar tudo que ele oferecesse, mesmo que às vezes não desse resultado. Sabiam que um simples filme de boa bilheteria pode compensar com vantagem outros cinco que não tiveram público suficiente. Dependiam de Javits, o megadistribuidor independente, o herói que conseguira quebrar o monopólio dos grandes estúdios, e transformar-se em uma lenda no meio.

Jamais tinham perguntado como conseguira essa façanha; desde que continuasse lhes oferecendo um grande sucesso a cada cinco fracassos (a média dos grandes estúdios era um grande sucesso para cada nove fracassos), essa pergunta não tinha a menor importância.

Mas Javits sabia por que conseguira ser tão bem-sucedido. E por isso não saía jamais sem seus dois "amigos", que naquele momento se encarregavam de responder às chamadas, marcar encontros, aceitar convites. Embora os dois tivessem um físico razoavelmente normal, longe da corpulência dos gorilas que estavam na porta, valiam por um exército. Tinham sido treinados em Israel, servido em Uganda, Argentina e Panamá. Enquanto um se concentrava no celular, o outro movia incessantemente os olhos — decorando cada pessoa, cada movimento, cada gesto. Revezavam-se na tarefa, da mesma maneira que os tradutores simultâneos e os controladores aéreos fazem; a habilidade requer descanso a cada quinze minutos.

O que está fazendo naquele "almoço"? Podia ter ficado no hotel tentando dormir, já está cansado de ser bajulado, elogiado, e ter de dizer a cada minuto, sorridente, que não lhe dessem um cartão de visita porque iria perdê-lo. Quando insistiam, pedia gentilmente que falassem com uma de suas secretárias (devidamente hospedada em outro hotel de luxo na Croisette, sem direito a dormir, sempre atenta ao telefone que não parava de tocar, sempre respondendo aos correios eletrônicos de salas de cinema no mundo inteiro, que vinham junto com propostas de aumentar o pênis ou de ter orgasmos repetidos, apesar de todos os filtros contra mensagens indesejáveis). Dependendo de um código com a cabeça, um dos seus dois assistentes dava o endereço e o telefone da secretária, ou dizia que naquele momento seus cartões tinham acabado.

O que está fazendo naquele "almoço"? Era hora de estar dormindo em Los Angeles, por mais tarde que tivesse chegado de uma festa. Javits conhece a resposta, mas não quer aceitá-la: tem medo de ficar sozinho. Inveja o homem que chegou cedo e começou a beber seu coquetel, com o olhar distante, aparentemente relaxado, sem grandes preocupações em mostrar-se ocupado ou importante. Resolve convidá-lo para tomar algo com ele. Mas nota que já não está mais lá.

Neste momento, sente uma picada nas costas.

"Mosquitos. Por isso detesto festas na areia."

Quando vai coçar a mordida, retira de seu corpo um pequeno alfinete. Que brincadeira idiota. Olha para trás, e a uma distância de aproximadamente dois metros, com vários convidados passando entre eles, um negro com cabelos típicos da Jamaica dava gargalhadas, enquanto um grupo de mulheres o olhava com respeito e desejo.

Está muito cansado para aceitar a provocação. Melhor deixar o negro fingir-se de engraçadinho — isso é tudo que ele tem na vida para impressionar os outros.

— Idiota.

Os dois companheiros de mesa reagem à súbita mudança de posição do homem a quem estavam encarregados de proteger por 435 dólares por dia. Um deles leva a mão até o ombro direito, onde uma arma automática está em um coldre impossível de ser visto por fora do paletó. O outro levanta-se e, com um salto discreto (afinal, estavam em uma festa), coloca-se entre o negro e seu patrão.

— Não foi nada — diz Javits. — Apenas uma brincadeira.

Mostra o alfinete.

Aqueles dois idiotas estavam preparados para ataques com arma de fogo, punhais, agressões físicas, ameaças de atentados. Eram sempre os primeiros a entrar em seu quarto de hotel, prontos para atirar se fosse preciso. Adivinhavam quando alguém carregava uma arma (o que era comum em muitas cidades do mundo) e não desgrudavam o olho até que a pessoa em questão provasse não ser uma ameaça. Quando Javits tomava um elevador, ficava espremido entre os dois, que grudavam seus corpos um ao outro, criando uma espécie de parede. Nunca os tinha visto tirar as pistolas, porque, uma vez que isso acontecesse, elas seriam disparadas; geralmente, resolviam qualquer problema apenas com o olhar e uma conversa calma.

Problemas? Nunca tivera nenhum problema desde que conseguira os "amigos". Como se a simples presença dos dois fosse o suficiente para afastar os maus espíritos e as más intenções.

— Aquele homem. Um dos primeiros a chegar aqui, que se sentou sozinho naquela mesa — diz um. — Ele estava armado, não estava?

O outro murmura algo como "possivelmente". Mas já fazia tempo desaparecera da festa pela porta principal. E fora vigiado o tempo todo, porque não sabiam para onde apontavam os olhos detrás dos óculos escuros que usava.

Relaxam. Um volta a cuidar do telefone, o outro fixa os olhos no negro jamaicano, que retribui o olhar, sem nenhum medo. Há algo estranho com aquele homem; mas, se tornasse a fazer qualquer coisa, a partir daquele dia iria precisar usar dentadura. Tudo seria feito com o máximo de discrição possível, na areia, longe dos olhos de todos, e por apenas um deles, enquanto o outro ficaria esperando com o dedo no gatilho. Provocações como essa podem ser apenas um disfarce, cujo único objetivo consiste em afastar os guarda-costas da vítima. Já estavam acostumados com esse velho truque.

— Tudo bem...

— Não está nada bem. Chamem uma ambulância. Não consigo mover minha mão.

12h44

Que sorte!

Ela esperava tudo naquela manhã, menos encontrar-se com o homem que — tinha certeza — iria mudar sua vida. Mas ele está ali, com seu ar desleixado de sempre, sentado com dois amigos, porque os poderosos não precisam de nada para mostrar do que são capazes. Nem sequer usam guarda-costas.

Segundo Maureen, as pessoas em Cannes podiam ser divididas em duas categorias:

a) As bronzeadas, que passavam o dia inteiro no sol (porque eventualmente já eram vencedores), usavam um crachá solicitado nas áreas restritas do Festival. Quando chegavam a seus hotéis, vários convites as esperavam — a grande maioria jogada na lata do lixo.

b) As pálidas, que corriam de um escritório escuro para o próximo, enfrentando testes, assistindo a coisas ótimas que se perderiam por causa do excesso de ofertas, ou tolerando verdadeiros horrores que podiam ganhar um lugar no sol (entre as bronzeadas), porque tinham o contato certo com a pessoa indicada.

Javits Wild ostenta um bronzeado invejável.

O evento que toma conta daquela pequena cidade do sul da França durante doze dias, que faz aumentar todos os preços, que permite que apenas carros autorizados circulem pelas ruas, que enche o aeroporto de jatos privados e as praias de modelos, não é constituído apenas de um tapete vermelho cercado de fotógrafos por onde caminham as grandes estrelas em direção à porta do Palácio do Congresso.

Cannes não é sobre moda, é sobre cinema!

Embora o lado do luxo e do glamour fosse o mais visível, a verdadeira alma do Festival é o gigantesco mercado paralelo da indústria: compradores e vendedores vindos do mundo inteiro se encontram para negociar produtos acabados, investimentos, ideias. Em um dia normal, quatrocentas projeções são feitas em toda cidade — em sua maioria em apartamentos alugados por temporada, com gente espalhada desconfortavelmente em torno das camas, reclamando do calor e exigindo água mineral e atenções especiais, o que deixa os exibidores com os nervos à flor da pele e um sorriso gelado no rosto. Precisam aceitar tudo, ceder a todas as provocações, porque é importante mostrar aquilo que demora geralmente anos para ser feito.

Ao mesmo tempo, enquanto essas 4800 novas produções lutam com unhas e dentes pela chance de sair daquele quarto de hotel e ganhar uma verdadeira exibição em salas de cinema, o mundo dos sonhos começa a andar em sentido contrário: as novas tecnologias ganham terreno, as pessoas já não saem tanto de casa por causa da insegurança, do excesso de trabalho, dos canais de televisão a cabo — nos quais podem escolher geralmente em torno de quinhentos filmes por dia, por um custo quase nulo.

E o que é pior: a internet hoje permite que todo mundo seja um cineasta. Portais especializados mostram filmes de bebês andando, homens e mulheres sendo decapitados nas guerras, mulheres que exibem seus corpos apenas pelo prazer de saber que alguém do outro lado estaria tendo um momento de prazer solitário, pessoas congeladas, acidentes reais, cenas de esporte, desfiles de moda, vídeos de câmeras ocultas que pretendiam criar situações constrangedoras para os inocentes que passam diante delas.

Claro, as pessoas continuam a sair. Mas preferem gastar o dinheiro em restaurantes e roupas de marca, porque o resto está na tela de suas televisões de alta definição ou nos seus computadores.

Filmes. Já havia desaparecido em um passado longínquo a época em que todos se lembravam dos grandes vencedores da Palma de Ouro. Agora, se perguntassem quem havia ganhado no ano anterior, mesmo as pessoas que participaram do Festival eram incapazes de recordar. "Algum romeno", dizia um. "Não, tenho certeza de que foi um alemão", comentava outro. Iam sorrateiramente consultar o catálogo e descobriam que tinha sido um italiano — que por sinal foi exibido apenas nos circuitos alternativos.

As salas de cinema, que depois de um período de concorrência com as locadoras de vídeo haviam voltado a crescer, parecem estar de novo em uma fase de decadência — competindo com DVDs de antigas produções que são entregues gratuitamente na compra de um jornal, locação através da internet, pirataria universal. Isso torna a distribuição mais selvagem: se um novo lançamento for considerado um investimento altíssimo por algum estúdio, eles forçam para que esteja no máximo de salas ao mesmo tempo, deixando pouco espaço para qualquer nova produção que se aventure no ramo.

E os poucos aventureiros que resolvem correr o risco — apesar de todos os sinais contrários — descobrem tarde demais que não basta ter um produto de qualidade nas mãos. Para que um filme chegue às grandes capitais do mundo os custos de promoção são proibitivos: anúncios de página inteira em jornais e revistas, recepções, assessores de imprensa, viagens de promoção, equipes cada vez mais caras, sofisticados equipamentos de filmagem, mão de obra que começa a escassear. E o pior de todos os problemas: alguém que distribua o produto final.

Mesmo assim, a cada ano continua a peregrinação de um lugar para o outro, horários marcados, a Superclasse que presta atenção a tudo menos ao que está sendo projetado na tela, companhias interessadas em pagar um décimo do preço justo para darem a "honra" a determinado cineasta de ter seu trabalho mostrado na televisão, pedidos para que todo o material seja refeito de modo a não ofender as famílias, exigências de nova edição, promessas (nem sempre cumpridas) de que se mudarem por completo o roteiro e investirem em certo tema, terão um contrato no ano seguinte.

As pessoas ouvem, aceitam — porque não têm escolha. A Superclasse manda no mundo, seus argumentos são doces, sua voz suave, seu sorriso delicado, mas suas decisões, definitivas. Eles sabem. Eles aceitam ou rejeitam. Eles têm o poder.

E o poder não negocia com ninguém, apenas consigo mesmo. Entretanto, nem tudo estava perdido. Tanto no mundo da ficção, como no mundo real, sempre existia um herói.

E Maureen olha orgulhosa: o herói está diante de seus olhos! O grande encontro que vai finalmente acontecer daqui a dois dias depois de quase três anos de trabalho, sonhos, telefonemas, viagens a Los Angeles, presentes, pedidos a amigos do seu Banco de Favores, interferência de um ex-amante seu, que tinha cursado com ela a escola de cinema, e achou que era muito mais seguro trabalhar em uma importante revista especializada no assunto do que se arriscar a perder a cabeça e o dinheiro.

"Falarei com ele", dissera o ex-namorado. "Mas Javits não depende de ninguém, nem mesmo de jornalistas que podem promover ou destruir seus produtos. Ele está acima de tudo:

já pensamos em fazer uma reportagem para tentar descobrir como conseguiu ter nas mãos tantos exibidores, e nenhuma pessoa com quem trabalha quis prestar declarações a respeito. Falo, mas não coloco nenhuma pressão."

Falou. Conseguiu que ele assistisse a *Os segredos do porão*. No dia seguinte, recebeu um telefonema dizendo que se encontrariam em Cannes.

Maureen nem sequer ousou dizer que estava a apenas dez minutos de táxi do seu escritório: marcou uma hora na longínqua cidade da França. Conseguiu um bilhete de avião para Paris, tomou um trem que demorou um dia inteiro para chegar ao local, exibiu um *voucher* a um mal-humorado gerente de um hotel de quinta categoria, instalou-se em um quarto de solteiro no qual tinha que passar por cima das malas cada vez que precisasse ir ao banheiro, arranjou — ainda com seu ex-namorado — convites para alguns eventos de segunda categoria, como a promoção de um novo tipo de vodca ou o lançamento de uma nova linha de camisetas; já era tarde demais para conseguir o passe que permite a entrada no Palácio dos Festivais.

Gastara um dinheiro acima do seu orçamento, e viajara mais de vinte horas seguidas, mas teria os seus dez minutos.

E tinha certeza de que, no final, sairia com um contrato e um futuro pela frente. Sim, a indústria do cinema vivia uma crise, mas e daí? Os filmes (embora poucos) ainda não continuavam fazendo sucesso? As cidades não estavam cheias de cartazes dos novos lançamentos? As revistas de celebridades traziam matérias sobre quem? Artistas de cinema! Maureen sabia — melhor dizendo, estava convencida — que a morte do cinema já havia sido decretada muitas vezes, e mesmo assim ele continuava sobrevivendo. "O cinema acabou" quando chegou a televisão. "O cinema acabou" quando chegaram as locadoras. "O cinema acabou" quando a internet começou a permitir acessos a sites de pirataria. Mas o cinema estava ali, naquelas ruas da pequena cidade no Mediterrâneo, que devia sua fama justamente ao Festival.

Agora, tudo era uma questão de aproveitar a sorte que lhe caíra dos céus.

E aceitar tudo, absolutamente tudo. Javits Wild está ali. Javits já tinha visto seu filme. O tema tinha tudo para dar certo: a exploração sexual, voluntária ou forçada, estava ganhando um destaque muito grande na mídia por causa de uma série de casos de repercussão mundial. Era o momento certo para *Os segredos do porão* ter seus cartazes expostos na cadeia de exibição que controlava.

Javits Wild, o rebelde com causa, o homem que estava revolucionando a maneira com que os filmes atingiam o grande público. Apenas o ator Robert Redford havia tentado algo semelhante, com seu Sundance Film Festival, para cineastas independentes — mas mesmo assim, apesar de décadas de esforço, Redford ainda não tinha conseguido quebrar a grande barreira que movimentava as centenas de milhões de dólares nos Estados Unidos, na Europa e na Índia. Javits Wild, porém, era um vencedor.

Javits Wild, a redenção dos cineastas, o grande mito, o aliado das minorias, o amigo dos artistas, o novo mecenas — que através de um inteligente sistema (que ela desconhecia por completo, mas sabia que dava resultado) agora atingia também salas no mundo inteiro.

Javits Wild havia lhe convidado para um encontro de dez minutos no dia seguinte. Isso queria simplesmente dizer: havia aceito seu projeto, e agora tudo era apenas uma questão de detalhes.

"Aceitarei tudo. Absolutamente tudo", repete.

Evidente que em dez minutos Maureen não conseguirá dizer absolutamente nada do que havia passado durante os oito anos (melhor dizendo, um quarto da sua vida) que estivera envolvida com a produção de seu filme. Inútil explicar que havia cursado uma faculdade de cinema, dirigido alguns comerciais, feito dois curtas-metragens que tiveram uma ótima acolhida em diversos salões de cidades do interior, ou em bares alternativos em Nova York. Que, para levantar o milhão de dólares necessário para a produção profissional, hipotecara a casa que recebera como herança de seus pais. Que esta era sua única chance, já que não teria outra casa para fazer a mesma coisa.

Tinha acompanhado de perto a carreira de seus outros amigos de curso, que depois de muito lutar haviam escolhido o mundo confortável dos comerciais — cada vez mais presentes — ou um emprego obscuro, mas garantido, em uma das muitas empresas que produziam seriados para a TV. Depois que seus pequenos trabalhos foram bem-aceitos, começou a sonhar mais alto, e a partir daí já não tinha mais como controlar isso.

Estava convencida de que tinha uma missão: transformar este mundo em um lugar melhor para as gerações vindouras. Juntar-se com outras pessoas iguais a ela, mostrar que a arte não era apenas uma maneira de entreter ou divertir uma sociedade perdida. Expor os defeitos dos líderes, salvar as crianças que neste momento morriam de fome em algum lugar da África. Denunciar os problemas do meio ambiente. Acabar com a injustiça social.

Claro, era um projeto ambicioso, mas tinha certeza de que sua obstinação terminaria por levá-la a realizá-lo. Para isso, precisava purificar sua alma, e sempre recorria às quatro forças que a guiavam: amor, morte, poder e tempo. É necessário amar, porque somos amados por Deus. É necessária a consciência da morte, para entender bem a vida. É necessário lutar para crescer — mas sem cair na armadilha do poder que conseguimos com isso, porque sabemos que ele não vale nada. Finalmente, é necessário aceitar que nossa alma — embora seja eterna — está neste momento presa na teia do tempo, com suas oportunidades e limitações.

Embora presa na teia do tempo, podia trabalhar com o que lhe dava prazer e entusiasmo. E através dos seus filmes seria capaz de deixar sua contribuição ao mundo que parecia se desintegrar à sua volta, mudar a realidade, transformar os seres humanos.

Quando seu pai morreu, depois de queixar-se a vida inteira de que jamais tivera a oportunidade de fazer o que sempre sonhou, ela entendeu algo muito importante: transformações acontecem justamente nesses momentos de crise.

Não gostaria de terminar a vida como ele. Não gostaria de dizer à sua filha "Eu quis, em determinado momento eu pude, mas não tive coragem de arriscar tudo". Ao receber a herança, entendeu na mesma hora que esta lhe havia sido dada por uma única razão: permitir que cumprisse seu destino.

Aceitou o desafio. Ao contrário das outras adolescentes que sempre desejavam ser atrizes famosas, seu sonho era contar histórias que as gerações seguintes ainda pudessem ver, sorrir e sonhar. Seu grande exemplo era *Cidadão Kane*: primeiro filme de um radialista que desejava criticar um poderoso magnata da imprensa americana, tornou-se um clássico não apenas por sua história, mas por lidar de maneira inovadora e criativa com os problemas éticos e técnicos da época. Bastou um simples filme para que jamais fosse esquecido.

"Seu primeiro filme."

É possível acertar logo de saída. Mesmo que seu autor, Orson Welles, nunca mais tenha feito nada à altura. Mesmo que ele tenha desaparecido do cenário (isso acontece) e agora se limitasse a ser estudado nos cursos de cinema: com toda certeza, em breve alguém viria "redescobrir" seu gênio. *Cidadão Kane* não fora seu único legado: provara a todos que bastava um excelente primeiro passo, e teria convites para o resto de sua vida.

Honraria esses convites. Prometera a si mesma jamais esquecer as dificuldades pelas quais passara, e fazer da sua vida algo que tornasse o ser humano mais digno.

E como existe apenas UM primeiro filme, concentrou todo seu esforço físico, suas preces, sua energia emocional em um único projeto. Ao contrário de seus amigos, que viviam enviando roteiros, propostas, ideias, e terminavam trabalhando em várias coisas ao mesmo tempo sem que nenhuma delas desse resultado, Maureen dedicou-se de corpo e alma a *Os segredos do porão*, a história de cinco freiras que recebem a visita de um maníaco sexual. Em vez de tentar convertê-lo à salvação cristã, entendem que o único diálogo possível é aceitar as normas do seu mundo cheio de aberrações; decidem entregar seus corpos para fazer com que ele entenda a glória de Deus através do amor.

O seu plano era simples: as atrizes em Hollywood, por mais famosas que sejam, normalmente desaparecem dos elencos quando chegam aos trinta e cinco anos. Continuam frequentando as páginas de revistas de celebridades por mais tempo, são vistas em leilões beneficentes, grandes festas, participam de causas humanitárias, e, quando notam que vão realmente sumir dos holofotes, começam a se casar e se divorciar, criar escândalos públicos — tudo isso por mais uns meses, umas semanas, uns dias de glória. Ora, nesse período que vai do desemprego à obscuridade total, o dinheiro já não tem mais importância: aceitariam qualquer coisa para estar de novo nas telas.

Maureen se aproximou de mulheres que havia menos de uma década estavam no topo do mundo, agora sentiam que o chão começava a escorregar sob seus pés, e precisavam desesperadamente voltar para onde viviam antes. O roteiro era bom; foi enviado para seus agentes, que pediram um salário absurdo e escutaram um simples "não" como resposta. Seu próximo passo foi bater na porta de cada uma; disse que já tinha dinheiro para o projeto, e todas terminaram aceitando — sempre pedindo segredo pelo fato de estarem trabalhando quase de graça.

Em uma indústria como aquela, era impossível começar pensando de maneira humilde. De vez em quando, em seus sonhos, o fantasma de Orson Welles aparecia: "Tente o impossível. Não comece por baixo, porque embaixo você já está. Suba rapidamente, antes que tirem a escada. Se tiver medo, faça uma prece, mas siga adiante". Tinha uma ótima história, um elenco de primeiríssima qualidade, e sabia que era necessário produzir algo que fosse aceito pelos grandes estúdios e distribuidores, sem que com isso se obrigasse a abrir mão da qualidade.

Era possível e obrigatório que arte e comércio andassem juntos.

O resto era o resto: críticos adeptos de masturbação mental que adoravam filmes que ninguém compreendia. Pequenos circuitos alternativos em que todas as noites a mesma dúzia de pessoas saía das sessões para passar madrugadas em bares, fumando e comentando uma única cena (cujo significado, aliás, era possivelmente completamente distinto da intenção com que fora filmada). Diretores que davam conferências para explicar o que deveria ser óbvio para a plateia. Encontros de sindicatos para reclamar que o Estado não apoiava o cinema local. Manifestos em revistas intelectuais, frutos de reuniões intermináveis, nos quais faziam as mesmas queixas sobre o desinteresse do governo em apoiar a arte. Uma ou outra nota publicada na grande imprensa e geralmente lida apenas pelos interessados ou pela família dos interessados.

Quem muda o mundo? A Superclasse. Aqueles que fazem. Que interferem no comportamento, no coração e na mente do maior número de pessoas possível.

Por isso queria Javits. Queria o Oscar. Queria Cannes.

E já que para chegar a tudo isso era impossível um trabalho democrático — tudo que as outras pessoas queriam era dar opinião sobre a melhor maneira de fazer algo, sem jamais se envolverem com os riscos —, ela simplesmente apostou tudo. Contratou a equipe que estava disponível, reescreveu durante meses o roteiro, convenceu ótimos — e desconhecidos — diretores de arte, figurinistas, atores coadjuvantes a participarem, prometendo quase nenhum dinheiro, mas muita visibilidade no futuro. Todos se impressionavam com a lista das cinco atrizes principais ("O orçamento deve ser muito, muito alto!"), pediam grandes salários no início, e terminavam convencidos de que participar de um projeto como aquele seria importantíssimo para seus currículos. Maureen estava tão contagiada pela ideia que o entusiasmo parecia abrir-lhe todas as portas.

Agora faltava o salto final, aquilo que faria a diferença. Não basta para um escritor ou músico desenvolver algo de qualidade, é preciso que sua obra não termine mofando na estante ou na gaveta.

É preciso vi-si-bi-li-da-de!

Enviou uma cópia a apenas uma pessoa: Javits Wild. Usou todos os seus contatos. Foi humilhada, e mesmo assim seguiu adiante. Foi ignorada, mas isso não tirou sua coragem. Foi maltratada, ridicularizada, excluída, mas continuou a acreditar que era possível, porque colocara cada gota do seu sangue no que acabara de fazer. Até que seu ex-namorado entrou em cena, e Javits Wild marcou um encontro.

Está de olho nele durante o almoço, saboreando com antecipação o momento que passarão juntos, daqui a dois dias. De repente, nota que fica paralisado, com os olhos no vazio. Um dos seus amigos olha para trás, para os lados, sempre mantendo a mão dentro do paletó. O outro pega seu celular e começa a digitar histericamente as teclas.
  Teria acontecido alguma coisa? Seguramente que não; as pessoas que estão mais perto continuam conversando, bebendo, desfrutando mais um dia de Festival, festas, sol e corpos bonitos.
  Um dos homens tenta levantá-lo e fazê-lo caminhar, mas Javits parece não conseguir se mover. Não deve ser nada. Bebida em excesso, no máximo. Cansaço. Estresse.
  Não pode ser nada. Tinha chegado tão longe, estava tão próxima e...
  De longe, começou a escutar uma sirene. Deve ser a polícia, abrindo caminho no trânsito eternamente congestionado para alguma personalidade importante.
  Um dos homens coloca o braço de Javits em seu ombro e o carrega em direção à porta. A sirene se aproxima. O outro homem, sem tirar a mão de dentro do paletó, move a cabeça em todas as direções. Em um dado momento seus olhos se cruzam.
  Javits está sendo levado rampa acima por um de seus amigos, e Maureen se perguntava como alguém que parecia tão frágil era capaz de carregar um corpanzil daqueles sem muito esforço.

O som da sirene para exatamente diante da grande tenda. A esta altura Javits já havia desaparecido com um de seus amigos, mas o segundo homem caminha em sua direção, ainda com uma das mãos dentro do paletó.

— O que aconteceu? — pergunta assustada. Porque anos de trabalho na arte de dirigir atores haviam lhe ensinado que a face do sujeito diante dela parecia feita de pedra, como a de um assassino profissional.

— Você sabe o que aconteceu — a voz tinha um sotaque que ela não conseguia identificar.

— Vi que ele começou a passar mal. O que aconteceu?

O homem não tira a mão de dentro do seu paletó. E neste instante, Maureen teve a ideia que talvez mudasse um pequeno incidente em uma grande possibilidade.

— Posso ajudar? Posso ir até ele?

A mão parece relaxar um pouco, mas os olhos continuam prestando atenção a cada movimento que ela faz.

— Vou com vocês. Conheço Javits Wild. Sou sua amiga.

No que pareceu uma eternidade, mas que não deve ter durado mais que uma fração de segundo, o homem virou-se e saiu andando a passos rápidos em direção à Croisette, sem dizer uma só palavra.

A cabeça de Maureen funcionava a todo vapor. Por que ele havia dito que ela sabia o que tinha acontecido? E por que, subitamente, havia perdido por completo o interesse nela?

Os outros convidados não notam absolutamente nada — exceto o barulho da sirene, que possivelmente atribuem a algo que tinha acontecido na rua. Mas sirenes não combinam com alegria, sol, bebidas, contatos, belas mulheres, belos homens, gente pálida e gente bronzeada. Sirenes pertencem a outro mundo, onde existem acidentes, ataques cardíacos, doenças, crimes. Sirenes não interessavam nem um pouco a nenhuma das pessoas que estavam ali.

A cabeça de Maureen para de girar. Algo tinha acontecido com Javits, e isso era um presente dos céus. Corre até a porta, vê uma ambulância a toda a velocidade na pista interditada, de novo com as sirenes ligadas.

— É meu amigo! — diz para um dos guarda-costas na entrada.

— Para onde foi levado?

O homem dá o nome de um hospital. Sem refletir um só instante, Maureen começa a correr em busca de um táxi. Dez minutos depois entende que não há táxis na cidade, exceto aqueles chamados pelos porteiros de hotel, graças a generosas gorjetas. Como está sem dinheiro no bolso, entra em uma pizzaria, mostra o mapa que carrega consigo, aprende que deve continuar a correr pelo menos durante meia hora em direção ao seu objetivo.

Tinha corrido a vida inteira, isso não faria muita diferença.

12h53

— Bom dia.
— Boa tarde — uma delas responde. — Já passou do meio-dia.

Exatamente como tinha imaginado. Cinco moças parecidas fisicamente com ela. Todas maquiadas, de pernas de fora, decotes provocantes, ocupadas com seus telefones e seus SMS.

Nenhuma conversa, porque já se reconhecem como almas gêmeas, tendo passado pelas mesmas dificuldades, aceitado sem reclamar os nocautes, enfrentado os mesmos desafios. Todas procurando acreditar que um sonho não tinha data para terminar, a vida pode mudar de uma hora para a outra, o momento certo está esperando, a vontade está sendo testada.

Todas possivelmente tinham brigado com suas famílias, que acreditavam que a filha terminaria na prostituição.

Todas tinham já subido no palco, experimentado a agonia e o êxtase de ver o público, saber que as pessoas tinham os olhos cravados na cena diante delas, sentido a eletricidade no ar e aplausos no final. Todas imaginaram centenas de vezes que alguém da Superclasse estivesse na plateia e um dia seriam procuradas no camarim depois do espetáculo com algo mais concreto além de propostas para jantar, pedidos de telefone, cumprimentos pelo excelente trabalho.

Todas já tinham aceitado três ou quatro desses convites, até entenderem que aquilo não levava a lugar nenhum além da cama de um homem normalmente mais velho, poderoso, mas interessado apenas na conquista. E geralmente casado, como todo homem interessante.

Todas tinham um namorado jovem, mas, quando alguém perguntava o estado civil, diziam: "Livre e desimpedida". Todas achavam que conseguiam dominar bem a situação. Todas escutaram centenas de vezes que tinham talento, faltava uma oportunidade, e ali, diante delas, estava a pessoa que iria transformar por completo suas vidas. Todas acreditaram algumas vezes. Todas caíram na armadilha do excesso de confiança e se julgaram donas da situação, até se darem conta no dia seguinte de que o telefone que haviam recebido caía no ramal de uma secretária mal-humorada, que não passava, de jeito nenhum, a chamada para o patrão.

Todas já tinham ameaçado contar que foram enganadas, dizendo que venderiam a história para os jornais de escândalo. Nenhuma delas fez isso, porque ainda estavam na fase do "não posso me queimar no meio artístico".

Possivelmente, uma ou duas delas haviam passado pela prova de *Alice no País das Maravilhas*, e agora queriam provar à família que eram mais capazes do que pensavam. Por sinal, as famílias já haviam visto suas filhas em comerciais, pôsteres ou outdoors espalhados pela cidade e, depois das brigas iniciais, estavam absolutamente convencidas de que o destino de suas meninas era um só:

Brilho e glamour.

Todas pensaram que o sonho era possível, que um dia iriam reconhecer seu talento, até compreenderem que só existe uma única palavra mágica naquele ramo:

"Contatos."

Todas haviam distribuído seus books assim que chegaram a Cannes. E ficavam vigiando o celular, frequentando os lugares possíveis, tentando entrar nos lugares impossíveis, sonhando que alguém as convidasse para as festas durante a noite, e para o maior de todos os prêmios: o tapete vermelho do Palácio do Congresso. Mas aquele era talvez o sonho mais difícil de realizar — tão difícil que nem sequer confessavam a si mesmas, para evitar que os sentimentos de rejeição e de frustração terminassem por destruir a alegria que precisavam mostrar de qualquer jeito, mesmo que não estivessem contentes.

Contatos.

Através de muitos encontros errados, conseguiram um ou outro que as levou a algum lugar. Por isso estavam ali. Porque tinham contatos, e através deles um produtor da Nova Zelândia as havia chamado. Nenhuma perguntava para quê; sabiam apenas que precisavam ser pontuais, já que ninguém tinha tempo a perder, muito menos as pessoas da indústria. Só quem tinha mesmo tempo disponível eram elas, as cinco moças na sala de espera, ocupadas com seus celulares e suas revistas, enviando compulsivamente SMS para ver se tinham sido convidadas para alguma coisa naquele dia, tentando falar com os amigos, e jamais se esquecendo de dizer que no momento não estavam disponíveis, tinham um encontro muito importante com um produtor de cinema.

Gabriela foi a quarta pessoa a ser chamada. Tentara ler o que dizia os olhos das três primeiras que saíram da sala sem dizer palavra, mas todas eram... atrizes. Capazes de esconder qualquer sentimento de alegria ou tristeza. Caminhavam decididas para a porta de saída, desejavam "boa sorte" com uma voz firme, como se dissessem: "Não precisam ficar nervosas, meninas, vocês não têm mais nada a perder. O papel já é meu".

Uma das paredes do apartamento estava coberta por um pano negro. No chão, cabos elétricos de todos os tipos, luzes cobertas por uma armação de arame, onde haviam montado uma espécie de guarda-chuva com um pano branco estendido adiante. Equipamento de som, monitores e uma câmera de vídeo. Pelos cantos estavam garrafas de água mineral, maletas de metal, tripés, folhas espalhadas e um computador. Sentada no chão, uma mulher de óculos, de aproximadamente trinta e cinco anos, folheava seu book.

— Horrível — diz, sem olhar para ela. — Horrível — repetia.

Gabriela não sabe exatamente o que fazer. Talvez fingir que não está escutando, ir para o canto onde o grupo de técnicos conversa animadamente enquanto acende um cigarro atrás do outro, ou simplesmente ficar parada.

— Detesto essa — continuou a mulher.

— Sou eu.

Era impossível controlar a língua. Tinha saído correndo por metade de Cannes, ficado quase duas horas em uma sala de espera, sonhado mais uma vez que sua vida ia mudar para sempre (embora estes delírios estivessem cada vez mais sob controle, e já não se deixava excitar tanto como antigamente), e não precisava de mais nada para deprimi-la.

— Sei disso — disse a mulher, sem tirar os olhos das fotos. — Devem ter custado uma fortuna. Tem gente que vive de fazer books, escrever currículos, dar cursos de teatro, enfim, ganhar dinheiro por causa da vaidade de gente como você.

— Se acha horrível, por que me chamou?

— Porque estamos precisando de uma pessoa horrível.

Gabriela ri. A mulher finalmente levanta a cabeça e a olha de cima a baixo.

— Gostei da sua roupa. Odeio pessoas vulgares.

O sonho de Gabriela voltava. O coração palpitou.

A mulher lhe estende um papel.

— Vá até a marcação.

E virando-se para a equipe:

— Apaguem os cigarros! Fechem a janela para não atrapalhar o som!

A "marcação" era uma cruz feita com fita adesiva amarela no solo. Dessa maneira, a luz não precisava ser refeita, e a câmera não tinha que se movimentar — o ator estava no lugar indicado pelo equipamento técnico.

— Estou suando com o calor aqui. Posso pelo menos ir ao banheiro e colocar uma base, um pouco de maquiagem?

— Poder, claro que pode. Mas, quando voltar, já não terá mais tempo para a gravação. Precisamos entregar esse material antes do final da tarde.

Todas as outras moças que entraram devem ter feito a mesma pergunta, e obtido a mesma resposta. Melhor não perder tempo — tira um lenço de papel da bolsa e toca levemente a face, enquanto se encaminha para a marca.

Um assistente vai para diante da câmera, enquanto Gabriela luta contra o tempo, tentando ler pelo menos uma vez o que estava escrito naquela meia folha de papel.

— Teste número 25, Gabriela Sherry, Agência Thompson. "Vinte e cinco?"

— Rodando — disse a mulher de óculos.

O local ficou em silêncio completo.

— "Não, não acredito no que está dizendo. Ninguém é capaz de cometer crimes sem uma razão."

— Comece de novo. Você está falando com seu namorado.

— "Não. Não acredito no que está dizendo! Ninguém é capaz de cometer crimes assim, sem nenhuma razão."

— A palavra "assim" não está no texto. Você acha que o

roteirista, que trabalhou durante meses, não pensou na possibilidade de colocar "assim"? E não a eliminou porque achou inútil, superficial, desnecessária?

Gabriela respira fundo. Não tem mais nada a perder, exceto a paciência. Agora vai fazer o que bem entende, sair dali, ir para a praia, ou voltar para dormir mais um pouco. Precisa repousar para estar em plena forma quando começarem os coquetéis durante a tarde.

Uma estranha, deliciosa calma toma conta dela. De repente, sente-se protegida, amada, agradecida por estar viva. Ninguém a obrigava a estar ali, aguentando de novo aquela humilhação toda. Pela primeira vez em todos aqueles anos, estava consciente do seu poder, que julgava nunca ter existido.

— "Não, não acredito no que está dizendo. Ninguém é capaz de cometer crimes sem razão."

— Próxima frase.

A ordem tinha sido desnecessária. Gabriela ia continuar de qualquer jeito.

— "Melhor irmos até o médico. Acho que você está precisando de ajuda."

— "Não" — contracenou a mulher de óculos, que fazia o papel de "namorado".

— "Está bem. Não vamos ao médico. Vamos passear um pouco, e você me conta exatamente o que está acontecendo. Eu te amo. Se ninguém mais neste mundo se importa com você, eu me importo."

As frases na folha de papel haviam terminado. O ambiente estava em silêncio. Uma estranha energia toma conta do local.

— Diga à moça que está esperando que pode ir embora — ordena a mulher de óculos a uma das pessoas presentes.

Será que era o que ela estava pensando?

— Vá até a ponta esquerda da praia, onde existe a marina que se encontra no final da Croisette, em frente à Allée des

Palmiers. Ali um barco estará esperando pontualmente à 13h55 para levá-la ao encontro do Sr. Gibson. Estamos enviando o vídeo agora, mas ele gosta de conhecer pessoalmente as pessoas com quem tem possibilidade de trabalhar.

Um sorriso se abre no rosto de Gabriela.

— Eu disse "possibilidade". Não disse "vai trabalhar".

Mesmo assim, o sorriso continua. Gibson!

13h19

Entre o inspetor Savoy e o legista, deitada sobre uma mesa de aço inoxidável, está uma bela jovem de aproximadamente vinte anos, completamente nua.

E morta.

— O senhor tem certeza?

O legista se dirige até uma pia, também de aço inoxidável. Retirou as luvas de borracha, atirou-as no lixo, e abriu a torneira.

— Absoluta certeza. Nenhum vestígio de droga.

— Então, o que aconteceu? Uma jovem como essa, ter um ataque cardíaco?

Tudo que se ouve na sala é o barulho da água correndo.

"Eles pensam sempre no óbvio: drogas, ataque cardíaco, coisas do tipo."

Demora mais do que o necessário para terminar de lavar as mãos — um pouco de suspense não fazia mal ao seu trabalho. Passa desinfetante nos braços, e joga no lixo o material descartável que usara na autópsia. Depois se volta e pede que o inspetor olhe o corpo da moça de alto a baixo.

— Detalhadamente, sem nenhum pudor; faz parte de sua profissão saber prestar atenção aos detalhes.

Savoy examina cuidadosamente o cadáver. Em determinado momento, estende a mão para levantar um dos braços, mas o legista o detém.

— Não é necessário tocá-la.

Os olhos de Savoy percorrem o corpo nu da menina. A esta altura sabia bastante a respeito dela — Olivia Martins, filha de pais portugueses, namorando um jovem sem profissão definida, frequentador das noites de Cannes, e que neste momento estava sendo interrogado longe dali. Um juiz autorizou que seu apartamento fosse aberto, e encontraram pequenos frascos de THC (tetraidrocanabinol, o principal elemento alucinógeno da marijuana, e que hoje em dia podia ser ingerido em uma mistura com óleo de gergelim, o que não deixa cheiro no ambiente e tem um efeito muito maior que a absorção através do fumo). Seis envelopes contendo um grama de cocaína cada um. Marcas de sangue no lençol que agora está sendo enviado para um laboratório. Um pequeno traficante, no máximo. Conhecido da polícia, com uma ou duas passagens pela prisão, mas sem que jamais tivesse sido acusado de violência física.

Olivia era linda, mesmo depois de morta. Sobrancelhas grossas, ar infantil, seios...

"Não posso pensar nisso. Sou um profissional."

— Não vejo absolutamente nada.

O legista sorri — e Savoy fica levemente irritado com seu jeito arrogante. Aponta para uma pequena, imperceptível marca arroxeada entre o ombro esquerdo e o pescoço da moça.

Em seguida, mostra outra marca semelhante, no lado direito do torso, entre duas costelas.

— Poderia começar descrevendo detalhes técnicos, como obstrução da veia jugular e da artéria carótida, ao mesmo tempo em que outra força semelhante era aplicada em determinado feixe de nervos, mas com tal precisão que é capaz de causar uma paralisia completa da parte superior do corpo...

Savoy não diz nada. O legista entende que não era hora de demonstrar sua cultura, ou brincar com a situação. Fica com pena de si mesmo: lidava com a morte todos os dias, vivia cercado de cadáveres e de gente séria, seus filhos jamais comentavam a profissão do pai, e nunca tinha assunto nos jantares, já que as pessoas detestam conversar sobre temas que consideram macabros. Mais de uma vez perguntou se havia escolhido a profissão certa.

— Ou seja: ela foi morta por estrangulamento.

Savoy continua em silêncio. Sua cabeça trabalhava a toda a velocidade: estrangulamento no meio da Croisette, durante o dia? Os pais haviam sido entrevistados, e a menina saíra de casa com a mercadoria — ilegalmente, já que vendedores ambulantes não pagavam impostos ao governo, e portanto estavam proibidos de trabalhar.

"Mas isso não vem ao caso no momento."

— Entretanto — continua o legista — há algo intrigante nisso. Em um estrangulamento normal, as marcas aparecem em ambos os ombros — ou seja, a clássica cena em que alguém agarra o pescoço da vítima enquanto ela se debate para soltar-se. Neste caso, uma das mãos, melhor dizendo, um simples dedo impediu o sangue de atingir o cérebro, enquanto outro dedo fazia com que o corpo ficasse paralisado, incapaz de reagir. Algo que exige uma técnica sofisticadíssima, e um conhecimento perfeito do organismo humano.

— E ela poderia ter sido morta em outro local, e trazida para o banco onde a encontramos?

— Se isso tivesse acontecido, deixaria marcas no seu corpo à medida que era arrastada para o local. Foi a primeira coisa que eu procurei, considerando a possibilidade de ter sido morta apenas por uma pessoa. Como não vi nada, procurei indícios de mãos segurando suas pernas e seus braços, na eventualidade de termos mais de um criminoso. Nada. Além do mais, sem querer entrar muito em detalhes técnicos, existem certas coisas que acontecem no momento da morte que deixam vestígios. Como urina, por exemplo, e...

— O que o senhor quer dizer?

— Que ela foi morta no local onde foi encontrada. Que, pela marca dos dedos, apenas uma pessoa participou do crime. Que conhecia o criminoso, já que ninguém a viu tentando fugir. Que ele estava sentado do seu lado esquerdo. Que deve ser alguém treinado para isso, com grande experiência em artes marciais.

Savoy agradece com a cabeça e dirige-se rapidamente para a saída. No caminho, telefona para a delegacia onde o rapaz estava sendo interrogado.

— Esqueçam essa história de drogas — disse ele. — Vocês têm um assassino nas mãos. Procure saber tudo que ele conhece sobre artes marciais. Estou indo diretamente para aí.

— Não — respondeu uma voz do outro lado da linha. — Vá até o hospital. Acho que temos outro problema.

13h28

A *gaivota voava por cima de uma praia no Golfo, quando viu um rato. Desceu dos céus e perguntou ao roedor:*
— *Onde estão suas asas?*
Cada bicho fala um idioma, o rato não entendeu o que ela dizia; mas notou que o animal à sua frente tinha duas coisas estranhas e grandes saindo de seu corpo.
"Deve sofrer alguma doença", pensou o rato.
A gaivota percebeu que o rato olhava fixamente suas asas:
— *Pobrezinho. Foi atacado por monstros, que lhe deixaram surdo e roubaram as asas.*
Compadecida, pegou-o em seu bico e levou-o para passear nas alturas. "Pelo menos ele mata a saudade", pensava, enquanto voavam. Depois, com todo cuidado, deixou-o no chão.
O rato, durante alguns meses, tornou-se uma criatura profundamente infeliz: tinha conhecido as alturas, viu um mundo vasto e belo.
Mas, com o passar do tempo, terminou de novo acostumando-se a ser rato, e achou que o milagre que tinha acontecido em sua vida não passava de um sonho.

Era uma história de sua infância. Mas neste momento, ele está no céu: pode ver o mar azul-turquesa, os luxuosos iates, as pessoas que parecem formigas lá embaixo, as tendas armadas na praia, as colinas, o horizonte à sua esquerda além do qual estava a África e todos os seus problemas.

O solo se aproxima com velocidade. "Sempre que possível, é necessário ver os homens do alto", pensa. "Só assim entendemos sua verdadeira dimensão e pequenez."

Ewa parece entediada ou nervosa. Hamid nunca soube direito o que se passa na cabeça de sua mulher, embora estejam juntos há mais de dois anos. Mas, embora Cannes seja um sacrifício para todos, não pode deixar a cidade antes do planejado; ela já devia estar acostumada com tudo isso, porque a vida do seu ex-marido não parece muito diferente da sua; os jantares de que é obrigado a participar, os eventos que precisa organizar, as constantes mudanças de país, de continente, de língua.

"Sempre se comportou assim ou... será que... não me ama como antes?"

Pensamento proibido. Concentre-se em outras coisas, por favor.

O barulho do motor não permite conversas, exceto usando os fones de ouvido que possuem um microfone acoplado. Ewa nem sequer os havia tirado do suporte ao lado do seu assento; mesmo que neste momento ele pedisse que colocasse os fones para dizer pela milésima vez que era a mulher mais importante em sua vida, que faria o possível para que tivesse uma semana excelente em seu primeiro Festival, seria impossível. Por causa do sistema de som a bordo, a conversa sempre era escutada pelo piloto — e Ewa detesta demonstrações públicas de afeto.

Ali estão eles, naquela bolha de vidro que está quase chegando ao píer. Já pode distinguir o imenso carro branco, um Maybach, o modelo mais caro e sofisticado da Mercedes-Benz. Em breve estariam sentados em seu interior, com uma música relaxante, um console com champanhe gelada e a melhor água mineral do mundo.

Consultou seu relógio de platina, cópia certificada de um dos primeiros modelos produzidos em uma pequena fábrica na cidade de Schaffhausen. Ao contrário das mulheres, que podem gastar fortunas com brilhantes, o relógio é a única joia permitida a um homem de bom gosto, e só os verdadeiros entendidos conheciam a importância daquele modelo que raramente aparecia nos anúncios de revistas de luxo.

Isso, entretanto, é verdadeira sofisticação: saber o que existe de melhor, mesmo que os outros jamais tenham ouvido falar.

E fazer o que existe de melhor, mesmo que os outros percam um tempo imenso criticando.

Eram já quase duas horas da tarde, precisava conversar com seu corretor de ações em Nova York antes da abertura do pregão da Bolsa de Valores. Quando chegasse, daria um telefonema — apenas um telefonema — com as instruções daquele dia. Ganhar dinheiro no "cassino", como chamava os fundos de investimento, não era seu esporte favorito; mas precisava fingir que estava atento ao que seus gerentes e engenheiros financeiros faziam. Tinham a proteção, o apoio e a vigilância do sheik, e mesmo assim era importante mostrar que estava a par do que acontecia.

Dois telefonemas e nenhuma instrução determinada para comprar ou vender alguma ação. Porque sua energia está concentrada em algo diferente; naquela tarde pelo menos duas atrizes — uma importante e uma desconhecida — iriam exibir seus modelos no tapete vermelho. Claro, tem assessores que podem se ocupar de tudo, mas gosta de estar envolvido pessoalmente, nem que seja para relembrar constantemente a si mesmo que cada detalhe é importante, que não perdeu o contato com a base sobre a qual construiu seu império. Fora isso, pretende ocupar o resto do seu tempo na França procurando aproveitar ao máximo a companhia de Ewa, apresentando-a a gente interessante, passeando pela areia, almoçando sozinhos em um restaurante desconhecido em qualquer cidade vizinha, caminhando de mãos dadas pelos vinhedos que consegue ver no horizonte lá embaixo.

Sempre se julgou incapaz de se apaixonar por algo além do seu trabalho, embora em sua lista de conquistas constasse uma série invejável de relações com mulheres mais invejáveis ainda. No momento em que Ewa apareceu, descobriu-se um outro homem: dois anos juntos, e seu amor era mais forte e mais intenso que nunca.

Apaixonado.

Ele, Hamid Hussein, um dos estilistas mais celebrados no planeta, a face visível de um gigantesco conglomerado internacional de luxo e glamour. Ele, que lutara contra tudo e contra todos, enfrentara os preconceitos de quem vem do Oriente Médio e tem uma religião diferente, usara a sabedoria ancestral de sua tribo para poder sobreviver, aprender e terminar no topo do mundo. Ao contrário do que imaginavam, não tinha vindo de uma família rica e inundada por petróleo. Seu pai tinha sido comerciante de tecidos, que um belo dia caíra nas graças de um sheik porque simplesmente se recusara a obedecer a uma ordem.

Quando tinha dúvidas em qualquer decisão, gostava de lembrar o exemplo que recebera na adolescência: dizer "não" aos poderosos, mesmo que esteja correndo um risco altíssimo. Na quase totalidade das vezes, dava o passo certo. E nas poucas ocasiões em que dera o passo errado, viu que as consequências não foram tão graves como imaginava.

Seu pai. Que jamais pôde assistir ao sucesso do filho. Seu pai, que quando o sheik começou a comprar todos os terrenos disponíveis naquela parte do deserto para poder construir uma das cidades mais modernas do mundo, teve coragem de dizer a um dos seus emissários:

"Não vou vender. Há muitos séculos minha família está aqui. Aqui enterramos nossos mortos. Aqui aprendemos a sobreviver às intempéries e aos invasores. Não se vende o lugar que Deus nos encarregou de cuidar neste mundo."

A história volta à sua cabeça.

Os emissários aumentaram o preço de compra. Como não conseguiam nada, voltaram irritados e dispostos a fazer o que fosse possível para tirar aquele homem dali. O sheik começava a ficar impaciente — gostaria de iniciar logo seu projeto porque tinha grandes planos, o preço do petróleo subira no mercado internacional, o dinheiro devia ser usado antes que as reservas se esgotassem e já não houvesse mais possibilidade de criar uma infraestrutura atraente aos investimentos estrangeiros.

Mas o velho Hussein continuava a recusar qualquer preço por sua propriedade. Até que um dia o sheik resolveu ir conversar diretamente com ele.

— Posso lhe oferecer tudo que desejar — disse para o comerciante de tecidos.

— Então dê uma educação adequada para meu filho. Ele já está com dezesseis anos, e não existe nenhuma perspectiva aqui.

— Em troca, você me vende a casa.

Houve um longo momento de silêncio, até que escutou seu pai, olhando nos olhos do sheik, dizer aquilo que jamais esperava ouvir.

— O senhor tem obrigação de educar os seus súditos. E não posso trocar o futuro da minha família pelo seu passado.

Lembra-se de ter visto uma tristeza imensa nos seus olhos, quando continuou:

— Se o meu filho puder ter pelo menos uma oportunidade na vida, aceito sua oferta.

O sheik saiu sem dizer nada. No dia seguinte, pediu que o comerciante lhe enviasse o rapaz para conversarem. Encontrou-o no palácio que havia sido construído ao lado do antigo porto, depois de passar por ruas interditadas, gigantescas gruas metálicas, operários trabalhando sem parar, quarteirões inteiros sendo demolidos.

O governante foi direto ao assunto:

— Sabe que desejo comprar a casa de seu pai. Resta muito pouco petróleo em nossa terra, e, antes que nossos poços deem o último suspiro, é necessário mudar nossa dependência e descobrir outros caminhos. Provaremos ao mundo que temos capacidade de vender não apenas nosso óleo, como também nossos serviços. Entretanto, para dar os primeiros passos é necessário fazer algumas reformas importantes, como construir um bom aeroporto, por exemplo. Necessitamos de terras para que os estrangeiros possam construir seus edifícios — meu sonho é justo, e minha intenção é boa. Vamos precisar de gente educada no mundo das finanças, e você ouviu a conversa com seu pai.

Hamid procurava disfarçar o medo; havia mais de uma dezena de pessoas assistindo à audiência. Mas o seu coração já tinha uma resposta pronta para cada pergunta formulada.

— O que deseja fazer?

— Estudar alta-costura.

As pessoas se entreolharam. Talvez não soubessem direito do que estava falando.

— Estudar alta-costura. Grande parte dos tecidos que meu pai compra é revendida para os estrangeiros, que por sua vez têm lucros cem vezes maiores quando os transformam em roupas de luxo. Tenho certeza de que podemos fazer isso aqui. Estou convencido de que a moda será uma das maneiras de quebrar o preconceito que o resto do mundo tem contra nós. Se entenderem que não nos vestimos como bárbaros, vão terminar nos aceitando melhor.

Desta vez ouviu-se um murmúrio na corte. Estava falando de roupas? Aquilo era coisa de ocidentais, mais preocupados com o que se passava no exterior que no interior de uma pessoa.

— Por outro lado, o preço que meu pai está pagando é muito alto. Prefiro que continue com a casa. Eu trabalharei com os tecidos que tem e, se o Deus Misericordioso assim desejar, conseguirei realizar o meu sonho. Assim como Sua Alteza, também sei aonde quero chegar.

A corte ouvia, assombrada, um jovem desafiar o grande líder da região e recusar-se a cumprir o desejo do próprio pai. Mas o sheik sorriu com a resposta.

— Onde se estuda alta-costura?

— Na França. Na Itália. Praticando com os mestres. Na verdade, existem algumas universidades, mas nada substitui a experiência. É muito difícil, mas se o Deus Misericordioso quiser eu conseguirei.

O sheik pediu que voltasse no final da tarde. Hamid caminhou pelo porto, visitou o bazar, deslumbrou-se com as cores, os tecidos, os bordados — adorava cada chance que tinha de passear por ali. Imaginou que tudo aquilo seria destruído em breve, e entristeceu-se porque uma parte do passado, da tradição, estaria perdida. Seria possível deter o progresso? Seria inteligente impedir o desenvolvimento de uma nação? Lembrou-se das muitas noites em claro que passou desenhando à luz de vela, reproduzindo os modelos que os beduínos usavam, temendo que também os costumes tribais terminassem destruídos pelas gruas e pelos investimentos estrangeiros.

Na hora marcada, retornou ao palácio. Havia ainda mais gente em torno do governante.

— Tomei duas decisões — disse o sheik. — A primeira: vou arcar com as suas despesas durante um ano. Penso que teremos suficientes rapazes interessados em finanças, mas ninguém até hoje veio a mim para dizer que se interessa por costura. Me parece uma loucura, mas todos dizem que sou louco com meus sonhos, e mesmo assim cheguei aonde estou agora. Portanto, não posso desmentir meu próprio exemplo.

"Por outro lado, nenhum dos meus assessores tem qualquer contato com as pessoas a que se referiu, de modo que estarei pagando uma pequena mesada para que não se sinta obrigado a mendigar na rua. Quando voltar para cá, será como um vencedor; você representa nosso lugar e as pessoas precisam aprender a respeitar nossa cultura. Antes de sair, terá que aprender as línguas dos países aonde vai. Quais são?"

— Inglês, francês, italiano. Agradeço muito sua generosidade, mas o desejo de meu pai...

O sheik fez sinal para que se calasse.

— E minha segunda decisão é a seguinte. A casa do seu pai permanecerá onde está. Nos meus sonhos, ela será cercada de arranhacéus, o sol já não poderá entrar através das janelas, e ele acabará se mudando. Mas a casa será conservada ali para sempre. No futuro, as pessoas se lembrarão de mim, e dirão: *"Ele foi grande, porque mudou seu país. E ele foi justo, porque respeitou o direito de um vendedor de tecidos"*.

O helicóptero pousa na extremidade do píer, e as recordações são deixadas de lado. Hamid desce primeiro e estende a mão para ajudar Ewa. Toca sua pele, olha com orgulho para a mulher loura, toda vestida de branco, a roupa irradiando o sol que brilhava à sua volta, a outra mão segurando o discreto e belo chapéu de tom levemente bege. Caminham entre as filas de iates ancorados nos dois lados, em direção ao carro que os espera já com o motorista segurando a porta aberta.

Segura a mão da mulher e sussurra ao seu ouvido:

— Espero que tenha gostado do almoço. São grandes colecionadores de arte. E o fato de terem colocado um helicóptero à disposição dos seus convidados é muito generoso da parte deles.

— Adorei.

Mas o que Ewa queria dizer mesmo: "Detestei. E, além do mais, estou assustada. Recebi uma mensagem no meu telefone celular, e sei quem a enviou, embora não possa identificar o número".

Entram no gigantesco carro que servia apenas para duas pessoas; o resto era espaço vazio. O ar-condicionado está na temperatura ideal, a música é perfeita para um momento daqueles — nenhum ruído de fora consegue entrar no ambiente perfeitamente isolado. Senta-se na confortável poltrona de couro, estende a mão para o console de madeira, pergunta se Ewa deseja um pouco de champanhe gelada. Não, uma água mineral é o bastante.

— Vi seu ex-marido ontem no bar do hotel, antes de sair para jantar.

— Impossível. Ele não tem negócios a fazer em Cannes.

Ela gostaria de ter dito: "Talvez você esteja certo, havia uma mensagem no meu telefone. É melhor pegarmos o primeiro avião e partir imediatamente daqui".

— Tenho certeza.

Hamid nota que sua mulher não está com muita vontade de conversar. Tinha sido educado para respeitar a privacidade daqueles a quem amava, e obriga-se a pensar em outra coisa.

Pede licença, dá o telefonema que precisava para o seu agente em Nova York. Escuta com paciência duas ou três frases e interrompe com delicadeza as notícias sobre as tendências do mercado. Aquilo tudo não dura mais de dois minutos.

Faz uma segunda ligação para o diretor que havia escolhido para seu primeiro filme. Ele está indo até o barco para encontrar-se com a Celebridade — e, sim, a moça tinha sido selecionada, e deveria aparecer às duas da tarde.

Vira-se de novo para Ewa; mas ela continua aparentemente sem disposição para conversar, o olhar distante, sem fixar-se em absolutamente nada do que se passava além dos vidros da limusine. Talvez esteja preocupada porque terá pouco tempo no hotel: será preciso trocar rapidamente de roupa, e partir para um desfile não muito importante, de uma costureira belga. Precisa ver com seus próprios olhos a tal modelo africana, Jasmine, que seus assessores diziam ser o rosto ideal para sua próxima coleção.

Queria saber como a moça vai aguentar a pressão de um evento em Cannes. Se tudo der certo, será uma de suas principais estrelas na Semana de Moda de Paris, marcada para outubro.

Ewa mantém os olhos fixos na vidraça do carro, mas não está vendo absolutamente nada do que se passa do lado de fora. Conhece bem o senhor bem-vestido, de maneiras doces, criativo, lutador, que está sentado ao seu lado. Sabia que a deseja como jamais um homem desejou uma mulher, exceto aquele a quem havia deixado. Pode confiar nele, embora esteja sempre cercado pelas mulheres mais belas do planeta. Ali está uma pessoa honesta, trabalhadora, ousada, que havia enfrentado muitos desafios para chegar até aquela limusine e poder oferecer-lhe uma taça de champanhe ou um copo de cristal com sua água mineral preferida.

Poderoso, capaz de protegê-la de qualquer perigo, menos de um, o pior de todos.

Seu ex-marido.

Não quer despertar suspeitas agora, pegando seu telefone celular para reler o que está escrito ali: já conhece a mensagem de cor:

"Destruí um mundo por você, Katyusha."

Não entende o conteúdo. Mas ninguém mais na face da Terra a chamaria por aquele nome.

Havia se educado para amar Hamid, embora deteste a vida que leva, as festas que frequenta, os amigos que tem. Não sabe se conseguiu — há momentos em que entra em uma depressão tão profunda que pensa em suicidar-se. O que sabe é que ele foi sua salvação em um momento em que se julgava perdida para sempre, incapaz de sair da armadilha do seu casamento.

Muitos anos atrás, havia se apaixonado por um anjo. Que tivera uma infância triste, fora convocado pelo Exército soviético para uma guerra absurda no Afeganistão, voltara para um país que começava a se desintegrar, e mesmo assim soubera superar todas as dificuldades. Começou a trabalhar duro, enfrentou tensões gigantescas para conseguir empréstimos com pessoas perigosas, passou noites em claro pensando em como pagá-los, aguentou sem reclamar a corrupção do sistema, já que era necessário tendo que subornar algum funcionário do governo sempre que pedia uma nova licença para um empreendimento que iria melhorar a qualidade de vida do seu povo. Era idealista e amoroso. De dia, conseguia exercer sua liderança sem ser questionado, porque a vida lhe educara e o serviço militar o fizera entender o sistema de hierarquia. De noite, abraçava-se a ela e pedia que o protegesse, que o aconselhasse, que rezasse para que tudo corresse bem, que conseguisse sair das muitas armadilhas que apareciam diariamente no seu caminho.

Ewa acariciava seus cabelos, garantia que tudo estava bem, que era um homem bom, e que Deus sempre recompensava os justos.

Pouco a pouco, as dificuldades foram dando lugar às oportunidades. A pequena empresa que montara depois de muito mendigar para assinar contratos começou a crescer, porque era um dos poucos que haviam investido em algo que ninguém acreditava que podia dar certo num país que ainda sofria por causa de sistemas de comunicação obsoletos. O governo mudou e a corrupção diminuiu. O dinheiro começou a entrar — lentamente no início e depois em grandes, imensas quantidades. Mesmo assim, os dois jamais esqueciam as dificuldades pelas quais haviam passado, e nunca desperdiçavam um centavo; contribuíam com obras de caridade e associações de ex-combatentes, viviam sem grandes luxos, sonhando com o dia em que poderiam deixar tudo e passar a viver em uma casa retirada do mundo. Quando isso acontecesse, esqueceriam que tinham sido obrigados a conviver com gente que não tinha ética e dignidade. Gastavam grande parte do seu tempo em aeroportos, aviões e hotéis, trabalhavam durante dezoito horas por dia, e durante anos jamais puderam desfrutar um mês de férias juntos.

Mas alimentavam o mesmo sonho: chegaria o momento em que aquele ritmo frenético se transformaria em uma lembrança distante. As cicatrizes que esse período deixara seriam medalhas de uma luta travada em nome da fé e dos sonhos. Afinal de contas, o ser humano — assim acreditava então — havia nascido para amar e conviver com a pessoa amada.

E o processo começou a inverter-se. Já não mais mendigavam contratos, eles começaram a aparecer espontaneamente. Uma revista de negócios importante publicou uma matéria de capa com seu marido, e a sociedade local começou a enviar convites para festas e eventos. Passaram a ser tratados como rei e rainha, e o dinheiro entrava em quantidades cada vez maiores.

Era preciso adaptar-se aos novos tempos: compraram uma bela casa em Moscou, tinham todo o conforto possível. Os antigos associados de seu marido — que no início lhe haviam emprestado dinheiro, pago em cada centavo, apesar dos juros exorbitantes — terminaram na prisão por razões que ela não conhecia e não gostaria de conhecer. Mesmo assim, a partir de determinada época, Igor passou a ser acompanhado por guarda-costas; em um primeiro momento, apenas dois deles, veteranos e amigos dos combates do Afeganistão. Outros se incorporaram à medida que a pequena firma se transformava em uma gigantesca multinacional, abrindo filiais em diversos países, presente em sete diferentes fusos horários, com investimentos cada vez mais altos e mais diversificados.

Ewa passava os dias em centros comerciais ou em chás com amigas, nos quais conversavam sempre as mesmas coisas. Igor queria ir mais longe.

Sempre mais longe, o que não era de estranhar; afinal de contas, só chegara aonde estava agora por causa da sua ambição e do seu trabalho incansável. Quando lhe perguntava se não haviam chegado muito além do que tinham planejado e se não seria o momento de se afastar de tudo para realizar o sonho de viver apenas o amor que um sentia pelo outro, ele pedia um pouco mais de tempo. Foi aí que começou a beber. Certa noite, depois de um longo jantar com amigos regado a vodca e vinho, ela teve uma crise de nervos quando voltou para casa. Disse que não aguentava mais aquela vida vazia, precisava fazer alguma coisa ou terminaria louca.

Igor perguntou se não estava satisfeita com o que tinha.

— Estou satisfeita. Justamente este é o problema: estou satisfeita, mas você não. E não estará nunca. É inseguro, tem medo de perder tudo que conquistou, não sabe sair de um combate quando já conseguiu o que queria. Você irá terminar se destruindo. E você está acabando com o nosso casamento e com o meu amor.

Não era a primeira vez que falava assim com o marido; suas conversas sempre tinham sido honestas, mas ela sentiu que estava chegando ao seu limite. Não aguentava mais comprar, detestava os chás, odiava os programas de televisão a que precisava ficar assistindo enquanto aguardava sua volta do trabalho.

— Não diga isso. Não diga que estou acabando com nosso amor. Eu prometo que em breve vamos deixar tudo isso para trás, tenha um pouco de paciência. Talvez seja o momento de começar a fazer alguma coisa, porque deve estar levando uma vida infernal.

Pelo menos ele reconhecia isso.

— O que gostaria de fazer?

Sim, talvez essa fosse a saída.

— Trabalhar com moda. Sempre sonhei com isso.

O marido satisfez imediatamente seu desejo. Na semana seguinte, apareceu com as chaves de uma loja em um dos melhores centros comerciais de Moscou. Ewa ficou entusiasmada — sua vida agora ganhava outro sentido, os longos dias e noites de espera terminariam para sempre. Pediu dinheiro emprestado, e Igor investiu o que foi necessário para que tivesse uma chance de alcançar o sucesso merecido.

Os banquetes e festas — nos quais se sentia sempre como uma estranha — passaram a ter um novo interesse; graças aos contatos, em apenas dois anos dirigia o mais cobiçado local de alta-costura em Moscou. Embora tivesse uma conta conjunta com seu marido, e ele jamais fizesse questão de saber quanto gastava, fez questão de pagar o dinheiro que ele havia lhe emprestado. Começou a viajar sozinha, em busca de desenhos e marcas exclusivas. Contratou empregados, passou a entender de contabilidade, transformou-se — para sua própria surpresa — em uma excelente mulher de negócios.

Igor havia lhe ensinado tudo. Igor era o grande modelo, o exemplo a ser seguido.

E justamente quando tudo estava bem, sua vida ganhara um novo sentido, o Anjo da Luz que iluminara seu caminho começou a dar mostras de desequilíbrio.

Estavam em um restaurante em Irkutsk, depois de terem passado o fim de semana em uma aldeia de pescadores na margem do lago Baikal. A essa altura a companhia tinha dois aviões e um helicóptero, de modo que podiam viajar o mais longe possível e voltar na segunda-feira para começarem tudo de novo. Nenhum dos dois reclamava do pouco tempo que passavam juntos, mas era evidente que os muitos anos de luta estavam começando a deixar marcas.

Mesmo assim, sabiam que o amor era mais forte que tudo e, enquanto estivessem juntos, estariam a salvo.

No meio do jantar à luz de velas, um mendigo visivelmente embriagado entrou no restaurante e caminhou até eles e sentou-se à mesa para conversar, interrompendo aquele precioso momento em que estavam sós, longe da correria de Moscou. Um minuto depois, o dono já estava pronto para retirá-lo dali, mas Igor pediu que não fizesse nada — ele mesmo se encarregaria do assunto. O mendigo ficou animado, pegou a garrafa de vodca e bebeu no próprio gargalo, começou a fazer perguntas ("Quem são vocês? Como conseguem ter dinheiro, quando todos vivemos na pobreza aqui?"), reclamou da vida e do governo. Igor aguentou tudo aquilo por alguns minutos.

Em seguida pediu licença, pegou o sujeito pelo braço e o levou até o lado de fora — o restaurante encontrava-se em uma rua que nem sequer calçamento tinha. Seus dois guarda-costas o esperavam. Ewa viu pela janela que seu marido trocou apenas algumas palavras com eles, algo como "Fiquem de olho na minha mulher", e caminhou para uma pequena rua lateral. Voltou minutos depois, sorrindo.

— Não irá perturbar mais ninguém — disse.

Ewa notou que seus olhos haviam mudado; pareciam tomados de uma imensa alegria, alegria maior do que demonstrara durante o fim de semana que passaram juntos.

— O que você fez?

Mas Igor pediu mais vodca. Ambos beberam até o final da noite — ele sorrindo, alegre, e ela querendo entender apenas o que lhe interessava: talvez tivesse dado dinheiro ao homem para sair da miséria, já que sempre tinha demonstrado generosidade com o seu próximo menos favorecido.

Quando voltaram para a suíte do hotel, ele fez um comentário:

— Aprendi isso ainda na minha juventude, quando lutava em uma guerra injusta, por um ideal que não acreditava. Sempre é possível acabar com a miséria de maneira definitiva.

Não, Igor não pode estar ali, Hamid deve ter feito alguma confusão. Os dois tinham se visto apenas uma vez, na portaria do edifício onde moravam em Londres, quando ele descobriu o endereço e foi até lá para implorar que Ewa voltasse. Hamid o recebeu, mas não o deixou entrar, ameaçando chamar a polícia. Durante uma semana ela se recusou a sair de casa, dizendo que estava com dor de cabeça, mas sabendo que na verdade o Anjo da Luz havia se transformado na Maldade Absoluta.

Abre de novo o celular. Lê de novo as mensagens.

Katyusha. Só mesmo uma pessoa era capaz de chamá-la assim. A pessoa que mora no seu passado e aterrorizará o seu presente pelo resto da vida, por mais que se julgue protegida, distante, vivendo em um mundo a que ele não tem acesso.

A mesma pessoa que, na volta de Irkutsk — como se libertado de uma gigantesca pressão —, começara a falar mais livremente sobre as sombras que povoavam sua alma.

"Ninguém, absolutamente ninguém pode ameaçar nossa intimidade. Já basta o tempo que gastamos para criar uma sociedade mais justa e mais humana; quem não respeitar os nossos momentos de liberdade deve ser afastado de tal maneira que jamais pense em voltar."

Ewa tinha medo de perguntar o que significava "de tal maneira". Julgava conhecer seu marido, mas de uma hora para a outra parecia que um vulcão submerso havia começado a rugir, e as ondas de choque se propagavam com cada vez mais intensidade. Lembrou-se de algumas conversas noturnas com o jovem rapaz que um dia tivera que se defender durante a guerra no Afeganistão, e para isso fora necessário matar. Jamais vira arrependimento ou remorso nos seus olhos:

"Sobrevivi, e é isso o que importa. Minha vida podia ter acabado em uma tarde de sol, em um amanhecer nas montanhas cobertas de neve, em uma noite em que jogávamos baralho na tenda de campanha, certos de que a situação estava sob controle. E, se tivesse morrido, isso não mudaria em nada a face do mundo; seria mais uma estatística para o Exército, e mais uma medalha para a família.

"Mas Jesus me ajudou — sempre reagi a tempo. Porque atravessei as provas mais duras pelas quais um homem pode passar, o destino me concedeu as duas coisas mais importantes na vida: sucesso no trabalho, e a pessoa que amo."

Uma coisa era reagir para salvar a própria vida, a outra era "afastar para sempre" um pobre bêbado que havia interrompido um jantar, e que poderia ter sido facilmente afastado pelo dono do restaurante. Aquilo não lhe saía da cabeça; ia para sua loja mais cedo, e quando voltava para casa ficava até tarde no computador. Queria evitar uma pergunta. Conseguiu controlar-se durante alguns meses marcados pelos programas de sempre: viagens, feiras, jantares, encontros, leilões de caridade. Chegou mesmo a achar que havia interpretado mal o que o marido dissera em Irkutsk, e culpou-se por ser tão superficial em seu julgamento.

Com o passar do tempo, a pergunta foi perdendo sua importância, até o dia em que participavam de um jantar de gala em um dos mais luxuosos restaurantes de Milão, que seria encerrado com um leilão beneficente. Ambos estavam na mesma cidade por razões diversas: ele para acertar detalhes de um contrato com uma firma italiana, Ewa para a Semana de Moda, quando pretendia fazer algumas compras para a sua boutique em Moscou.

E o que tinha acontecido no meio da Sibéria tornou a acontecer em uma das cidades mais sofisticadas do mundo. Desta vez um amigo seu, também embriagado, sentou-se na mesa sem pedir permissão e começou a brincar, dizendo coisas inconvenientes para ambos. Ewa notou a mão de Igor crispar-se em um dos talheres. Com todo cuidado e gentileza possíveis, pediu ao seu conhecido que se retirasse. A esta altura, já tinha bebido várias taças de Asti Spumante, como os italianos se referem ao que antes era chamado de "champanhe". O uso da palavra foi proibido por causa das chamadas "reservas de domínio": champanhe era o vinho branco com determinado tipo de bactéria que através de um rigoroso processo de controle de qualidade começa a gerar gases no interior da garrafa à medida que envelhece por um mínimo de quinze meses — o nome referia-se à região em que era produzido. Spumante era exatamente a mesma coisa, mas a lei europeia não permitia que usassem o nome francês, já que seus vinhedos se encontravam em locais diferentes.

Começaram a conversar sobre a bebida e as leis, enquanto ela procurava afastar a pergunta que já havia esquecido, e agora voltava com toda força. Enquanto conversavam, bebiam mais. Até que houve um momento em que não conseguiu se controlar:

— Que mal há quando alguém perde um pouco a elegância e vem nos incomodar?

A voz de Igor mudou de tom.

— Raramente viajamos juntos. Claro, sempre penso a respeito do mundo em que vivemos: sufocados pelas mentiras, acreditando mais na ciência que nos valores espirituais, nos obrigando a alimentar nossa alma com coisas que a sociedade diz que são importantes, enquanto vamos morrendo aos poucos, porque entendemos o que se passa à nossa volta, sabemos que estamos sendo forçados a fazer coisas que não planejamos, e mesmo assim somos incapazes de deixar tudo para dedicar nossos dias e noites à verdadeira felicidade: família, natureza, amor. Por quê? Porque somos obrigados a terminar aquilo que começamos, de modo que possamos conseguir a tão desejada estabilidade financeira que nos permita desfrutar o resto de nossa vida dedicados apenas um para o outro. Porque somos responsáveis. Sei que você às vezes acha que estou trabalhando demais: não é verdade. Estou construindo nosso futuro, e em breve estaremos livres para sonhar e viver nossos sonhos.

Estabilidade financeira era o que não faltava ao casal. Além do mais, não tinham dívidas, e podiam levantar daquela mesa apenas com seus cartões de crédito, deixar o mundo que Igor parecia detestar, e recomeçar tudo de novo, sem jamais precisar se preocupar com dinheiro. Já tinha conversado muitas vezes sobre isso, e Igor sempre repetia o que acabara de dizer: faltava mais um pouco. Sempre mais um pouco.

Entretanto, não era hora de discutir o futuro do casal.

— Deus pensou em tudo — continuou ele. — Estamos juntos porque essa foi Sua decisão. Sem você, não sei se teria chegado tão longe, embora ainda não consiga compreender sua importância na minha vida. Foi Ele que nos colocou lado a lado, e me emprestou Seu poder para defendê-la sempre que for necessário. Ensinou-me que tudo obedece a um plano determinado; preciso respeitá-lo em seus menores detalhes. Se não fosse assim, ou eu estaria morto em Kabul, ou na miséria em Moscou.

E foi aí que o Spumante, ou champanhe, mostrou do que é capaz, independente do nome que usem para batizá-lo.

— O que aconteceu com aquele mendigo no meio da Sibéria?

Igor não se lembrava do que estava falando. Ewa tornou a contar o que aconteceu dentro do restaurante.

— Gostaria de saber o resto.

— Eu o salvei.

Ela respirou aliviada.

— Eu o salvei de uma vida imunda, sem perspectivas, com aqueles invernos congelantes, o corpo sendo lentamente destruído pelo álcool. Eu fiz com que sua alma pudesse partir em direção à luz, porque, no momento em que entrou no restaurante para destruir nossa felicidade, entendi que seu espírito estava sendo habitado pelo Maligno.

Ewa notou que seu coração disparava. Não precisava pedir que dissesse "Eu o matei". Estava claro.

— Sem você, eu não existo. Qualquer coisa, qualquer pessoa que tente nos separar ou destruir o pouco tempo que temos juntos neste momento de nossa vida deve ser tratada como merece.

Ou seja, talvez estivesse querendo dizer: deve ser morta. Será que isso já tinha acontecido antes, e ela não havia notado? Bebeu, e bebeu mais, enquanto de novo Igor começava a relaxar: como não abria sua alma com ninguém, adorava cada conversa que tinham.

— Falamos a mesma língua — continuou. — Vemos o mundo da mesma maneira. Nos completamos um ao outro com a perfeição que só é permitida àqueles que colocam o amor acima de tudo. Repito: sem você, eu não existo.

"Olhe para a Superclasse que nos cerca, que se crê tão importante, com consciência social, pagando fortunas por certas peças sem valor em leilões de caridade que vão desde 'coleta de fundos para salvar os desabrigados de Ruanda' a um 'jantar beneficente pela preservação dos pandas chineses'. Para eles, os pandas e os esfomeados querem dizer a mesma coisa; sentem-se especiais, acima da média, porque estão fazendo algo útil. Já estiveram em um combate? Não: eles criam as guerras, mas não lutam nelas. Se o resultado é bom, recebem todos os cumprimentos. Se o resultado é ruim, a culpa é dos outros. Eles se amam."

— Meu amor, gostaria de lhe perguntar outra coisa...

Neste momento, um apresentador subia ao palco e agradecia a todos que haviam comparecido ao jantar. O dinheiro arrecadado seria usado para a compra de medicamentos nos campos de refugiados na África.

— Você sabe o que ele não disse? — continuou Igor, como se não tivesse escutado sua pergunta. — Que apenas 10% do montante chegará ao destino. O resto será utilizado para pagar este evento, os custos do jantar, a divulgação, as pessoas que trabalharam — melhor dizendo, aquelas que tiveram a "brilhante ideia", tudo isso a preços exorbitantes. Usam a miséria como meio de ficarem cada vez mais ricos.

— E por que estamos aqui?

— Porque precisamos estar aqui. Faz parte do meu trabalho. Não tenho a menor intenção de salvar Ruanda ou de enviar medicamentos aos refugiados — mas estou consciente disso. O resto do público está usando seu dinheiro para limpar sua consciência e sua alma da culpa. Enquanto o genocídio ocorria no país, eu financiei um pequeno exército de amigos, que impediu mais de duas mil mortes entre as tribos hútus e tútsis. Sabia disso?

— Você nunca me contou.

— Não é necessário. Você sabe como me preocupo com os outros.

O leilão começa com uma pequena mala de viagem Louis Vuitton. É arrematada por dez vezes o seu valor. Igor assiste a tudo aquilo impassível, enquanto ela bebe outra taça, perguntando se deve ou não fazer a tal pergunta.

Um artista plástico, ao som de Marilyn Monroe cantando, pinta uma tela enquanto dança. Os lances vão às alturas — o equivalente ao preço de um pequeno apartamento em Moscou.

Mais uma taça. Mais uma peça a ser vendida. Mais um preço absurdo.

Bebeu tanto naquela noite que teve que ser carregada até o hotel. Antes que ele a colocasse na cama, ainda consciente, finalmente teve coragem:

— E se eu lhe deixasse algum dia?

— Beba menos da próxima vez.

— Responda.

— Isso jamais poderia acontecer. Nosso casamento é perfeito.

A lucidez volta, mas entende que agora tem uma desculpa, e finge-se mais bêbada ainda.

— Entretanto, se isso acontecesse?

— Eu faria com que voltasse. E sei como conseguir as coisas que desejo. Mesmo que fosse necessário destruir universos inteiros.

— E se eu arranjasse outro homem?

O olhar dele não parecia aborrecido, mas benevolente.

— Mesmo que dormisse com todos os homens da Terra, meu amor é mais forte.

E desde então, o que no início parecia uma bênção, começou a transformar-se em um pesadelo. Estava casada com um monstro, um assassino. O que era aquela história de financiar um exército de mercenários para salvar uma luta tribal? Quantos homens havia matado para impedir que atrapalhassem a tranquilidade do casal? Evidente que podia culpar a guerra, os traumas, os momentos difíceis pelos quais ele havia passado; mas muitos outros viveram a mesma coisa, e não tinham saído com a ideia de que exerciam a Justiça Divina, cumpriam o Grande Plano Superior.

— Não tenho ciúmes — repetia Igor sempre que ia viajar a trabalho. — Porque você sabe quanto te amo, e eu sei quanto me ama. Jamais ocorrerá qualquer coisa que desestabilize nossa vida em comum.

Agora estava mais convencida que nunca: não era amor. Era algo mórbido, que cabia a ela aceitar, e viver prisioneira pelo resto da vida do sentimento de terror.

Ou tentar libertar-se o mais cedo possível, na primeira oportunidade que surgisse.

Apareceram várias. Mas o mais insistente, o mais perseverante, era justamente o homem com quem jamais imaginaria ter uma relação sólida. O costureiro que deslumbrava o mundo da moda, que ia ficando cada vez mais famoso, recebendo uma quantidade imensa de dinheiro do seu país para que o mundo pudesse entender que "as tribos nômades" tinham valores sólidos, que iam além do terror imposto por uma minoria religiosa. O homem que tinha o mundo da moda cada vez mais aos seus pés.

A cada feira em que se encontravam, ele era capaz de largar tudo, desmarcar almoços e jantares, apenas para que pudessem ficar algum tempo juntos, em paz, trancados em um quarto de hotel, muitas vezes sem sequer fazer amor. Assistiam à televisão, comiam, ela bebia (ele jamais tocava em uma gota de álcool), saíam para passear pelos parques, entravam em livrarias, conversavam com estranhos, falavam pouco do passado, nada do futuro e muito do presente.

Resistiu quanto pode, não estava, e jamais esteve, apaixonada por ele. Mas, quando lhe propôs que deixasse tudo de lado e se mudasse para Londres, aceitou na hora. Era a única saída do seu inferno particular.

Uma outra mensagem acaba de entrar em seu telefone. Não pode ser; já não se comunicavam fazia anos.

"Destruí outro mundo por sua causa, Katyusha."

— Quem é?
— Não tenho a menor ideia. Não mostra o número.

Queria dizer: "Estou aterrorizada".

— Estamos chegando. Lembre-se de que temos pouco tempo.

A limusine tem que fazer algumas manobras para chegar até a entrada do Hotel Martinez. Em ambos os lados, por detrás de barreiras de metal colocadas pela polícia, pessoas de todas as idades passam o dia inteiro esperando ver alguma celebridade de perto. Tiram fotos com suas câmeras digitais, contam aos seus amigos, enviam por internet para as comunidades virtuais de que faziam parte. Sentiriam que a longa espera estava justificada por aquele simples e único momento de glória: conseguiram ver a atriz, o ator, o apresentador de tv!

Mesmo sendo graças a eles que a fábrica continue produzindo, não têm autorização para se aproximar; guarda-costas em lugares estratégicos exigem a todos que entram uma prova de que estão hospedados no hotel, ou têm um encontro com alguém ali. Nessa hora, é preciso tirar do bolso os cartões magnéticos que servem de chaves, ou serão barrados na frente de todo mundo. Se for o caso de uma reunião de trabalho ou de um convite para um drinque no bar, dão o nome aos seguranças e, diante do olhar de todos, aguardam a checagem: verdade ou mentira. O guarda-costas usa seu rádio para chamar a recepção, o tempo parece não terminar nunca, e finalmente são admitidos — depois da humilhação pública.

Exceto para os que entram de limusine, claro.

As duas portas do Maybach branco foram abertas — uma pelo motorista, a outra pelo porteiro do hotel. As câmeras se voltam para Ewa e começam a disparar; embora ninguém a conheça, se está hospedada no Martinez, se chega em um carro caríssimo, com toda certeza é alguém importante. Talvez a amante do homem ao seu lado — e neste caso, se ele estivesse escondendo algum caso extraconjugal, sempre há a possibilidade de enviar as fotos para alguma revista de escândalos. Ou quem sabe a bela mulher de cabelos louros é uma famosíssima celebridade estrangeira, que talvez ainda não fosse conhecida na França? Mais tarde iriam descobrir seu nome nas chamadas revistas "people", e ficariam contentes de terem estado a quatro ou cinco metros dela.

Hamid olha para a pequena multidão espremida por detrás das barreiras de ferro. Jamais entendeu isso porque fora criado em um lugar onde essas coisas não acontecem. Certa vez perguntou a um amigo por que tamanho interesse:

— Não pense que está sempre diante de fãs — respondeu o amigo. — Desde que o mundo é mundo, o homem acredita que a proximidade de algo inatingível e misterioso o cubra de bênçãos. Por isso as peregrinações em busca de gurus e lugares sagrados.

— Em Cannes?

— Em qualquer lugar onde uma celebridade inatingível apareça de longe; seu aceno é como aspergir partículas de ambrosia e maná dos deuses sobre a cabeça de seus adoradores.

"O resto é igual. Os gigantescos concertos musicais se parecem com as grandes concentrações religiosas. O público que fica do lado de fora de uma peça de teatro lotada, esperando que a Superclasse entre e saia. As multidões que vão aos estádios de futebol ver um bando de homens correndo atrás de uma bola. Ídolos. Ícones, porque se transformam em retratos semelhantes às pinturas que vemos nas igrejas, e são cultuados nos quartos de adolescentes, donas de casa, e até mesmo nos escritórios de grandes executivos de indústria, que invejam a celebridade apesar do imenso poder que possuem.

"Existe uma única diferença: nesse caso, o público é o juiz supremo, que hoje aplaude e amanhã quer ver algo terrível sobre seu ídolo na primeira revista de escândalos. Assim podem dizer: 'Coitado. Ainda bem que não sou como ele'. Hoje adoram, e amanhã apedrejam e crucificam sem nenhum sentimento de culpa."

13h37

Ao contrário de todas as moças que haviam chegado naquela manhã para o trabalho, e que procuram afastar o tédio das cinco horas que separam a maquiagem e o penteado do momento do desfile com seus iPods e telefones celulares, Jasmine tem os olhos cravados em mais um livro. Um bom livro de poesias:

> *Em duas partiu-se a estrada num dourado bosque*
> *E a lamentar as duas não poder trilhar*
> *e ser um só viajante, por um tempo ali estive*
> *a olhar para uma delas até onde num declive*
> *em meio ao arvoredo eu a via se dobrar.*
>
> *Segui pela outra então, bastante equivalente,*
> *mas a exercer talvez apelo mais intenso*
> *por de relva ser coberta e de uso estar carente;*
> *ainda que por ambas passasse muita gente*
> *e a seus leitos fosse o dano igualmente extenso.*
>
> *E ao ver que nas manhãs sobre ambas haveria*
> *leito de folhas por passo algum enegrecido.*
> *Oh, a primeira deixei para outro dia!*
> *mas ciente que uma via nos leva a outra via,*
> *suspeitei não lá voltar tendo uma vez partido.*

Estarei dizendo num suspiro meu
Em tempos e lugares de distância imensa
Em duas partiu-se num bosque a estrada, e eu...
Eu escolhi a que menos gente percorreu
e foi isso o que fez toda a diferença.

Escolhera a estrada menos percorrida. Isso custara um preço alto, mas valeu a pena. As coisas chegaram no momento certo. O amor apareceu quando mais precisava dele — e continuava até hoje. Fazia seu trabalho por ele, com ele, para ele.

Melhor dizendo: para ela.

Jasmine na verdade se chama Cristina. No seu currículo consta que tinha sido descoberta por Anna Dieter em uma viagem ao Quênia, mas evitava propositadamente maiores detalhes sobre o caso, deixando no ar a possibilidade de uma infância sofrida e faminta, no meio de conflitos civis. Na realidade, apesar de sua cor negra, havia nascido na tradicional cidade de Antuérpia, na Bélgica — filha de pais foragidos dos eternos conflitos entre as tribos hútus e tútsis, em Ruanda.

Aos dezesseis anos, em um fim de semana que acompanhava a mãe para ajudá-la em mais um dos intermináveis trabalhos de faxina, um homem se aproximou, pediu licença e apresentou-se como fotógrafo.

— Sua filha é de uma beleza única — disse. — Gostaria que pudesse trabalhar comigo como modelo.

— O senhor está vendo esta bolsa que carrego? Aqui está material de limpeza; trabalho dia e noite para que ela possa frequentar uma boa escola e ter um diploma no futuro. Tem apenas dezesseis anos.

— É a idade ideal — disse o fotógrafo, estendendo o cartão para a moça. — Se mudar de ideia, me avise.

Continuaram a caminhar, mas a mãe notou que a filha guardara o cartão.

— Não acredite. Esse não é o seu mundo; tudo que desejam é deitar-se com você.

Não era preciso o comentário — embora as meninas de sua classe sempre morressem de inveja, e os rapazes fizessem de tudo para levá-la a uma festa, tinha consciência de suas origens e seus limites.

Continuou não acreditando quando a mesma coisa aconteceu pela segunda vez. Acabara de entrar em uma sorveteria quando uma mulher mais velha comentou sua beleza, e disse que era fotógrafa de moda. Agradeceu, aceitou o cartão, e prometeu que telefonaria — o que não tinha o menor plano de fazer, embora aquele fosse o sonho de todas as moças de sua idade.

Como nada acontece apenas duas vezes, três meses depois ela estava olhando uma vitrine de roupas caríssimas, quando uma das pessoas saiu e veio em sua direção.

— O que você faz, menina?

— O que eu farei, deveria ser sua pergunta. Vou me formar como veterinária.

— Está no caminho errado. Você não gostaria de trabalhar para a gente?

— Não tenho tempo para vender roupas. Quando posso, trabalho para ajudar minha mãe.

— Não estou sugerindo que venda nada. Gostaria que fizesse uns ensaios fotográficos com a nossa coleção.

E aqueles encontros seriam apenas boas lembranças do passado, quando estivesse casada, com filhos, realizada em sua profissão e no amor, se não fosse por um episódio que aconteceria poucos dias depois.

Estava com vários amigos em uma boate, dançando e contente por estar viva, quando um grupo de dez rapazes entrou aos berros. Nove deles tinham bastões em que haviam incrustado lâminas de barbear, e gritavam para que todos se afastassem. O pânico imediatamente instalou-se, as pessoas corriam, Cristina não sabia exatamente o que fazer, embora seu instinto pedisse para que ficasse imóvel e olhasse para o outro lado.

Mas ela não conseguiu mover a cabeça, viu quando o décimo rapaz se aproximou de um de seus amigos, tirou um punhal do bolso, agarrou-o por trás e o degolou ali mesmo. Assim como chegou, o grupo saiu — enquanto o resto das pessoas gritava, corria, sentava-se no chão e chorava. Alguns poucos se aproximaram da vítima para tentar socorrê-lo, mesmo sabendo que já era tarde demais. Outros simplesmente olhavam a cena em estado de choque, como Cristina. Conhecia o rapaz assassinado, sabia quem era o assassino, qual o motivo do crime (uma briga que tinha acontecido em um bar pouco antes de terem ido para a boate), mas parecia flutuar nas nuvens, como se tudo não passasse de um sonho, e daqui a pouco estaria acordada, suando em bicas, mas contente em saber que os pesadelos têm hora para terminar.

Não era um sonho.

Em poucos minutos estava de volta a terra, gritando para que alguém fizesse alguma coisa, gritando para que ninguém fizesse nada, gritando sem saber por que, e seus berros pareciam deixar as pessoas mais nervosas ainda, o lugar se transformara em um pandemônio total, a polícia acabara de entrar com armas na mão, paramédicos, detetives que alinharam todos os jovens em uma parede, começaram a interrogar imediatamente, pedir os documentos, os telefones, os endereços. Quem tinha feito aquilo? Qual a razão? Cristina não conseguia dizer nada. O cadáver, coberto por um lençol, foi retirado. Uma enfermeira forçou-a a tomar um comprimido, explicando que não poderia dirigir de volta para casa, devia pegar um táxi ou um meio de transporte público.

No dia seguinte bem cedo, o telefone de sua casa tocou. A mãe tinha resolvido passar o dia junto com sua filha, que parecia estar ausente do mundo. A polícia insistiu em falar diretamente com ela — devia apresentar-se numa delegacia antes do meio-dia e procurar certo inspetor. A mãe recusou. A polícia ameaçou: não tinham escolha.

Chegaram na hora marcada. O inspetor queria saber se conhecia o assassino.

As palavras da mãe ainda ressoavam em sua cabeça: "Não diga nada. Somos imigrantes, somos negros, eles são brancos, eles são belgas. Quando saírem da prisão, virão atrás de você".

— Não sei quem foi. Nunca vi antes.

Sabia que, ao dizer isso, estava perdendo por completo seu amor pela vida.

— Claro que sabe — retrucou o policial. — Não se preocupe, nada vai acontecer com você. Quase todo o grupo já está preso, precisamos apenas de testemunhas para o julgamento.

— Não sei de nada. Estava longe quando isso aconteceu. Não vi quem foi.

O inspetor balançou a cabeça, desesperado.

— Terá que repetir isso no tribunal — disse. — Sabendo que o perjúrio, ou seja, mentir diante do juiz, pode acarretar uma pena de prisão tão grande como a dos assassinos.

Meses depois, era convocada para o julgamento; os rapazes estavam todos ali, com seus advogados, e pareciam continuar se divertindo com a situação. Uma das moças presentes na festa apontou o criminoso.

Chegou a vez de Cristina. O promotor pediu que identificasse a pessoa que tinha degolado seu amigo.

— Não sei quem foi — repetiu.

Era negra. Filha de imigrantes. Estudante com bolsa de estudos do governo. Tudo que desejava agora era recuperar a vontade de viver, pensar que tinha um futuro. Tinha passado semanas olhando o teto do quarto, sem vontade de estudar, de fazer nada. Não, aquele mundo onde tinha vivido até agora não mais lhe pertencia: aos dezesseis anos, aprendera da pior maneira possível que era absolutamente incapaz de lutar pela sua própria segurança — precisava sair de Antuérpia de qualquer maneira, viajar o mundo, recuperar sua alegria e suas forças.

Os rapazes foram soltos por falta de provas — precisariam de duas testemunhas para sustentar uma acusação e conseguir que os culpados pagassem pelo crime. Na saída do tribunal, Cristina telefonou para os números nos dois cartões de visita que os fotógrafos lhe haviam dado e marcou uma hora. Dali foi direto para a loja de alta-costura, onde o proprietário viera falar com ela.

Não conseguiu nada — as vendedoras diziam que o dono tinha diversas outras espalhadas pela Europa, era ocupadíssimo, e não estavam autorizadas a dar seu telefone.

Mas os fotógrafos têm memória; sabiam quem havia telefonado, e logo marcaram encontros.

Cristina voltou para casa e comunicou a decisão à sua mãe. Não pediu, não tentou convencê-la, simplesmente disse que queria deixar a cidade para sempre.

E sua única oportunidade era aceitar o trabalho de modelo.

De novo Jasmine olha à sua volta. Ainda faltam três horas para o desfile, e as modelos comem salada, bebem chá, conversam umas com as outras sobre aonde iriam depois. Vinham de diversos países, tinham aproximadamente a sua idade — dezenove anos — e deviam estar preocupadas com apenas duas coisas: conseguir um novo contrato naquela tarde, ou descobrir um marido rico.

Conhece a rotina de cada uma: antes de dormir, usam vários cremes para limpar os poros e conservar a pele hidratada — com isso viciando desde cedo o organismo a depender de elementos externos para manter a tonicidade ideal. Acordam, massageiam o corpo com mais cremes, mais hidratantes. Tomam uma xícara de café preto, sem açúcar, acompanhada de frutas com fibras — de modo que os alimentos que vão ingerir durante o dia passem rapidamente pelos intestinos. Fazem algum tipo de exercício antes de sair para buscar trabalho — geralmente alongam os músculos. Ainda é muito cedo para ginástica, ou seus corpos terminarão ganhando contornos masculinos. Sobem na balança três a quatro vezes por dia — a maioria viaja com uma, porque nem sempre estão hospedadas em hotéis, mas em quartos de pensão. Entram em depressão por causa de cada grama a mais que o ponteiro acusa.

Suas mães as acompanham quando é possível, porque a maioria tem entre dezessete e dezoito anos. Jamais confessam que estão apaixonadas por alguém — embora quase todas estejam —, já que o amor faz com que as viagens sejam mais longas e mais insuportáveis, e desperta nos namorados a estranha sensação de que estão perdendo a mulher (ou menina?) amada. Sim, pensam em dinheiro, ganham uma média de quatrocentos euros por dia, o que é um salário invejável para alguém que muitas vezes nem sequer completou a idade mínima que permita ter uma carteira de habilitação e dirigir um automóvel. Mas o sonho vai muito além: todas estão conscientes de que em breve serão ultrapassadas por novos rostos, novas tendências, e precisam urgentemente mostrar que o talento vai além das passarelas. Vivem pedindo às suas agências que consigam um teste, de modo que possam mostrar que são capazes de trabalhar como atrizes — o grande sonho.

As agências, claro, dizem que vão fazer isso, mas que devem esperar um pouco, estão começando suas carreiras. Na verdade, não têm nenhum contato fora do mundo da moda, ganham uma boa porcentagem, concorrem com outras agências, o mercado não é tão gigantesco assim. É melhor arrancar tudo que for possível agora, antes que o tempo passe e a modelo cruze a perigosa barreira dos vinte anos — quando sua pele estará destruída pelo excesso de cremes, seu corpo viciado em alimentação com baixo teor de calorias, a mente já sendo afetada pelos remédios para inibir o apetite, que terminam por deixar o olhar e a cabeça completamente vazios.

Ao contrário do que diz a lenda, pagam suas despesas — passagem, hotel e as saladas de sempre. São convocadas pelos assistentes de estilistas para fazer o que chamam de *casting*, ou seja, a seleção que irá enfrentar a passarela ou a sessão de fotos. Neste momento, estão diante de pessoas invariavelmente mal-humoradas que usam o pouco poder que têm para extravasar as frustrações diárias, e jamais dizem uma palavra gentil ou encorajadora: "horrível" é geralmente o comentário mais escutado. Saem de um teste, vão para o próximo, agarram-se a seus celulares como se fossem uma tábua de salvação, a revelação divina, o contato com o Mundo Superior em que sonham crescer, projetar-se além dos muitos rostos bonitos e se transformar em estrelas.

Seus pais se orgulham da filha que começou tão bem, e se arrependem de terem comentado que eram contra aquela carreira — afinal de contas, estão ganhando dinheiro e ajudando a família. Seus namorados têm crises de ciúmes, mas se controlam, porque faz bem ao ego estar com uma profissional da moda. Seus agentes trabalham ao mesmo tempo com dezenas de outras moças da mesma idade e com as mesmas fantasias, e têm as respostas certas para as perguntas de sempre: "Não seria possível participar da Semana de Moda de Paris?".

"Não acha que tenho carisma suficiente para tentar algo no cinema?" Suas amigas as invejam secreta ou abertamente.

Frequentam todas as festas para que são chamadas. Se comportam como se fossem muito mais importantes do que são, mas no fundo sabem que se alguém conseguir atravessar a barreira de gelo artificial que criam em torno de si, esta pessoa será bem-vinda. Olham os homens mais velhos com uma mistura de repulsa e atração — sabem que no bolso deles está a chave para um grande salto, e ao mesmo tempo não querem ser julgadas como prostitutas de luxo. São sempre vistas com uma taça de champanhe nas mãos, mas isso é apenas parte da imagem que desejam passar. Sabem que o álcool tem elementos que podem afetar o peso, de modo que a bebida preferida é água mineral sem gás — o gás, embora não afete o peso, tem consequências imediatas sobre o contorno do estômago. Têm ideais, sonhos, dignidade, embora tudo isso vá desaparecer um dia, quando não conseguirem disfarçar mais as marcas precoces de celulite.

Fazem um pacto secreto consigo mesmas: jamais pensar no futuro. Gastam grande parte do que ganham em produtos de beleza que prometem a juventude eterna. Adoram sapatos, mas são caríssimos; mesmo assim, de vez em quando se dão ao luxo de comprar os melhores. Conseguem vestidos e roupas com amigos pela metade do preço. Vivem em pequenos apartamentos com pai, mãe, irmão que está fazendo faculdade, irmã que escolheu uma carreira de bibliotecária ou cientista. Todos imaginam que ganham uma fortuna, e vivem lhe pedindo dinheiro emprestado. Emprestam, porque querem parecer importantes, ricas, generosas, acima dos outros mortais. Quando vão ao banco, o saldo da conta está sempre no vermelho e o limite do cartão de crédito, estourado.

Acumularam centenas de cartões de visita, encontraram homens bem-vestidos com propostas de trabalho que sabem ser falsas, ligam de vez em quando apenas para manter o contato, sabendo que talvez algum dia precisem de ajuda, mesmo que essa ajuda tenha um preço. Todas já caíram em armadilhas. Todas já sonharam com o sucesso fácil, para logo entender que isso não existe. Todas já sofreram, aos seus dezessete anos, inúmeras decepções, traições, humilhações e, mesmo assim, continuam a acreditar.

Dormem mal por causa dos comprimidos. Escutam histórias sobre anorexia — a doença mais comum no meio, uma espécie de distúrbio nervoso causado pela obsessão com o peso e com a aparência, que termina educando o organismo a rejeitar qualquer tipo de alimento. Dizem que isso não acontecerá com elas. Mas nunca notam quando os primeiros sintomas se instalam.

Saíram da infância diretamente para o mundo do luxo e do glamour, sem passar pela adolescência e pela juventude. Quando lhes perguntam quais os planos para o futuro, têm sempre a resposta na ponta da língua: "Faculdade de filosofia. Estou aqui apenas para poder pagar meus estudos".

Sabem que não é verdade. Melhor dizendo, sabem que existe alguma coisa que soa estranha na frase, mas não conseguem identificar. Querem mesmo um diploma? Precisam desse dinheiro para pagar os estudos? Afinal de contas, não podem se dar ao luxo de frequentar uma escola — há sempre um teste pela manhã, uma sessão de fotos à tarde, um coquetel antes que a noite desça completamente, uma festa em que precisam estar presentes para serem vistas, admiradas, desejadas.

Para as pessoas que as conhecem, vivem uma vida de contos de fada. E, durante um certo período, elas também acreditam que esse é realmente o sentido da existência — têm quase tudo que sempre invejaram nas moças que apareciam em revistas e anúncios de cosméticos. Com um pouco de disciplina, são inclusive capazes de guardar algum dinheiro. Até que, através do exame diário e minucioso da pele, descobrem a primeira marca do tempo. A partir daí, sabem que é apenas uma questão de sorte antes que o estilista ou o fotógrafo note a mesma coisa. Seus dias estão contados.

*Eu escolhi a que menos gente percorreu
e foi isso o que fez toda a diferença.*

Em vez de voltar para seu livro, Jasmine levanta-se, enche uma taça de champanhe (sempre é permitida, e raramente usada), pega um cachorro-quente e vai até a janela. Fica ali em silêncio, olhando o mar. Sua história é diferente.

13h46

Acorda suado. Olha o relógio na cabeceira da cama, vê que dormiu apenas quarenta minutos. Está exausto, está assustado, em pânico. Sempre se julgara incapaz de fazer mal a quem quer que fosse, e terminara matando duas pessoas inocentes aquela manhã. Não era a primeira vez que destruía um mundo, mas sempre tivera boas razões para isso.

Sonhou que a menina no banco da praia vinha ao seu encontro e, em vez de condená-lo, o abençoava. Ele chorava em seu colo, pedia perdão, mas ela parecia não se importar com isso, apenas acariciava o seu cabelo e pedia que se acalmasse. Olivia, a generosidade e o perdão. Agora se pergunta se o amor por Ewa merece o que está fazendo.

Prefere acreditar que está certo. Se a moça está do seu lado, se se encontrou com ela em um plano maior e mais próximo do Divino, se as coisas têm sido mais fáceis do que imaginara, deve haver uma razão para o que está acontecendo.

Não foi complicado burlar a vigilância dos "amigos" de Javits. Conhecia esse tipo de gente: além de fisicamente preparados para reagir com rapidez e precisão, estavam educados para decorar cada rosto, acompanhar todos os movimentos, intuir o perigo. Com toda certeza sabiam que ele estava armado, e por isso o mantiveram sob vigilância por muito tempo. Mas relaxaram quando entenderam que não era uma ameaça. Devem inclusive ter imaginado que fazia parte do mesmo time, que fora na frente para checar o ambiente, e ver se não havia nenhum perigo para o seu patrão.

Não tinha patrão. E era uma ameaça. No momento em que entrou e decidiu qual a próxima vítima, já não podia voltar atrás — ou perderia o respeito por si mesmo. Notou que a rampa que levava até a tenda era vigiada, mas nada mais fácil que passar pela praia. Saiu dez minutos depois de haver entrado, esperando que os "amigos" de Javits notassem. Deu uma volta, desceu pela rampa reservada aos hóspedes do Martinez (teve que mostrar o cartão magnético que serve de chave) e caminhou de novo até o local do "almoço". Andar na areia de sapatos não era a coisa mais agradável do mundo, e Igor notou quanto estava cansado por causa da viagem, do medo de ter planejado algo impossível de ser realizado, e da tensão que experimentou logo após haver destruído o universo e as gerações futuras da pobre vendedora de artesanato. Mas precisava ir até o final.

Antes de entrar de novo na grande tenda retirou do bolso o canudinho do suco de abacaxi, que guardara com todo o cuidado. Abriu o pequeno frasco de vidro que mostrara para a vendedora de artesanato: ao contrário do que dissera, não continha gasolina, mas algo absolutamente insignificante: uma agulha e um pedaço de rolha. Usando uma lâmina de metal, adaptou-a para que tivesse o diâmetro do canudo.

Em seguida, voltou à festa, a esta altura já cheia de convidados, que andavam de um lado para o outro aos beijos, abraços, gritinhos de reconhecimento, segurando coquetéis de todas as cores possíveis para que as mãos ficassem ocupadas e assim pudessem diminuir a ansiedade, aguardando a abertura do bufê para que pudessem se alimentar — com moderação, porque havia dietas e plásticas a serem mantidas, e jantares no final do dia, em que eventualmente seriam obrigados a comer mesmo que sem fome, porque assim recomenda a etiqueta.

A maior parte dos convidados era de gente mais velha. O que significava: este evento é para profissionais. A idade dos participantes era mais um ponto a favor do seu plano, já que quase todos estavam precisando de óculos de correção para perto. Ninguém os usava, claro, porque a "vista cansada" é um sinal de idade. Ali todos devem se vestir e se comportar como pessoas na flor da idade, de "espírito jovem", "disposição invejável", fingindo que não prestam atenção porque estão preocupados com outras coisas — quando na verdade a única razão é que não conseguem ver exatamente o que está se passando. Suas lentes de contato permitiam decifrar uma pessoa a alguns metros de distância: logo em seguida já saberiam com quem estavam falando.

Só dois convidados reparavam tudo e todos — os "amigos" de Javits. Mas, desta vez, eram eles que estavam sendo observados.

Igor colocou a pequena agulha dentro do canudo, e fingiu mergulhá-lo de novo dentro do copo de suco.

Um grupo de moças bonitas, perto da mesa, parecia escutar com atenção as histórias extraordinárias de um jamaicano; na verdade, cada uma devia estar fazendo planos para afastar as concorrentes e levá-lo para a cama — já que a lenda dizia que eram imbatíveis no sexo.

Ele se aproximou, retirou o canudo do copo, soprou o alfinete em direção à sua vítima. Ficou perto apenas o suficiente para ver o homem levar as mãos às costas.

Em seguida, afastou-se para voltar ao hotel e tentar dormir.

* * *

O curare, originalmente usado pelos índios da América do Sul para caçar com dardos, pode ser encontrado em hospitais europeus — já que sob condições controladas é usado para paralisar certos músculos, o que facilita o trabalho do cirurgião. Em doses mortais — como na ponta do alfinete que havia disparado — faz com que pássaros caiam no chão em dois minutos, javalis agonizem por um quarto de hora e grandes mamíferos — como o homem — precisem de vinte minutos para morrer.

Ao atingir a corrente sanguínea, todas as fibras nervosas do corpo relaxam em um primeiro momento, e depois param de funcionar — provocando asfixia lenta. O mais curioso — ou o pior, como diriam alguns — é que a vítima está absolutamente consciente do que se passa, mas não consegue nem se mover para pedir ajuda, nem impedir o processo de paralisia lenta que vai tomando conta do seu corpo.

Na selva, se alguém durante uma caçada corta o dedo no dardo ou na flecha envenenada, os índios sabem o que fazer: respiração boca a boca e uso de um antídoto à base de ervas que sempre carregam com eles, porque tais acidentes são comuns. Nas cidades, os procedimentos normais de paramédicos são absolutamente inúteis — porque acham que estão diante de um ataque cardíaco.

Igor não olhou para trás enquanto caminhava de volta. Sabia que neste momento um dos dois "amigos" estava procurando o culpado, enquanto o outro ligava para uma ambulância, que chegaria rápido ao local, mas sem saber direito o que estava acontecendo. Desceriam com suas roupas coloridas, seus coletes vermelhos, um desfibrilador — aparelho que dá choques no coração — e uma unidade portátil de eletrocardiograma. No caso do curare, o coração parece ser o último músculo a ser afetado, e continua batendo mesmo depois da morte cerebral.

Não notariam nada de anormal nos batimentos cardíacos, colocariam soro em uma de suas veias, eventualmente considerariam que se trata de um mal passageiro por causa do calor ou de uma intoxicação alimentar, mas mesmo assim era necessário tomar todas as providências de praxe, o que podia incluir uma máscara de oxigênio. A esta altura os vinte minutos já teriam passado, e, embora o corpo pudesse ainda estar vivo, o estado vegetativo era inevitável.

Igor torceu para que Javits não tivesse a sorte de ser socorrido a tempo; passaria o resto de seus dias em uma cama de hospital, em estado vegetativo.

Sim, planejou tudo. Usou seu avião particular para poder entrar na França com uma pistola que não pudesse ser identificada e os diversos venenos que conseguira usando conexões com criminosos chechenos que atuavam em Moscou. Cada passo, cada movimento tinha sido cuidadosamente estudado e ensaiado com precisão, como costumava fazer em um encontro de negócios. Fizera uma lista de vítimas na cabeça: exceto a única que conhecia pessoalmente, todas as outras deviam ser de classes, idades e nacionalidades diferentes. Analisara por meses a vida de assassinos em série, usando um programa de computador muito popular entre os terroristas, que não deixava pistas das pesquisas que fazia. Tomara todas as providências necessárias para escapar sem ser notado, depois de haver cumprido a sua missão.

Está suando. Não, não se trata de arrependimento — talvez Ewa mereça mesmo todo este sacrifício — mas da inutilidade de seu projeto. Evidente que a mulher que mais amava precisava saber que ele seria capaz de tudo por ela, inclusive destruir universos, mas será que valia mesmo a pena? Ou em determinados momentos é necessário aceitar o destino, deixar que as coisas caminhem normalmente, e que as pessoas voltem ao estado de razão?

Está cansado. Não está mais conseguindo refletir direito — e quem sabe, melhor que o assassinato é o martírio. Entregar-se, e desta maneira demostrar o sacrifício maior, daquele que oferece a sua própria vida por amor. Foi isso que Jesus fez pelo mundo, é seu melhor exemplo; quando o viram derrotado, preso a uma cruz, pensaram que tudo tinha acabado ali. Saíram orgulhosos de seu gesto, vencedores, certos de que tinham acabado com um problema para sempre.

Está confuso. Seu plano é destruir universos, e não oferecer sua liberdade por amor. A moça de sobrancelhas grossas parecia uma Virgem de Pietat em seu sonho; a mãe com o filho nos braços, ao mesmo tempo orgulhosa e sofredora.

Vai até o banheiro, coloca a cabeça debaixo do chuveiro aberto com água gelada. Talvez seja a falta de sono, o lugar estranho, a diferença horária, ou o fato de que já esteja fazendo aquilo que planejou — e jamais julgou capaz de realizar. Lembra-se da promessa feita diante das relíquias de Santa Madalena em Moscou. Mas será que está agindo certo? Precisa de um sinal.

O sacrifício. Sim, devia ter pensado nisso, mas talvez só mesmo a experiência com os dois mundos que destruiu naquela manhã tenha lhe permitido ver mais claro o que acontece. A redenção do amor através da entrega total. Seu corpo será entregue aos carrascos que julgam apenas os gestos, e se esquecem das intenções e das razões que estão por detrás de qualquer ato considerado "insano" pela sociedade. Jesus (que entende que o amor merece qualquer coisa) receberá seu espírito, e Ewa ficará com sua alma. Saberá do que ele foi capaz: entregar-se, imolar-se diante da sociedade, tudo em nome de alguém. Não será condenado à morte, já que a guilhotina foi abolida da França há muitas décadas, mas possivelmente passará muitos anos na prisão. Ewa se arrependerá de seus pecados. Virá visitá-lo, trará comida, terão tempo para conversar, refletir, amar — mesmo que seus corpos não se toquem, suas almas finalmente estão mais juntas que nunca. Mesmo que precisem esperar para viver na casa que pretende construir perto do lago Baikal, essa espera os purificará e os abençoará.

Sim, o sacrifício. Fecha o chuveiro, contempla um pouco seu rosto no espelho, e não vê a si mesmo, mas ao Cordeiro que está prestes a ser imolado de novo. Veste a mesma roupa que usava de manhã, desce até a rua, caminha até o lugar onde a pequena vendedora costumava sentar-se, e aproxima-se do primeiro policial que vê.

— Matei a moça que estava aqui.

O policial olha para o homem bem-vestido, mas com os cabelos desgrenhados e profundas olheiras.

— A que vendia artesanato?

Confirma com a cabeça: a que vendia artesanato.

O policial não dá muita atenção à conversa. Cumprimenta com a cabeça um casal que passa, carregado de sacolas de supermercado:

— Vocês deviam arranjar um empregado!

— Desde que você pague o salário — responde a mulher, sorrindo. — Impossível conseguir gente para trabalhar neste lugar do mundo.

— Cada semana a senhora aparece com um diamante diferente no dedo. Não penso que essa seja a verdadeira razão.

Igor olha aquilo sem entender nada. Acabara de confessar um crime.

— O senhor não entendeu direito o que eu disse?
— Está muito quente. Vá dormir um pouco, descanse, Cannes tem muito a oferecer aos seus visitantes.
— Mas e a moça?
— O senhor a conhecia?
— Jamais a vi antes, em toda a minha vida. Ela estava aqui hoje pela manhã. Eu...
— ... o senhor viu a ambulância chegar, uma pessoa sendo removida. Entendo. E concluiu que ela foi assassinada. Não sei de onde o senhor vem, não sei se tem filhos, mas esteja atento às drogas. Dizem que não fazem tão mal assim, e veja o que aconteceu com a pobre filha dos portugueses.

E afasta-se sem esperar qualquer resposta.

Devia insistir, dar os detalhes técnicos, e assim ele pelo menos o levaria a sério? Claro, era impossível matar uma pessoa em plena luz do dia, na principal avenida de Cannes. Estava disposto a comentar o outro mundo que se apagou numa festa repleta de gente.

Mas o representante da lei, da ordem, dos bons costumes, não lhe dera ouvidos. Em que mundo estavam vivendo? Precisaria sacar a arma do bolso e atirar em todas as direções, para que finalmente acreditassem nele? Precisaria se comportar como um bárbaro, que age sem nenhum motivo para seus atos, até que finalmente lhe dessem ouvidos?

Igor acompanha com os olhos o policial, vê que ele atravessa a rua e entra em uma lanchonete. Decide ficar ali mais algum tempo, esperando que mude de ideia, receba alguma informação da delegacia, e volte para conversar com ele e pedir mais informações sobre o crime.

Mas tem quase certeza de que isso não acontecerá: lembra-se do comentário sobre o diamante no dedo da mulher.

Por acaso sabia de onde vinha? Claro que não: caso contrário, o policial já a teria levado para a delegacia, e a acusado de uso de material criminoso.

Para a mulher, claro, o brilhante havia aparecido magicamente em uma loja de alto luxo, depois de ter sido — como sempre diziam os vendedores — lapidado por joalheiros holandeses ou belgas. Era classificado pela transparência, pelo peso, pelo tipo de corte. O preço podia variar de algumas centenas de euros a algo considerado verdadeiramente ultrajante pela maioria dos mortais.

Diamante. Brilhante, se assim desejam chamar. Como todos sabiam, um simples pedaço de carvão, trabalhado pelo calor e pelo tempo. Como não contém nada orgânico, é impossível saber quanto tempo leva para mudar sua estrutura, mas geólogos estimam algo entre trezentos milhões e um bilhão de anos. Geralmente formado a cento e cinquenta quilômetros de profundidade, e que aos poucos vai subindo para a superfície, o que permite a mineração.

Diamante, o material mais resistente e mais duro criado pela natureza, que só pode ser cortado e lapidado por outro. As partículas, os restos dessa lapidação serão utilizados na indústria, em máquinas de polir, cortar, e nada além disso. Diamante serve apenas como uma joia, e nisso reside sua importância: é absolutamente inútil para qualquer outra coisa.

A suprema manifestação da vaidade humana.

Há poucas décadas, com um mundo que parecia se voltar para coisas práticas e para a igualdade social, estavam desaparecendo do mercado. Até que a maior companhia de mineração do mundo, com sede na África do Sul, resolveu contratar uma das melhores agências de publicidade do planeta. Superclasse encontra-se com a Superclasse, pesquisas são feitas, e resultam em apenas uma única frase de três palavras:

"*Diamantes são eternos.*"

Pronto, o problema estava resolvido, as joalherias começaram a investir na ideia, e a indústria voltou a florescer. Se diamantes são eternos, nada melhor para expressar o amor, que teoricamente deve também ser eterno. Nada mais determinante para distinguir a Superclasse dos outros bilhões de habitantes que se encontravam na parte de baixo da pirâmide. A demanda pelas pedras aumentou, os preços começaram a subir. Em poucos anos o tal grupo sul-africano, que até então ditava as regras do mercado internacional, viu-se cercado de cadáveres.

Igor sabe do que está falando; quando precisou ajudar os exércitos que se digladiavam em um conflito tribal, foi obrigado a percorrer um caminho árduo. Não se arrepende: conseguiu evitar muitas mortes, embora quase ninguém saiba disso. Fizera um comentário rápido com Ewa durante algum jantar esquecido, mas resolvera não levar o assunto adiante; quando fizer caridade, que sua mão esquerda jamais saiba o que faz sua mão direita. Salvou muitas vidas com diamantes, embora isso jamais vá constar de sua biografia.

Aquele policial que não se importa que um criminoso confesse seus pecados, e elogia a joia no dedo de uma mulher que carregava sacolas com papel higiênico e produtos de limpeza, não está à altura de sua profissão. Não sabe que a tal indústria inútil movimenta em torno de cinquenta bilhões de dólares por ano, emprega um gigantesco exército de mineradores, transportadores, companhias privadas de segurança, ateliês de lapidação, seguros, vendedores no atacado e nas boutiques de luxo. Não se dá conta de que ela começa no lodo e atravessa rios de sangue, antes de chegar a uma vitrine.

Lodo onde está o trabalhador que passa a sua vida buscando pela pedra que irá enfim lhe trazer a fortuna desejada. Encontra várias, vende por uma média de vinte dólares algo que terminará custando dez mil dólares ao consumidor. Mas afinal de contas está contente, porque no lugar onde vive as pessoas ganham menos de cinquenta dólares por ano, e cinco pedras são o suficiente para fazer com que leve uma vida curta e feliz, já que as condições de trabalho são as piores possíveis.

As pedras saem das suas mãos através de compradores não identificados, e são imediatamente repassadas a exércitos irregulares na Libéria, no Congo, ou em Angola. Nesses lugares, um homem é designado para ir até uma pista de pouso ilegal, cercado de guardas armados até os dentes. Um avião pousa, desce um senhor de terno, acompanhado de outro geralmente em mangas de camisa, com uma pequena maleta. Se cumprimentam de maneira fria. O homem com guarda-costas entrega pequenos embrulhos; talvez por superstição, os pacotes são feitos usando-se meias usadas.

O homem em mangas de camisa tira uma lente especial do seu bolso, a coloca em seu olho esquerdo e começa a verificar peça por peça. Ao final de uma hora e meia ele já tem uma ideia do material; então retira uma pequena balança eletrônica de precisão de sua mala e esvazia as meias no prato. Alguns cálculos são feitos em um pedaço de papel. O material é colocado na maleta junto com a balança, o homem de terno faz um sinal para os guardas armados, e cinco ou seis deles entram no avião. Começam a descarregar grandes caixas, que são deixadas ali mesmo, ao lado da pista, enquanto o avião levanta voo. Toda a operação não demorou mais do que metade de um dia.

As grandes caixas são abertas. Rifles de precisão, minas antipessoais, balas que explodem no primeiro impacto, lançando dezenas de mortíferas e pequenas bolas de metal. O armamento é entregue aos mercenários e soldados, e em breve o país se encontra de novo diante de um golpe de Estado cuja crueldade não tem limites. Tribos inteiras são assassinadas, crianças perdem seus pés e seus braços por causa da munição fragmentada, mulheres são violadas. Enquanto isso, muito longe dali — geralmente em Antuérpia ou em Amsterdã —, homens sérios e compenetrados estão trabalhando com carinho, dedicação e amor, cortando com todo cuidado as pedras, extasiados com a própria habilidade, hipnotizados pelas faíscas que começam a emergir em cada uma das novas faces daquele pedaço de carvão que teve sua estrutura transformada pelo tempo. Diamante cortando diamante.

Mulheres gritando em desespero de um lado, o céu coberto por nuvens de fumaça. No outro extremo, antigos e belos edifícios podem ser vistos através das salas bem iluminadas.

No ano de 2002, as Nações Unidas promulgam uma resolução, Kimberley Process, que procura traçar a origem das pedras e proibir que joalherias comprem aquelas que venham de zonas de conflito. Por algum tempo, os respeitáveis lapidadores europeus voltam ao monopólio sul-africano em busca de material. Mas logo são encontradas fórmulas de tornar "oficial" um diamante, e a resolução passa a servir apenas para que os políticos possam dizer que "estão fazendo alguma coisa para acabar com os diamantes de sangue", como são conhecidos.

Há cinco anos, Igor trocara pedras por armas, criara um pequeno grupo destinado a encerrar um sangrento conflito ao norte da Libéria, e conseguira seu intento — só os assassinos foram mortos. As pequenas aldeias voltaram a ter paz, e os diamantes foram vendidos para joalheiros na América, sem nenhuma pergunta indiscreta.

Quando a sociedade não age para acabar com o crime, o homem tem todo o direito de fazer aquilo que julga mais correto.

Algo semelhante havia acontecido há alguns minutos naquela praia. Quando os assassinatos fossem descobertos, alguém viria a público dizer a mesma coisa de sempre:

"Estamos fazendo o possível para identificar o assassino."
Pois que fizessem. De novo o destino, sempre generoso, havia mostrado o caminho a ser percorrido. O martírio não compensa. Pensando bem, Ewa sofreria muito com sua ausência, não teria com quem conversar durante as longas noites e os intermináveis dias que estaria esperando por sua liberdade. Iria chorar sempre que o imaginasse com frio, olhando as paredes brancas da prisão. E quando chegasse a hora de partirem definitivamente para a casa do lago Baikal, talvez a idade já não os permitisse viver todas as aventuras que tinham planejado juntos.

O policial saiu da lanchonete e voltou para a calçada.

— O senhor ainda está aqui? Está perdido, e precisando de alguma ajuda?

— Nada, obrigado.

— Vá descansar, como eu sugeri. A esta hora, o sol pode ser muito perigoso.

Volta para o hotel. Abre a ducha, toma banho. Pede à telefonista que o acorde às quatro da tarde — poderia descansar o suficiente para recuperar a lucidez necessária, e não fazer bobagens como a que quase acabara com seus planos.

Liga para o *concierge*, e reserva uma mesa no terraço para quando despertar; gostaria de tomar um chá sem ser incomodado. Em seguida, fica olhando o teto, esperando que o sono venha.

Não importa a origem dos diamantes desde que eles brilhem.

Neste mundo, apenas o amor merece absolutamente tudo. O resto não tem a menor lógica.

Igor de novo sentiu, como já havia sentido muitas vezes em sua vida, que estava diante da sensação de liberdade total. A confusão desaparecia aos poucos, a lucidez voltava.

Havia deixado seu destino nas mãos de Jesus. Jesus decidira que devia continuar sua missão.

Dormiu sem nenhuma sensação de culpa.

13h55

Gabriela resolve ir andando bem devagar até o lugar que lhe haviam indicado. Precisa colocar sua cabeça em ordem, precisa acalmar-se. Naquele momento, não apenas seus sonhos mais secretos como seus pesadelos mais tenebrosos podem se transformar em realidade.

O telefone dá um sinal. É uma mensagem de sua agente: "PARABÉNS. ACEITE, SEJA O QUE FOR. BJS"

Olha a multidão que parece ir de um lado para o outro da Croisette, sem saber o que deseja. Ela tem um objetivo! Não é mais uma das aventureiras que chegam a Cannes e não sabem exatamente por onde começar. Tinha um currículo sério, uma bagagem profissional respeitável, jamais procurara vencer na vida usando apenas os seus dotes físicos: era talentosa! Por isso a haviam selecionado para o encontro com o diretor famoso, sem a ajuda de ninguém, sem estar vestida de maneira provocante, sem ter tempo para ensaiar direito seu papel.

Claro que ele levaria tudo isso em consideração.

Parou para fazer um lanche — até aquele momento não tinha comido absolutamente nada — e assim que bebeu o primeiro gole de café o pensamento pareceu voltar à realidade.

Por que havia sido ela a escolhida?

Na verdade, qual seria o seu papel no filme?

E se, no momento em que Gibson recebesse o vídeo, descobrisse que não era exatamente aquela pessoa que estava procurando?

"Acalme-se."

Não tem nada a perder, tenta convencer a si mesma. Mas uma voz insiste:

"Você está diante de uma oportunidade única em sua vida."

Não existem oportunidades únicas, a vida dá sempre outra chance. E a voz insiste de novo:

"Pode ser. Mas quanto tempo demorará? Você sabe a sua idade, não sabe?"

Sim, claro. Vinte e cinco anos, em uma carreira que as atrizes, mesmo as mais esforçadas... etc.

Não precisa repetir isso. Paga o sanduíche e o café, caminha até o cais — desta vez tentando controlar seu otimismo, policiando-se para não chamar as pessoas de aventureiras, recitando mentalmente as regras de pensamento positivo de que consegue se lembrar — assim evita pensar no encontro.

"Se você acredita na vitória, a vitória acreditará em você."

"Arrisque tudo em nome da oportunidade, e afaste-se de tudo que lhe ofereça um mundo de conforto."

"Talento é um dom universal. Mas é preciso muita coragem para usá-lo; não tenha medo de ser a melhor."

Não basta concentrar-se naquilo que dizem os grandes mestres, é preciso pedir ajuda dos céus. Começa a rezar, como faz sempre que está angustiada. Sente que precisa fazer uma promessa, e decide ir andando de Cannes até o Vaticano, se conseguir o papel.

Se o filme for realmente feito.

"Se tiver um grande sucesso mundial."

Não, bastava participar de um filme com Gibson, porque isso chamaria a atenção de outros diretores e produtores. Se isso acontecer, fará a peregrinação prometida.

Chega ao lugar indicado, olha o mar, verifica de novo a mensagem que recebera da agente; se ela já sabia, é porque o compromisso devia ser realmente sério. Mas o que significava aceitar qualquer coisa? Dormir com o diretor? Com o ator principal?

Nunca fizera isso antes, mas agora está disposta a tudo. E, no fundo, quem não sonha dormir com uma das grandes celebridades do cinema?

Volta a concentrar-se no mar. Podia ter passado em casa para mudar de roupa, mas é supersticiosa: se chegara até aquele cais com um jeans e uma camiseta branca, devia pelo menos esperar até o final do dia para qualquer mudança no figurino. Afrouxa o cinto, senta-se em posição de lótus e começa a praticar ioga. Respira lentamente, e seu corpo, seu coração, seu pensamento, tudo parece voltar ao lugar.

Vê a lancha se aproximando, um homem que salta e se dirige até ela:

— Gabriela Sheery?

Ela faz sinal afirmativo com a cabeça, o homem pede que o acompanhe. Entram na lancha, começam a navegar por um mar congestionado de iates de todos os tipos e tamanhos. Não lhe dirige palavra algunma, como se estivesse longe dali, talvez também sonhando com o que se passa nas cabines desses pequenos navios, e como seria bom ser proprietário de um. Gabriela hesita: sua cabeça está cheia de perguntas, de dúvidas, e qualquer palavra simpática pode fazer com que o desconhecido se transforme em um aliado, ajudando-a com preciosas informações sobre a maneira de se comportar neste momento. Mas quem é ele? Será que tem alguma influência junto a Gibson, ou é apenas um funcionário de quinta categoria, que se encarrega de trabalhos como pegar atrizes desconhecidas e levá-las até o patrão?

Melhor ficar quieta.

Cinco minutos depois param ao lado de um gigantesco barco todo pintado de branco. Pode ler o nome escrito na proa: Santiago. Um marinheiro desce uma escada e a ajuda a subir a bordo. Passou pelo amplo salão central onde, pelo visto, estão preparando uma grande festa para aquela noite. Vão até a popa, onde há uma pequena piscina, duas mesas com guarda-sóis, algumas espreguiçadeiras. Desfrutando o sol daquele início de tarde, ali estão Gibson e a Celebridade!

"Não me incomodaria de dormir com nenhum dos dois", diz, sorrindo para si mesma. Sente-se mais confiante, embora seu coração esteja mais acelerado que de costume.

A Celebridade a olha de alto a baixo, e dá um sorriso simpático, tranquilizador. Gibson aperta sua mão de maneira firme e decidida, levanta-se, pega uma das cadeiras que estava em torno da mesa mais próxima e pede que se sente.

Telefona para alguém e pede o número de um quarto de hotel. Repete alto, olhando para ela.

Era o que imaginava. Quarto de hotel.

Desliga o telefone.

— Saindo daqui, vá até esta suíte no Hilton. Ali estão expostos os vestidos de Hamid Hussein. Esta noite você está convidada para a festa em Cap d'Antibes.

Não era o que imaginava. O papel era seu! E a festa em Cap d'Antibes, a festa em CAP D'ANTIBES!

Ele se vira para a Celebridade.

— Que lhe parece?

— Melhor escutar um pouco o que ela tem a dizer.

Gibson acena positivamente com a cabeça, fazendo sinal com a mão que sugere "Conte um pouco de você mesma". Gabriela começa com o curso de teatro, os anúncios de que havia participado. Repara que os dois já não estão mais prestando atenção, devem ter escutado essa mesma história milhares de vezes. Mesmo assim, não consegue parar, fala cada vez mais rápido, achando que não tem mais nada a dizer, a oportunidade de sua vida depende de uma palavra certa que não consegue achar. Respira fundo, procura demonstrar que está à vontade, quer ser original, graceja um pouco, mas é incapaz de sair do roteiro que sua agente ensinou a seguir em um momento como esses.

Dois minutos depois é interrompida por Gibson.

— Perfeito, isso tudo nós sabemos através do seu currículo. Por que não fala sobre você?

Alguma barreira interior se estraçalha sem nenhum aviso. Em vez de entrar em pânico, sua voz agora é mais calma e mais firme.

— Sou apenas mais uma dos milhões de pessoas no mundo que sempre sonharam em estar aqui neste iate, olhando o mar, conversando sobre a possibilidade de trabalhar com pelo menos um de vocês dois. E ambos estão conscientes disso. Fora isso, acho que nada que possa dizer irá mudar alguma coisa. Se sou solteira? Sim. Como toda mulher solteira, tenho um homem apaixonado, que neste momento me espera em Chicago, e está torcendo para que tudo dê errado comigo.

Os dois riem. Ela relaxa um pouco mais.

— Quero lutar até onde for possível, embora saiba que estou quase no limite de minhas possibilidades, já que minha idade começa a ser um problema para os padrões de cinema. Sei que há muitas pessoas com tanto ou mais talento que eu. Fui escolhida, não sei direito para quê, mas resolvi aceitar seja o que for. Talvez esta seja minha última chance, e talvez o fato de estar dizendo isso agora irá diminuir meu valor, entretanto não tenho escolha. Durante a minha vida inteira imaginei um momento como esse: participar de um teste, ser escolhida, e poder trabalhar com profissionais de verdade. Este momento aconteceu. Se não for além deste encontro, se voltar para casa de mãos vazias, pelo menos sei que cheguei até aqui por causa da coisa que julgo possuir: integridade e perseverança.

"Sou minha melhor amiga, e minha pior inimiga. Antes de vir para cá pensava que não merecia nada disso, era incapaz de corresponder ao que esperam de mim, e com toda certeza haviam errado no momento de selecionarem a candidata. Enquanto isso, a outra parte do meu coração me dizia que estava sendo recompensada porque não desisti, fiz uma escolha, e fui até o final da luta."

Desviou os olhos dos dois — de repente sentiu uma imensa vontade de chorar, mas controlou-se porque aquilo podia ser entendido como uma chantagem emocional. A voz bonita da Celebridade interrompeu o silêncio.

— Como em qualquer outra indústria, aqui também temos pessoas honestas, que valorizam o trabalho profissional. Foi por isso que cheguei aonde estou hoje. E o mesmo aconteceu com nosso diretor. Já passei pela mesma situação em que você está agora. Sabemos o que sente.

Sua vida inteira até aquele momento desfilou diante de seus olhos. Todos os anos em que procurou sem encontrar, em que bateu sem que a porta se abrisse, em que pediu sem sequer ouvir uma palavra como resposta — apenas a indiferença, como se não existisse para o mundo. Todos os "nãos" que escutara quando alguém se dera conta de que, sim, ela estava viva, e merecia pelo menos saber algo.

"Não posso chorar."

Todas as pessoas que tinham lhe dito que perseguia um sonho inalcançável e que, se tudo agora terminasse dando certo, diriam "Eu sabia que você tinha talento!". Seu lábios começaram a tremer: era como se tudo aquilo estivesse saindo de repente do seu coração. Estava contente por ter a coragem de mostrar-se humana, frágil, e aquilo fazia uma imensa diferença em sua alma. Se Gibson agora se arrependesse da escolha, poderia tomar a lancha de volta sem nenhum arrependimento; no momento da luta, mostrara coragem.

Dependia dos outros. Custara muito para aprender esta lição, mas finalmente entendera que dependia dos outros. Conhecia pessoas que se orgulhavam de sua independência emocional, embora na verdade fossem tão frágeis como ela, choravam escondidos, jamais pediam ajuda. Acreditavam em uma regra não escrita, afirmando que "o mundo é dos fortes", em que "sobrevive apenas o mais apto". Se assim fosse, os seres humanos jamais existiriam, porque fazem parte de uma espécie que precisa ser protegida por um longo período. Seu pai lhe contara certa vez que só atingimos uma certa capacidade de sobreviver depois dos nove anos de idade, enquanto uma girafa leva apenas cinco horas, e uma abelha já é independente em menos de cinco minutos.

— Em que está pensando? — pergunta a Celebridade.

— Que não preciso fingir que sou forte, e isso me traz um grande alívio. Durante uma parte da minha vida, tive problemas constantes de relacionamento, porque julgava que conhecia mais que todos como chegar aonde desejo. Meus namorados me detestavam, e eu não entendia a razão. Certa vez, durante uma turnê de uma peça, peguei uma gripe que não me deixou sair do quarto, por mais que me apavorasse a ideia de outra pessoa representando meu papel. Não comia, delirava de febre, chamaram um médico — que me mandou de volta para casa. Achei que tinha perdido o emprego e o respeito dos meus colegas. Mas não aconteceu nada disso: recebia flores e telefonemas. Queriam saber como eu estava. De repente, aquelas pessoas que eu julgava meus adversários, que competiam pelo mesmo lugar debaixo dos refletores, estavam se preocupando comigo! Uma delas me enviou um cartão com o texto de um médico que foi trabalhar em um país distante:

"Todos nós conhecemos uma doença na África Central chamada de doença do sono. O que precisamos saber é que existe uma doença semelhante que ataca a alma — e que é muito perigosa, porque se ins-

tala sem ser percebida. Quando você notar o menor sinal de indiferença e de falta de entusiasmo com relação ao seu semelhante, fique alerta! A única maneira de prevenir-se contra essa doença é entendendo que a alma sofre, e sofre muito, quando a obrigamos a viver superficialmente. A alma gosta de coisas belas e profundas."

Frases. A Celebridade lembrou de seu verso preferido, um poema que aprendera ainda na escola, e que o assustava à medida que via o tempo passar: *"Teriam que abrir mão de tudo mais, tendo eu a pretensão de ser seu padrão único e exclusivo"*. Escolher algo era talvez a coisa mais difícil na vida de um ser humano; à medida que a atriz contava sua história, ele via seus próprios passos sendo refletidos.

A primeira grande oportunidade — também graças ao seu talento como ator de teatro. A vida que mudava de uma hora para a outra, a fama que crescia com mais velocidade do que sua capacidade de adaptar-se a ela, de modo que terminava aceitando convites para lugares onde não devia estar, e rejeitando encontros que teriam lhe ajudado a ir muito além em sua carreira. O dinheiro que, embora não fosse muito, lhe dava a sensação de que tudo podia. Os presentes caros, as viagens para um mundo desconhecido, os aviões privados, restaurantes de luxo, suítes de hotéis que pareciam com os quartos de reis e rainhas que costumava imaginar na infância. As primeiras críticas: respeito, elogios, palavras que tocavam sua alma e seu coração. As cartas que chegavam de todo o mundo, e que no início começara a responder uma por uma, marcar encontro com as mulheres que enviavam fotos, até descobrir que era impossível manter esse ritmo — e o agente não apenas desaconselhava, mas o amedrontava dizendo que podia estar caindo em armadilhas. Mesmo assim, até hoje tinha um especial prazer quando se encontrava com os fãs que seguiam cada passo de sua carreira, abriam páginas na internet dedicadas ao seu trabalho, distribuíam pequenos jornais contando tudo que se passava na sua vida — melhor dizendo, as coisas positivas — e o defendendo de qualquer ataque da imprensa, quando o papel escolhido não era celebrado como devia.

E os anos passando. O que antes era um milagre ou uma chance do destino pela qual prometera jamais deixar-se escravizar começava a se transformar na única razão para continuar vivendo. Até que olha um pouco adiante, e o coração aperta: isso pode acabar um dia. Surgem outros atores mais jovens, aceitando menos dinheiro em troca de mais trabalho e visibilidade. Passa a escutar sempre comentários do grande filme que o projetou, que todos citam, embora tenha feito mais outros noventa e nove filmes e ninguém realmente se lembre direito.

As condições financeiras já não são mais as mesmas — porque achou que aquilo era um trabalho que jamais terminaria, e forçou o agente a manter seu preço nas alturas. Resultado: está sendo cada vez menos convidado, embora agora cobre a metade para participar de um filme. O desespero começa a dar seus primeiros sinais de vida em um mundo que até então era feito apenas da esperança de chegar cada vez mais longe, mais alto, mais rápido. Não pode desvalorizar-se de uma hora para outra; quando aparece um contrato qualquer, é preciso dizer que "gostou muito do papel, e resolveu fazer de qualquer maneira, mesmo que o salário não seja compatível com o que costuma ganhar". Os produtores fingem que acreditam. O agente finge que conseguiu enganá-los, mas sabe que seu "produto" precisa continuar sendo visto em festivais como este, sempre ocupado, sempre gentil, sempre distante — como é importante para os mitos.

O assessor de imprensa sugere que seja fotografado beijando alguma atriz famosa; isso pode render alguma capa em revistas de escândalos. Já entraram em contato com a pessoa escolhida, que também está precisando de publicidade extra — agora é tudo uma questão de escolher o momento adequado durante o jantar de gala desta noite. A cena deve parecer espontânea, precisam ter certeza de que existe algum fotógrafo por perto — embora ambos não possam, de jeito nenhum, "perceber" que estão sendo vigiados. Mais adiante, quando as fotos forem publicadas, voltarão às manchetes negando o acontecido, dizendo que aquilo é uma invasão da vida privada, advogados abrirão processos contra as revistas, e assessores de imprensa dos dois procurarão manter o assunto vivo o maior intervalo de tempo possível.

No fundo, apesar dos anos de trabalho e da fama mundial, não estava em uma situação muito diferente daquela moça à sua frente.

"Você terá que desistir de tudo, eu serei seu único e exclusivo padrão."

Gibson interrompe o silêncio que se instalara por trinta segundos naquele cenário perfeito: o iate, o sol, as bebidas geladas, o barulho das gaivotas, a brisa soprando e afastando o calor.

— Em primeiro lugar, acho que gostaria de saber que papel irá fazer, já que o nome do filme pode mudar daqui até sua estreia. A resposta é a seguinte: você irá contracenar com ele.

E aponta para a Celebridade.

— Ou seja, um dos papéis principais. E sua próxima pergunta, logicamente, deve ser: por que eu, e não uma celebridade feminina?

— Exatamente.

— Explicação: preço. No caso do roteiro que fui encarregado de dirigir, e que será o primeiro filme produzido por Hamid Hussein, temos um orçamento limitado. E metade dele vai para a promoção, não para o produto final. Portanto, necessitamos de uma celebridade para chamar a audiência, e de alguém desconhecido, barato, mas que estará ganhando a projeção que merece. Isso não acontece apenas hoje: desde que a indústria do cinema passou a mandar no mundo, os estúdios fazem a mesma coisa para manter acesa a ideia de que fama e dinheiro são sinônimos. Eu me lembro, quando pequeno, de ver aquelas grandes mansões em Hollywood e achar que os atores ganhavam uma fortuna.

"Mentira. Dez ou vinte celebridades no mundo inteiro podem dizer que ganham uma fortuna. O resto vive de aparências; a casa alugada pelo estúdio, os costureiros e joalheiros emprestando roupas, os carros cedidos por determinado período de tempo, de modo que possam ser associados ao luxo. O estúdio paga tudo que significa glamour, e os atores ganham um salário pequeno. Esse não é o caso da pessoa que está aqui sentada conosco, mas este será seu caso."

A Celebridade não sabe se Gibson estava sendo verdadeiro, se realmente acreditava estar ainda diante de um dos maiores atores do mundo, ou estava lhe jogando uma farpa. Mas isso não faz a menor diferença, desde que assinem o contrato, o produtor não mude de ideia na última hora, os roteiristas sejam capazes de entregar o texto na data marcada, o orçamento seja rigorosamente cumprido, e uma excelente campanha de relações públicas comece a funcionar. Já tinha visto centenas de projetos serem interrompidos; isso fazia parte da vida. Mas, depois de seu mais recente trabalho ter passado quase despercebido pelo público, precisava desesperadamente de um sucesso avassalador. E Gibson tinha condições de fazer isso.

— Aceito — disse a moça.

— Já conversamos tudo com sua agente. Você assinará um contrato exclusivo conosco. No primeiro filme, ganhará cinco mil dólares por mês, durante um ano — e terá que aparecer em festas, ser promovida por nosso departamento de relações públicas, viajar para onde mandarmos, dizer aquilo que queremos, não dizer o que pensa. Está claro?

Gabriela faz um sinal positivo com a cabeça. O que mais podia dizer: que cinco mil dólares é o salário de uma secretária na Europa? Era pegar ou largar, e ela não queria mostrar nenhuma hesitação: claro que entendia as regras do jogo.

— Portanto — continua Gibson — irá viver como uma milionária, irá se comportar como uma grande estrela, mas não esqueça que nada disso é verdade. Se tudo correr bem, aumentamos seu salário para dez mil dólares no próximo filme. Depois voltamos a conversar, já que você sempre terá um único pensamento em sua cabeça: "Um dia eu vou me vingar de tudo isso". Sua agente, é claro, ouviu nossa proposta; ela já sabia o que esperar. Não sei se você sabia.

— Isso não tem importância. Não pretendo tampouco me vingar de nada.

Gibson fingiu que não escutou.

— Não a chamei aqui para falar do seu teste: ele foi ótimo, o melhor que vi em muito tempo. Nossa encarregada de selecionar o elenco pensou a mesma coisa. Chamei-a aqui para que fique claro, desde o início, em que terreno está pisando. Muita atriz ou ator, depois do primeiro filme, depois de entender direito que o mundo está aos seus pés, quer mudar as regras. Mas assinaram contratos, sabem que é impossível, e partem então para crises depressivas, autodestrutivas, coisas do gênero. Hoje em dia, a nossa política mudou: explicamos claramente o que vai acontecer. Você terá que conviver com duas mulheres: se tudo der certo, uma delas será a que o mundo inteiro adora. A outra é a que sabe, a todo o momento, que não tem absolutamente nenhum poder.

"Portanto, aconselho que antes de ir ao Hilton para pegar a roupa desta noite, pense bem em todas as consequências.

No momento em que você entrar na suíte, terá quatro cópias de um gigantesco contrato lhe esperando. Antes de assiná-lo, o mundo inteiro lhe pertence, e pode fazer de sua vida o que desejar. No momento em que colocar sua assinatura no papel, já não é dona de mais nada; controlaremos desde sua maneira de cortar o cabelo até os lugares onde deve comer — mesmo que não tenha apetite. Evidente que poderá ganhar dinheiro em publicidade, usando sua fama, e é por causa disso que as pessoas aceitam essas condições."

Os dois homens se levantam.

— Sente-se bem em contracenar com ela?

— Dará uma excelente atriz. Mostrou emoção em um momento em que todos querem mostrar apenas eficiência.

— Não pense que este iate é meu — diz Gibson, depois de chamar alguém para acompanhá-la até a lancha que a levaria de volta ao porto.

Ela havia entendido direito o recado.

•

15h44

— Vamos até o primeiro andar tomar um café — diz Ewa.
— Mas temos o desfile daqui a uma hora. E você sabe como está o trânsito.
— Dá tempo para um café.

Sobem as escadas, dobram à direita, vão até o final do corredor, o segurança colocado na porta já os conhece e apenas os cumprimenta. Passam por algumas vitrines de joias — diamantes, rubis, esmeraldas — e saem de novo para o sol do terraço que se encontra no primeiro andar. Ali, a famosa marca de joias alugava todos os anos o espaço, para receber amigos, celebridades, jornalistas. Móveis de bom gosto, um farto bufê com iguarias selecionadas constantemente abastecido, sentam-se em uma mesa protegida por um guarda-sol. Um garçom aproxima-se, pedem água mineral com gás e café expresso. O garçom pergunta se desejam algo do bufê. Agradecem, dizem que já tinham almoçado.

Em menos de dois minutos ele volta com o que pediram.
— Está tudo bem?
— Está tudo ótimo.

"Está tudo péssimo", pensa Ewa. "Exceto o café."

Hamid sabe que algo estranho está se passando com sua mulher, mas deixaria a conversa para outro momento. Não quer pensar nisso. Não quer arriscar-se a ouvir algo como "vou deixá-lo". Tem disciplina suficiente para controlar-se.

Em uma das outras mesas está um dos mais famosos estilistas do mundo, com sua máquina fotográfica ao lado, e um olhar distante — como quem deseja deixar claro que não quer ser incomodado. Ninguém se aproxima, e quando alguma pessoa desavisada tenta ir até ele, a relações públicas do local, uma simpática senhora de cinquenta anos, pede gentilmente que o deixem em paz, precisa descansar um pouco do constante assédio de modelos, jornalistas, clientes, empresários.

Lembra-se de quando o vira pela primeira vez, tantos anos atrás que parecia uma eternidade. Já estava em Paris fazia mais de onze meses, fizera alguns amigos no meio, batera em várias portas, e graças aos contatos do sheik (que dissera não conhecer ninguém no meio, mas que tinha amigos em outras posições de poder) conseguira um emprego como desenhista em uma das mais respeitadas marcas de alta-costura. Em vez de fazer apenas os esboços baseados nos materiais que tinha diante de si, costumava permanecer no ateliê até altas horas da noite, trabalhando por conta própria com as amostras do material que trouxera da sua terra. Durante esse período, foi chamado duas vezes de volta: na primeira soube que seu pai tinha morrido e lhe deixara como testamento a pequena empresa familiar de compra e venda de tecidos. Antes mesmo que tivesse tempo de refletir, soube por um emissário do sheik que alguém se encarregaria de administrar o negócio, investiriam o que fosse necessário para que prosperasse, e todos os direitos continuariam em seu nome.

Perguntou qual a razão, já que o sheik demonstrara total desconhecimento ou falta de interesse pelo tema.

— Uma firma francesa, fabricante de malas, pretende instalar-se aqui. A primeira coisa que fizeram foi procurar nossos fornecedores de tecido, prometendo que o usariam em alguns de seus produtos de luxo. Então já temos clientes, honramos nossas tradições, e mantemos o controle da matéria-prima.

Voltou a Paris sabendo que a alma do seu pai estava no Paraíso, e sua memória permaneceria na terra que tanto amou. Continuou trabalhando além da hora, fazendo desenhos com temas de beduínos, experimentando amostras que trouxera consigo. Se a tal firma francesa — conhecida por sua ousadia e seu bom gosto — estava interessada no que produziam em sua terra, com toda certeza em breve a notícia chegaria à capital da moda e a demanda seria grande.

Tudo era uma questão de tempo. Mas, pelo visto, as notícias corriam rapidamente.

Certa manhã foi chamado pelo diretor. Pela primeira vez entrava naquela espécie de templo sagrado, a sala do grande costureiro, e ficou impressionado com a desorganização do local. Jornais em todos os cantos, papéis empilhados em cima da mesa antiga, uma quantidade imensa de fotos pessoais com celebridades, capas de revista emolduradas, amostras de material, e um vaso cheio de plumas brancas de todos os tamanhos.

— Você é ótimo no que está fazendo. Dei uma olhada nos esboços que deixa ali, expostos, para todo mundo ver. Peço que tenha mais cuidado com isso; nunca sabemos se alguém vai mudar de emprego amanhã, e carregar boas ideias para outra marca.

Hamid não gostou de saber que estava sendo espionado. Mas permaneceu quieto, enquanto o diretor continuava.

— Por que digo que é bom? Porque vem de uma terra onde as pessoas se vestem de maneira distinta, e está começando a entender como adaptar isso para o Ocidente. Existe apenas um grande problema: esse tipo de tecido nós não conseguimos encontrar aqui. Esse tipo de desenho tem conotações religiosas; a moda é sobretudo a vestimenta da carne, embora reflita muito o que o espírito quer dizer.

O diretor foi até uma das pilhas de revista em um canto, e, como se soubesse de cor tudo que estava ali, retirou algumas edições, possivelmente compradas nos *bouquinistes* — os livreiros que desde a época de Napoleão espalham seus livros na margem do Sena. Abriu uma antiga *Paris Match* com Christian Dior na capa.

— O que fez deste homem uma lenda? Soube entender o gênero humano. Dentre as muitas revoluções que provocou na moda, uma delas merece ser destacada: logo após a Segunda Guerra Mundial, quando a Europa inteira não tinha praticamente como vestir-se por causa da escassez de tecidos, criou figurinos que necessitavam de enorme quantidade de material. Dessa maneira, não mostrava apenas uma bela mulher vestida, mas o sonho de que tudo voltaria a ser como era; elegância, abundância, fartura. Foi atacado e difamado por isso, mas sabia que estava na direção correta — que é sempre a direção contrária.

Colocou a *Paris Match* exatamente no lugar de onde a havia retirado, e voltou com uma outra revista.

— E aqui está Coco Chanel. Abandonada na infância por seus pais, ex-cantora de cabaré, o tipo da mulher que tem tudo para esperar apenas o pior da vida. Mas aproveitou a única chance que teve — amantes ricos — e em pouco tempo transformava-se na mulher mais importante da costura em sua época. O que fez? Libertou as outras mulheres da escravidão dos corpetes, aqueles objetos de tortura que moldavam o tórax e impediam qualquer movimento natural. Errou em uma coisa: escondeu seu passado, quando isso a ajudaria a transformar-se em uma lenda mais poderosa ainda — a mulher que sobreviveu apesar de tudo.

Tornou a colocar a revista no lugar, e continuou:

— Você deve perguntar: e por que não fizeram isso antes? Nunca teremos a resposta certa. Claro que devem ter tentado — costureiros que foram completamente esquecidos pela história, porque não souberam refletir em suas coleções o espírito do tempo em que viviam. Para que o trabalho de Chanel pudesse ter a repercussão que viria a ter, não bastava o talento da criadora ou os amantes ricos: a sociedade precisava estar pronta para a grande revolução feminista que ocorreu no mesmo período.

O diretor fez uma pausa.

— É agora o momento da moda do Oriente Médio. Justamente porque as tensões e o medo que mantêm o mundo em suspense vêm da sua terra. Sei disso porque sou o diretor desta casa. Afinal de contas, tudo começa em um encontro dos principais fornecedores de tinta e pigmentação.

"Afinal de contas, tudo começa em um encontro dos principais fornecedores de tinta e pigmentação." Hamid olhou de novo o grande estilista sentado sozinho, no terraço, com a máquina fotográfica pousada na poltrona ao seu lado. Possivelmente ele também o tinha visto entrar, e pensava agora de onde tirou tanto dinheiro para chegar a ser seu maior competidor.

O homem que agora olha o vazio e finge não se preocupar com nada tinha feito o possível para que não entrasse na Federação. Imaginava que o petróleo estava financiando seus negócios, e isso era uma concorrência desleal. Não sabia que, oito meses depois da morte de seu pai, e dois meses depois que o diretor da marca para a qual trabalhava lhe havia oferecido um cargo melhor — embora seu nome não pudesse aparecer, já que a casa tinha outro estilista contratado para brilhar nos holofotes e nas passarelas —, o sheik o mandara chamar de novo, desta vez para um encontro pessoal.

Quando chegou ao que antes era sua cidade, teve dificuldades em reconhecer o lugar. Esqueletos de arranha-céus formavam uma fila interminável na única avenida da cidade, o trânsito era insuportável, o antigo aeroporto estava próximo do caos completo, mas a ideia do governante começava a se materializar: aquele seria o lugar de paz no meio das guerras, o paraíso dos investimentos no meio dos tumultos do mercado financeiro mundial, a face visível da nação que tantos se compraziam em criticar, humilhar, cercar de preconceitos. Outros países da região começaram a acreditar na cidade que se erguia no meio do deserto, e o dinheiro começou a jorrar — primeiro como uma fonte, em seguida como um rio caudaloso.

O palácio, entretanto, ainda era o mesmo, embora outro bem maior estivesse sendo construído não muito longe dali. Hamid chegou animado para o encontro, dizendo que havia recebido uma excelente proposta de trabalho, e já não precisava mais da ajuda financeira; muito pelo contrário, iria pagar cada centavo que haviam investido nele.

— Peça demissão — disse o sheik.

Hamid não entendeu. Sim, sabia que a empresa que seu pai lhe deixara estava dando resultados ótimos, mas tinha outros sonhos para o seu futuro. Mas não podia desafiar por uma segunda vez o homem que lhe ajudara tanto.

— Em nosso único encontro, eu pude dizer "não" a Sua Alteza porque defendia os direitos de meu pai, que sempre foram mais importantes do que qualquer outra coisa neste mundo. Agora, porém, preciso dobrar-me à vontade do meu governante. Se acha que perdeu seu dinheiro investindo no meu trabalho, farei o que pede. Voltarei para cá e cuidarei de minha herança. Se é preciso renunciar a meu sonho para honrar o código de minha tribo, farei isso.

Disse estas palavras com voz firme. Não podia demonstrar fraqueza diante de um homem que respeita a força do outro.

— Não pedi que voltasse para cá. Se foi promovido, é porque já sabe o que precisa para formar sua própria marca. É isso que quero.

"Que eu crie minha própria marca? Será que estou entendendo direito?"

— Vejo cada vez mais as grandes marcas de luxo se instalando aqui — continuou o sheik. — E sabem o que estão fazendo: nossas mulheres estão começando a mudar a maneira de pensar e de vestir. Mais do que qualquer investimento estrangeiro, o que tem afetado mais nossa região é a moda. Tenho conversado com homens e mulheres que, entendem do assunto; sou apenas um velho beduíno que, quando viu seu primeiro carro, achou que devia ser alimentado como os camelos.

"Gostaria que os estrangeiros lessem nossos poetas, escutassem nossa música, dançassem e cantassem os temas que vêm sendo transmitidos de geração em geração através da memória de nossos antepassados. Mas, pelo visto, ninguém está interessado nisso. Para aprenderem a respeitar nossa tradição, só existe uma única maneira: aquela em que você trabalha. Se entenderem quem somos através da maneira como nos vestimos, terminarão entendendo o resto."

No dia seguinte, encontrou-se com um grupo de investidores de outros países. Colocaram à sua disposição uma fantástica soma de dinheiro, e um prazo para que tudo fosse reembolsado. Perguntaram se aceitava o desafio, se estava preparado para ele.

Hamid pediu tempo para pensar. Foi até o túmulo do seu pai, rezou a tarde inteira. Caminhou durante a noite pelo deserto, sentiu o vento que congelava seus ossos, e voltou até o hotel onde os estrangeiros estavam hospedados. "Bendito aquele que consegue dar aos seus filhos asas e raízes", diz um provérbio árabe.

Precisava das raízes: existe um lugar no mundo onde nascemos, aprendemos uma língua, descobrimos como nossos antepassados superavam seus problemas. Em um dado momento, passamos a ser responsáveis por este lugar.

Precisava das asas. Elas nos mostram os horizontes sem fim da imaginação, nos levam até nossos sonhos, nos conduzem a lugares distantes. São as asas que nos permitem conhecer as raízes de nossos semelhantes, e aprender com eles.

Pediu inspiração a Deus, e começou a rezar. Duas horas depois, lembrou-se de uma conversa de seu pai com um dos amigos que frequentavam a loja de tecidos:

"— Hoje de manhã, meu filho me pediu dinheiro para comprar um carneiro; devo ajudá-lo?

"— Esta não é uma situação de emergência. Então, aguarde mais uma semana antes de atender o seu filho.

"— Mas tenho condições de ajudá-lo agora; que diferença fará esperar uma semana?

"— Uma diferença muito grande. A minha experiência mostra que as pessoas só dão valor a algo quando têm a oportunidade de duvidar se irão ou não conseguir o que desejam."

Fez com que os emissários esperassem uma semana, e em seguida aceitou o desafio. Precisava de gente que se ocupasse do dinheiro, que o investisse da maneira que indicasse. Precisava de empregados, de preferência vindos da mesma aldeia. Precisava de mais um ano no atual emprego, para aprender o que faltava.

Só isso.

"Tudo começa em uma fábrica de tintas."

Não é exatamente assim: tudo começa quando as companhias que procuram as tendências do mercado, conhecidas por estúdios de tendência (em francês, "cabinets de tendence", em inglês "trend adapters"), notam que determinada camada da população se interessa mais por determinados assuntos que por outros — e isso nada tem a ver diretamente com a moda. Essa pesquisa é feita com base em entrevistas com consumidores, monitoração por amostras, mas sobretudo através da observação cuidadosa de um exército de pessoas — geralmente entre vinte e trinta anos — que frequenta boates, caminha pelas ruas, lê tudo que se publica em blogs na internet. Jamais olham as vitrines, mesmo que sejam de marcas respeitadas; o que está ali já atingiu o grande público, e está condenado a morrer.

O que os gênios dos estúdios de tendências querem saber exatamente é: qual será a próxima preocupação ou curiosidade do consumidor? Os jovens, por não terem dinheiro bastante para consumir os produtos de luxo, são obrigados a inventar novas roupas. Como vivem grudados no computador, dividem seus interesses com outros, e muitas vezes isso acaba tornando-se uma espécie de vírus que contagia toda a comunidade. Os jovens influenciam os pais na política, na leitura, na música — e não o contrário, como pensam os ingênuos. Por outro lado, os pais influenciam os jovens naquilo que chamam de "o sistema de valores". Mesmo que os adolescentes sejam rebeldes por natureza, sempre acreditam que a família está certa; podem se vestir de maneira estranha e gostar de cantores que soltam uivos e quebram guitarras — mas isso é tudo. Não têm coragem de ir mais adiante e provocar uma verdadeira revolução de costumes.

"Já fizeram isso no passado. Mas ainda bem que essa onda passou e retornou ao mar."

Porque neste momento os estúdios de tendência mostram que a sociedade agora caminha para um estilo mais conservador, longe da ameaça que significaram as "suffragettes" (mulheres do início do século XX, que lutaram e conseguiram o direito de voto feminino), ou os cabeludos e anti-higiênicos hippies (um grupo de loucos que julgou, um dia, que viver de paz e amor livre era possível).

Em 1960, por exemplo, um mundo envolvido em guerras sangrentas do período pós-colonial, assustado com o perigo de uma guerra atômica, e ao mesmo tempo em plena prosperidade econômica, precisava desesperadamente encontrar um pouco de alegria; da mesma maneira que Christian Dior havia entendido que a esperança da fartura estava no excesso de tecidos, os estilistas foram procurar uma combinação de cores que levantasse o estado de ânimo geral: chegaram à conclusão de que o vermelho e o violeta eram capazes de acalmar e provocar ao mesmo tempo.

Quarenta anos mais tarde, a visão coletiva havia mudado por completo: o mundo já não estava sob ameaça de guerra, mas de graves problemas ambientais: os estilistas passaram a optar por tons ligados à natureza, como a areia do deserto, as florestas, a água do mar. Entre um período e outro, várias tendências surgem e somem: psicodélica, futurista, aristocrática, nostálgica.

Antes que as grandes coleções sejam definidas, os estúdios de tendência de mercado dão um panorama geral do estado de espírito do mundo. E, atualmente, parece que o tema central das preocupações humanas — apesar das guerras, da fome na África, do terrorismo, da falta de respeito pelos direitos humanos, da arrogância de algumas nações desenvolvidas — era como iríamos salvar nossa pobre Terra das muitas ameaças que foram criadas pela sociedade.

"Ecologia. Salvar o planeta. Que ridículo."

Hamid sabe que não adianta lutar contra o inconsciente coletivo. Os tons, os acessórios, os tecidos, as supostas ações beneficentes da Superclasse, os livros que estão sendo publicados, as músicas que estão tocando nas rádios, os documentários de ex-políticos, os novos filmes, o material usado para sapatos, os sistemas de abastecimento de carros, os abaixo-assinados para os congressistas, os bônus sendo vendidos pelos maiores bancos do mundo, tudo parece estar concentrado em apenas uma coisa: salvar o planeta. Fortunas estão sendo criadas da noite para o dia, grandes multinacionais estão conseguindo espaço na imprensa por causa de uma ou outra ação absolutamente irrelevante nessa área, organizações não governamentais sem o menor escrúpulo conseguem colocar anúncios em poderosas cadeias de televisão, e recebem centenas de milhões de dólares em doações, porque todos parecem absolutamente preocupados com o destino da Terra.

Cada vez que lia nos jornais ou revistas os políticos de sempre usando o aquecimento global, ou a destruição do meio ambiente como plataforma para suas campanhas eleitorais, pensava consigo mesmo:

"Como podemos ser tão arrogantes? O planeta é, foi e será sempre mais forte que nós. Não podemos destruí-lo; se ultrapassarmos determinada fronteira, ele se encarregará de nos eliminar por completo da sua superfície, e continuará existindo. Por que não começam a falar em 'não deixar que o planeta nos destrua'?"

Porque "salvar o planeta" dá a sensação de poder, de ação, de nobreza. Enquanto "não deixar que o planeta nos destrua" é capaz de nos levar ao desespero, à impotência, à verdadeira dimensão de nossas pobres e limitadas capacidades.

Mas, enfim, era isso que as tendências mostravam, e a moda precisa se adaptar aos desejos dos consumidores. As fábricas de tinta estavam agora ocupadas com as melhores tonalidades para a próxima coleção. Os fabricantes de tecido buscavam fibras naturais, os criadores de acessórios como cintos, bolsas, óculos, relógios faziam o possível para se adaptar — ou pelo menos fingir se adaptar, usando normalmente folhetos explicativos, em papel reciclado, sobre como haviam feito um gigantesco esforço para preservar o meio ambiente. Tudo isso seria mostrado aos grandes estilistas na maior feira da moda, fechada ao público, com o sugestivo nome de *Première Vision* (Primeira Vista).

A partir daí, cada um desenharia suas coleções, usaria sua criatividade, e todos teriam a sensação de que a alta-costura era absolutamente criativa, original, diferente. Nada disso. Todos seguiam ao pé da letra o que os estúdios de tendência de mercado diziam. Quanto mais importante a marca, menor a vontade de correr risco, já que o emprego de centenas de milhares de pessoas em todo o mundo dependia das decisões de um pequeno grupo, a Superclasse da costura, que já estava exausta de fingir que vendia algo diferente a cada seis meses.

Os primeiros desenhos eram feitos pelos "gênios incompreendidos", que sonhavam em ver um dia seu nome na etiqueta de uma roupa. Trabalhavam aproximadamente de seis a oito meses, no início usando apenas lápis e papel, logo em seguida fazendo protótipos com material barato, mas que poderia ser fotografado em modelos e analisado pelos diretores. De cada cem protótipos, selecionavam em torno de vinte para o desfile seguinte. Ajustes eram feitos: novos botões, cortes diferentes nas mangas, tipos diversos de costura.

Mais fotos — desta vez com as modelos sentadas, deitadas, andando — e mais ajustes, porque comentários do tipo "só serve para manequins na passarela" podiam destruir uma coleção inteira, e colocar a reputação da marca em jogo. Nesse processo, alguns dos "gênios incompreendidos" eram sumariamente colocados na porta da rua, sem direito à indenização, já que estavam ali sempre fazendo um "estágio".

Os mais talentosos precisavam rever várias vezes suas criações, e estar absolutamente conscientes de que, por maior sucesso que o modelo tivesse, apenas o nome da marca seria mencionado.

Todos prometiam vingança um dia. Todos diziam a si mesmos que terminariam abrindo sua própria loja, e finalmente seriam reconhecidos. Mas todos sorriam e continuavam a trabalhar como se estivessem muito entusiasmados por terem sido escolhidos. E à medida que os modelos finais iam sendo selecionados, mais gente era despedida, mais gente contratada (para a próxima coleção), e por fim os tecidos escolhidos eram usados para produzir os vestidos que seriam apresentados no desfile.

Como se fosse a primeira vez que estivessem sendo mostrados ao público. O que era parte da lenda, claro.

Porque a essa altura, revendedores do mundo inteiro já tinham em suas mãos fotos das modelos em todas as posições possíveis, detalhes dos acessórios, tipo de textura, preço recomendado, locais onde poderiam encomendar o material. Dependendo do tamanho e da importância da marca, a "nova coleção" começava a ser produzida em larga escala, em diversos lugares do mundo.

Finalmente, chegava o grande dia — melhor dizendo, as três semanas que marcavam o início de uma nova era (que, como todos sabiam, tinha apenas seis meses de duração). Começava em Londres, passava por Milão e terminava em Paris. Jornalistas do mundo inteiro eram convidados, fotógrafos disputavam um lugar privilegiado, tudo era mantido em grande segredo, jornais e revistas dedicavam páginas e mais páginas às novidades, as mulheres se deslumbravam, os homens olhavam com certo desdém o que julgavam ser apenas uma "moda", e pensavam que era preciso reservar alguns milhares de dólares para gastar em algo que não tinha a menor importância para eles, mas que suas esposas consideravam como o grande emblema da Superclasse.

Uma semana depois, aquilo que tinha sido apresentado como absoluta exclusividade já estava em lojas do mundo inteiro. Ninguém se perguntava como tinha viajado tão rápido, e sido produzido em tão pouco tempo.

Mas a lenda é mais importante do que a realidade.

Os consumidores não se davam conta de que a moda era criada por aqueles que obedeciam à moda já existente. Que a exclusividade era apenas uma mentira em que queriam acreditar. Que grande parte das coleções elogiadas na imprensa especializada pertencia aos grandes conglomerados de produtos de luxo, que sustentavam essas mesmas revistas e jornais com anúncios de página inteira.

Claro, havia exceções, e depois de alguns anos de luta Hamid Hussein era uma delas. E nisso é que reside seu poder.

Repara que Ewa checa de novo seu celular. Não costumava fazer isso. Na verdade, detestava aquele aparelho, talvez porque lembrasse uma relação passada, uma época da sua vida que jamais conseguira saber o que havia passado, porque não costumavam tocar no assunto. Olha o relógio — ainda podem terminar o café sem sobressaltos. Olha de novo o costureiro.

Oxalá tudo começasse em uma fábrica de tinta, e terminasse no desfile. Mas não era assim.

Tanto ele como o homem que agora contempla sozinho o horizonte se encontraram pela primeira vez na *Première Vision*. Hamid ainda trabalhava na grande marca que o havia contratado como desenhista, embora o sheik já começasse a movimentar um pequeno exército de onze pessoas que colocaria em prática a ideia de ter a moda como uma maneira de mostrar seu mundo, sua religião, sua cultura.

— Na maior parte do tempo, ficamos aqui escutando explicações de como as coisas simples podem ser apresentadas de maneira mais complicada — disse.

Passeavam pelos estandes de novos tecidos, tecnologias revolucionárias, as cores que seriam usadas nos dois anos seguintes, os acessórios cada vez mais sofisticados — fivelas de cinto de platina, carteiras de cartão de crédito que se abriam com o apertar de um botão, pulseiras que podiam ser reguladas milimetricamente com a ajuda de um círculo encrustado de brilhantes.

O outro olhou-o de alto a baixo.

— O mundo sempre foi, e sempre continuará sendo complicado.

— Não acho. E se algum dia tiver que deixar o lugar em que estou agora, será para abrir o meu próprio negócio — que irá exatamente contra tudo isso que estamos vendo.

O costureiro riu.

— Você sabe como é este mundo. Você já ouviu falar da Federação, não é verdade? Estrangeiros só entram depois de muito, muito esforço.

A Federação Francesa da Alta-Costura era um dos clubes mais fechados do mundo. Definia quem participava ou não das Semanas de Moda de Paris, e ditava os padrões dos participantes. Fundada em 1868, tinha um poder gigantesco: registrou a marca "Alta-Costura" (*Haute-Couture*), de modo que ninguém mais poderia usar essa expressão sem correr o risco de ser processado. Editava as dez mil cópias do Catálogo Oficial dos dois grandes eventos anuais, decidia como seriam distribuídas as duas mil credenciais para jornalistas do mundo inteiro, selecionava os grandes compradores, escolhia os lugares de desfile — segundo a importância do estilista.

— Sei como é — respondeu Hamid, terminando a conversa por ali. Pressentiu que aquele homem com quem conversava seria, no futuro, um grande estilista. Também entendeu que jamais seriam amigos.

Seis meses depois, tudo estava pronto para a sua grande aventura — pediu demissão do emprego, abriu sua primeira loja em SaintGermain des Près, e começou a lutar como podia. Perdeu muitas batalhas. Mas entendeu uma coisa: não podia dobrar-se à tirania das firmas que ditavam as tendências da moda. Precisava ser original, e conseguiu; porque trazia consigo a simplicidade dos beduínos, a sabedoria do deserto, o aprendizado na marca em que trabalhou por mais de um ano, a presença de gente especializada em finanças, e tecidos absolutamente originais e desconhecidos.

Dois anos mais tarde, abria cinco ou seis grandes lojas no país inteiro, e tinha sido aceito pela Federação — não apenas por causa do seu talento, mas dos contatos do sheik, cujos emissários negociavam com rigor a concessão de filiais de companhias francesas em seu país.

E enquanto a água corria por debaixo da ponte, as pessoas mudavam de opinião, os presidentes eram eleitos ou terminavam seus mandatos, a nova tecnologia ia ganhando cada vez mais adeptos, a internet passava a dominar as comunicações do planeta, a opinião pública passava a cobrar mais transparência em todos os ramos das atividades humanas, o luxo e o glamour voltavam a ocupar o espaço perdido. Seu trabalho crescia e se espalhava pelo resto do mundo: já não era apenas a moda, mas os acessórios, os móveis, os produtos de beleza, os relógios, os tecidos exclusivos.

Hamid agora era dono de um império, e todos aqueles que haviam investido em seu sonho estavam plenamente recompensados com os dividendos que pagava aos acionistas. Continuava a supervisionar pessoalmente grande parte do material que suas empresas produziam, acompanhava as sessões de fotos mais importantes, gostava de desenhar a maioria dos modelos, visitava o deserto pelo menos três vezes ao ano, rezava no lugar onde o pai havia sido enterrado, e prestava contas ao sheik. Agora tinha um novo desafio diante de si: produzir um filme.

Olha o relógio. Diz a Ewa que está na hora de ir. Ela pergunta se é tão importante assim.

— Não é tão importante. Mas eu gostaria de estar presente.

Ewa levanta-se. Hamid dá um último olhar ao costureiro solitário e famoso que contempla o Mediterrâneo, alheio a tudo.

16h07

Quando você é jovem, tem sempre o mesmo sonho: salvar o mundo. Alguns terminam esquecendo isso rápido, convencidos de que existem outras coisas importantes para fazer — como constituir família, ganhar dinheiro, viajar e aprender uma língua estrangeira. Outros, entretanto, decidem que é possível participar de algo que faça uma diferença na sociedade e na maneira como o mundo de hoje será entregue às próximas gerações.

E começam as escolhas de profissão: políticos (no início sempre desejando ajudar a comunidade), ativistas sociais (que acreditam que o crime é causado pelas diferenças de classe), artistas (que acham que tudo está perdido, é preciso recomeçar do zero) e... policiais.

Savoy tinha absoluta certeza de que podia ser absolutamente útil. Depois de ler muitos romances policiais, imaginava que se os maus estivessem atrás das grades, os bons sempre teriam um lugar ao sol. Cursou a Academia com entusiasmo, tirou notas excelentes nos exames teóricos, adestrou seu físico para enfrentar situações de perigo, aprendeu a atirar com precisão, mesmo que jamais pretendesse matar alguém.

No primeiro ano, achou que estava aprendendo a realidade da profissão — seus companheiros se queixavam dos baixos salários, da incompetência da Justiça, dos preconceitos relativos ao trabalho, e da ausência quase completa de ação na área em que atuavam. À medida que o tempo foi passando, a vida e as queixas continuaram quase as mesmas, e apenas uma única coisa foi acrescentada.

Papel.

Intermináveis relatórios sobre o *onde*, o *como* e o *porquê* de determinada ocorrência. Um simples caso de lixo colocado em local proibido exigia que o material em questão fosse revirado em busca do culpado (sempre havia pistas, como envelopes ou tickets de avião), a área fotografada, um mapa desenhado cuidadosamente, a identificação da pessoa, a remessa de uma intimação amigável, a segunda remessa de algo menos gentil, a entrada na Justiça caso o transgressor achasse tudo aquilo uma bobagem interminável, os depoimentos, as sentenças e os recursos feitos por advogados competentes. Enfim, dois anos podiam se passar até que aquele processo fosse definitivamente arquivado, sem nenhuma consequência para ambos os lados.

Crimes de morte eram raríssimos. As estatísticas mais recentes mostravam que grande parte das ocorrências em Cannes era ligada a conflitos de meninos ricos em boates caras, roubos de apartamentos que eram usados apenas no verão, infrações de trânsito, denúncias de trabalho clandestino, e conflitos de casais. Claro, devia estar muito contente com isso — em um mundo cada vez mais conturbado, o sul da França era um oásis de paz, mesmo na época em que milhares de estrangeiros invadiam o local para aproveitar a praia, ou para vender e comprar filmes. No ano anterior fora encarregado de quatro casos de suicídio (o que significava seis ou sete quilos de papéis a serem datilografados, preenchidos, assinados), e duas — duas únicas agressões seguidas de morte.

Em apenas algumas horas, as estatísticas de um ano inteiro tinham sido preenchidas. O que estava acontecendo?

Os guarda-costas tinham desaparecido antes mesmo de dar um depoimento — e Savoy anotou mentalmente que assim que tiver tempo fará uma reprimenda por escrito aos policiais encarregados do caso. Afinal de contas, deixaram escapar as únicas verdadeiras testemunhas do que acontecera — porque a mulher que estava na sala de espera não sabia absolutamente de nada. Em menos de dois minutos entendeu que ela estava longe no momento em que o veneno havia sido disparado, e tudo o que queria era aproveitar-se da situação para chegar perto do famoso distribuidor.

Tudo que lhe sobra, portanto, é ler mais papel.

Está sentado na sala de espera do hospital, com dois relatórios à sua frente.

O primeiro, escrito pelo médico de plantão, e composto apenas de duas folhas com aborrecidos detalhes técnicos, analisava os danos no organismo do homem que agora se encontra na unidade de terapia intensiva do hospital: envenenamento através de perfuração da parte lombar esquerda, causado por substância desconhecida, mas que neste momento está sendo pesquisada no laboratório, usando-se a agulha que havia injetado a substância tóxica na corrente sanguínea. O único agente classificado na lista de venenos capazes de uma reação tão violenta e rápida é a estricnina, mas esta provoca convulsões e espasmos no corpo. Pelo que os seguranças disseram, e que foi confirmado tanto pelos paramédicos como pela mulher na sala de espera, tal sintoma não fora detectado. Pelo contrário, observou-se uma paralisia imediata dos músculos, com o tórax tombando para a frente, e a vítima podendo ser carregada do local sem chamar a atenção dos demais convidados da festa.

O outro relatório, muito mais extenso, vinha do EPCTF (European Police Chiefs Task Force — Força Europeia Especial de Chefes de Polícia) e da Europol (Polícia Europeia), que acompanhava cada passo da vítima desde que pisara em solo europeu. Os agentes se revezavam, mas na hora do incidente estava sendo vigiado por um agente negro, vindo de Guadalupe, mas com aspecto jamaicano.

"E, mesmo assim, a pessoa encarregada de prestar atenção não viu nada. Ou melhor: no momento em que tudo aconteceu teve sua visão parcialmente interrompida por alguém que passava com um copo de suco de abacaxi nas mãos."

Embora a vítima não tivesse passagem pela polícia, e fosse conhecida no meio cinematográfico como um dos mais revolucionários distribuidores de filmes da atualidade, seus negócios eram apenas uma fachada para algo muito mais rentável. Segundo a Europol, Javits Wild era um produtor de segunda categoria na indústria cinematográfica até cinco anos atrás, quando foi contatado por um cartel especializado na distribuição de cocaína em território americano para transformar dinheiro sujo em dinheiro limpo.

"Começa a ficar interessante."

Pela primeira vez, Savoy gosta do que lê. Talvez tenha em mãos um caso importante, longe da rotina dos problemas com o lixo, das brigas de casais, dos roubos de apartamento de temporada, e dos dois assassinatos por ano.

Conhece o mecanismo. Sabe do que estão falando ali naquele relatório. Os traficantes ganham fortunas na venda do produto, mas, como não podem provar sua origem, jamais conseguem abrir contas bancárias, comprar apartamentos, carros ou joias, fazer investimentos, transferir grandes quantias de um país para outro — porque o governo vai perguntar: "Mas como conseguiu ficar tão rico? Onde ganhou tudo isso?".

Para superar esse obstáculo, usam um mecanismo financeiro conhecido por "lavagem de dinheiro". Ou seja, transformar lucros criminosos em ativos financeiros respeitáveis, que possam fazer parte do sistema econômico, e gerar mais dinheiro ainda. Atribuíam a origem da expressão ao gângster americano Al Capone, que comprara em Chicago a cadeia de lavanderias Sanitary Cleaning Shops, e através dela depositava em bancos o dinheiro que ganhava com a venda ilegal de bebidas durante a Lei Seca nos Estados Unidos. Assim, se alguém lhe perguntasse por que era tão rico, sempre poderia dizer: "As pessoas estão lavando mais roupa que nunca. Fico contente de ter investido no ramo".

"Fez tudo certo. Esqueceu-se apenas de declarar o imposto de renda da sua empresa", pensou Savoy.

A "lavagem de dinheiro" servia não apenas para drogas, mas para muitos outros objetivos: políticos que ganhavam comissão com o superfaturamento de obras, terroristas que precisavam financiar operações em diversos lugares do mundo, companhias que gostavam de esconder seus lucros e prejuízos dos acionistas, indivíduos que achavam o imposto de renda uma invenção inaceitável. Antigamente bastava abrir uma conta numerada em um paraíso fiscal, mas os governos começaram a passar uma série de leis de colaboração mútua, e o mecanismo precisou adaptar-se aos novos tempos.

Uma coisa, porém, era certa: os criminosos estavam sempre muitos passos adiante das autoridades e da fiscalização.

Como funciona agora? De maneira muito mais elegante, sofisticada e criativa. Tudo que precisavam era obedecer a três etapas claramente definidas — colocação, ocultação e integração. Pegar várias laranjas, fazer uma laranjada, e servi-la sem que se suspeite da origem das frutas.

Fazer a laranjada é relativamente fácil: a partir de uma série de contas, pequenas quantias começam a passar de banco para banco, muitas vezes em sistemas elaborados por computador, de modo que possam ir aos poucos se reagrupando mais adiante. Os caminhos são tão tortuosos que é quase impossível seguir os traços dos impulsos eletrônicos. Sim, porque a partir do momento em que o dinheiro está depositado, ele deixa de ser papel e se transforma em códigos digitais compostos de dois algarismos, "0" e "1".

Savoy pensa em sua conta bancária; independentemente do que tinha ali — e não era muito —, estava nas mãos de códigos que trafegavam por cabos. E se resolvessem, de uma hora para outra, mudar o sistema de todos os arquivos? E se o novo programa não funcionasse? Como provar que tinha determinada quantia de dinheiro? Como poder transformar esses "0"e "1" em algo mais concreto, como uma casa ou compras no supermercado?

Não pode fazer nada: está nas mãos do sistema. Mas decide que assim que sair do hospital passará por um caixa eletrônico e pedirá um extrato de sua conta. Anota em sua agenda: a partir de agora deve fazer isso todas as semanas, e, se alguma calamidade acontecer no mundo, terá sempre uma prova em papel.

Papel. De novo a mesma palavra. Por que está delirando dessa maneira? Sim, lavagem de dinheiro.

Volta a recapitular o que sabe a respeito da lavagem de dinheiro. A última etapa é a mais fácil de todas; o dinheiro é reagrupado em uma conta respeitável, como a de uma companhia de investimentos imobiliários, ou em um fundo de aplicações no mercado financeiro. Se o governo vier com a mesma pergunta, "De onde veio esse dinheiro?", é fácil explicar: de pequenos investidores que acreditam no que vendemos. A partir daí pode ser investido em mais ações, mais terrenos, aviões, objetos de luxo, casas com piscina, cartões de crédito sem limite de gastos. Os sócios dessas empresas são os mesmos que haviam financiado originalmente as compras de droga, de armas, de tudo que fosse negócio ilícito. Mas o dinheiro está limpo; afinal de contas, qualquer sociedade pode ganhar milhões de dólares especulando na Bolsa de Valores ou em terrenos.

Restava o primeiro passo, o mais difícil de todos: "Quem são esses pequenos investidores?".

É aí que entrava a criatividade criminosa. Os "laranjas" eram pessoas que circulavam por cassinos com dinheiro emprestado de um "amigo", em países onde a vigilância das apostas era muito menor que a corrupção: ninguém está proibido de ganhar fortunas. Nesse caso, havia combinações prévias com os proprietários, que ficavam com uma porcentagem do dinheiro que trafegava pelas mesas.

Mas o jogador — uma pessoa de baixa renda — tinha como justificar ao seu banqueiro, no dia seguinte, a enorme quantia depositada.

Sorte.

E, no dia seguinte, transferia a quase totalidade do dinheiro para o "amigo" que o emprestou, ficando com uma pequena porcentagem.

Antigamente, a maneira preferida era a compra de restaurantes — que podiam cobrar uma fortuna por seus pratos, e depositar o dinheiro sem levantar suspeitas. Mesmo que alguém passasse e visse as mesas completamente vazias, era impossível provar que ninguém tinha comido ali durante o dia inteiro. Mas agora, com o crescimento da indústria do lazer, surgia um processo muito mais criativo.

O sempre imponderável, arbitrário, incompreensível mercado de arte!

Pessoas de classe média e pouca renda levavam a leilão peças que valiam muito, e que alegavam terem sido encontradas no sótão da antiga casa dos avós. Eram arrematadas por muito dinheiro, e revendidas na semana seguinte para galerias especializadas, por dez ou vinte vezes o preço original. O "laranja" ficava contente, agradecia aos deuses pela generosidade do destino, depositava o dinheiro em sua conta, e resolvia fazer um investimento em algum país estrangeiro, com o cuidado de deixar um pouco — a sua porcentagem — no banco original. Os deuses, neste caso, eram os verdadeiros donos das pinturas, que tornavam a arrematá-las nas galerias e colocá-las de novo no mercado através de outras mãos.

Mas havia produtos mais caros, como teatro, produção e distribuição de filmes. Era aí que as mãos invisíveis da lavagem de dinheiro faziam realmente sua festa.

Savoy continua lendo o resumo da vida do homem que agora se encontra na unidade de terapia intensiva, preenchendo alguns claros com sua própria imaginação.

Ator que sonhava em se transformar numa grande celebridade. Não conseguiu emprego — embora até hoje cuidasse de sua aparência como se fosse uma grande estrela —, mas terminou se familiarizando com a indústria. Já na meia-idade, consegue levantar algum dinheiro com investidores e faz um ou dois filmes, que são um retumbante fracasso, porque não conseguiram a distribuição adequada. Mesmo assim, seu nome aparece nos créditos e nas revistas especializadas como alguém que tentou fazer algo que saísse do esquema dos grandes estúdios.

Está em um momento de desespero, não sabe o que fazer de sua vida, ninguém lhe dá uma terceira chance, cansou de implorar dinheiro para gente que só está interessada em investir em sucessos garantidos. Um belo dia é procurado por um grupo de pessoas, algumas gentis, outras que não dão absolutamente uma palavra.

Fazem uma proposta: ele começará a distribuir filmes, e sua primeira compra precisa ser algo real, com chance de atingir um grande público. Os principais estúdios farão grandes ofertas pelo produto, mas ele não precisa se preocupar — qualquer quantia proposta será coberta por seus novos amigos. O filme vai ser exibido em muitos cinemas, rendendo uma fortuna. Javits ganhará a coisa de que mais precisa: reputação. Ninguém, a essa altura, estará investigando a vida daquele produtor frustrado. Dois ou três filmes mais tarde, porém, as autoridades vão começar a perguntar de onde vem o dinheiro — mas aí o primeiro passo já está oculto pelo prazo de fiscalização, que venceu em cinco anos.

Javits inicia uma carreira vitoriosa. Os primeiros filmes de sua distribuidora dão lucro, os exibidores passam a acreditar no seu talento para selecionar o que há de melhor no mercado, diretores e produtores querem trabalhar com ele. Para manter as aparências, aceita sempre dois ou três projetos por semestre — o resto são filmes com orçamentos gigantescos, estrelas de primeira grandeza, profissionais insuspeitos e competentes, com muito dinheiro para a promoção, financiados por grupos estabelecidos em paraísos fiscais. O resultado da bilheteria é depositado em um fundo de investimentos normal, acima de qualquer suspeita, que tem "parte das ações" do filme.

Pronto. O dinheiro sujo se transformou em uma obra de arte maravilhosa, que evidentemente não deu o lucro que se esperava, mas que foi capaz de render milhões de dólares — e agora está sendo aplicado por um dos sócios do empreendimento.

Em determinado momento, um fiscal mais atento — ou uma delação de um estúdio — chama atenção para um fato muito simples: como é que tantos produtores desconhecidos no mercado estão empregando as grandes celebridades, os diretores mais talentosos, gastando fortunas em publicidade, e usando apenas UM distribuidor para os seus filmes? A resposta é simples: os grandes estúdios só estão interessados em suas próprias produções, e Javits é o herói, o homem que está rompendo com a ditadura de corporações gigantescas, o novo mito, o David que luta contra o Golias representado por um sistema injusto.

Um fiscal mais conscencioso resolve ir adiante, apesar de todas as explicações razoáveis. As investigações começam, de maneira sigilosa. As companhias que investiram nos grandes recordes de bilheteria são sempre sociedades anônimas, com sede nas Bahamas, no Panamá, em Singapura. Neste momento, alguém infiltrado no departamento de impostos (sempre tem alguém infiltrado) avisa que aquele canal já não interessa mais — precisam encontrar um novo distribuidor para lavar dinheiro.

Javits se desespera — acostumou-se a viver como milionário e ser cortejado como um semideus. Viaja para Cannes, um excelente disfarce para conversar com seus "financiadores" sem ser molestado, fazer ajustes, trocar pessoalmente os códigos das contas numeradas. Não sabe que está sendo seguido há tempos, que sua prisão agora é apenas uma questão técnica, decidida por pessoas engravatadas em escritórios mal iluminados: deixarão que continue um pouco mais, a fim de conseguir mais provas, ou terminam a história ali mesmo?

Os "financiadores", porém, não gostam de correr riscos inúteis. O homem pode ser preso a qualquer momento, fazer um acordo com a Justiça, e terminar entregando detalhes do sistema montado — o que inclui, além de nomes, fotos com determinadas pessoas, que foram tiradas sem que ele soubesse.

Só existe uma maneira de resolver o problema: acabando com ele.

Tudo estava claro, e Savoy sabe exatamente como as coisas se desenrolaram. Agora precisa fazer o de sempre.

Papel.

Preencher um relatório, entregar para a Europol, e deixar que os burocratas ali se encarreguem de encontrar os assassinos, pois trata-se de um caso que pode promover muita gente e ressuscitar carreiras estagnadas. As investigações precisam dar resultado, e nenhum de seus superiores acredita que um detetive de uma cidade do interior da França será capaz de grandes descobertas (sim, porque Cannes, apesar de todo o brilho e glamour, não passava de uma pequena cidade do interior durante os outros 350 dias do ano).

Suspeita que a culpa seja de um dos guarda-costas que estava na mesa, já que a proximidade era importante para que o veneno pudesse ser aplicado. Mas não irá mencionar isso. Usará mais papel para fazer uma sindicância entre os empregados que estavam na festa, não encontrará nenhuma testemunha, e dará o caso como encerrado em sua jurisdição — depois de passar alguns dias trocando faxes e mensagens com departamentos acima dos seus.

Voltará para os dois homicídios anuais, as brigas, as multas, quando esteve tão perto de algo que poderia ter uma repercussão internacional. O seu sonho de adolescente — melhorar o mundo, contribuir para uma sociedade mais segura e mais justa, ser promovido, lutar por um posto junto ao Ministério da Justiça, dar à mulher e aos filhos uma vida mais confortável, colaborar para a mudança de percepção dos agentes da ordem mostrando que ainda existem policiais honestos — termina sempre na mesma palavra.

Papel.

16h16

O terraço ao lado do bar do Martinez está completamente lotado, e Igor se orgulha de sua própria capacidade de planejar as coisas; mesmo sem jamais ter visitado aquela cidade, havia reservado a mesa — imaginando que a situação seria exatamente a que está vendo agora. Pede chá com torradas, acende um cigarro, olha à sua volta, e ali está o mesmo cenário de qualquer lugar chique do mundo: mulheres com botox ou anorexia, senhoras cobertas de joias tomando sorvete, homens com moças mais jovens, casais com ar entediado, moças sorridentes em torno de refrigerantes sem caloria, fingindo estar concentradas nas conversas das outras, mas com os olhos percorrendo de um extremo a outro do local, na esperança de encontrarem alguém interessante.

Uma única exceção: três homens e duas mulheres espalharam vários papéis entre latas de cerveja, discutem em voz baixa, e a toda hora conferem os números em uma calculadora. Parecem ser os únicos que estão realmente envolvidos em algum projeto, mas não é verdade; todo mundo está ali trabalhando, em busca de uma coisa só.

Vi-si-bi-li-da-de.

Que, se tudo corresse bem, terminaria em Fama. Que, se tudo corresse bem, terminaria em Poder. A palavra mágica, que transformava o ser humano em um semideus, um ícone inatingível, difícil de conversar, acostumado a sempre ter seus desejos satisfeitos, capaz de provocar inveja e ciúme quando passa em sua limusine de vidro fumê ou em seu caríssimo carro esportivo, que já não tem mais montanhas difíceis de escalar ou conquistas impossíveis.

Os frequentadores daquele terraço já ultrapassaram alguma barreira — não estão do lado de fora com câmeras fotográficas, atrás de cercas de metal, esperando que alguém saia pela porta principal e encha seus universos de raios de luz. Sim, já chegaram ao lobby do hotel, e agora faltam apenas o poder e a fama, não tendo a menor importância em que área. Os homens sabem que a idade não é um problema, tudo de que necessitam são os contatos certos. As moças que vigiam o terraço com a mesma habilidade de seguranças experimentados sentem que se aproxima uma idade perigosa, em que todas as possibilidades de conseguir alguma coisa através da beleza vão desaparecer de repente. As senhoras mais velhas gostariam de ser reconhecidas e respeitadas por seus dons e sua inteligência, mas os diamantes ofuscam qualquer possibilidade de descoberta desses talentos. Os homens com suas mulheres esperam que alguém passe, lhes dê boa-tarde, todos voltem o olhar para eles e pensem: "É conhecido". Ou talvez seja famoso, quem sabe?

A síndrome de celebridade — capaz de destruir carreiras, casamentos, valores cristãos, e que cegava os sábios e os ignorantes. Grandes cientistas que foram agraciados com um prêmio importante, e por causa disso abandonaram suas pesquisas que podiam melhorar a humanidade, e passaram a viver de conferências que alimentam o ego e a conta bancária. O índio da selva amazônica, subitamente adotado por um cantor famoso, e que resolve achar que está sendo explorado em sua miséria. O promotor de Justiça que trabalha duro defendendo os direitos de pessoas menos favorecidas decide concorrer a um cargo público, ganha a eleição, e passa a se julgar imune a tudo — até que um dia é descoberto em um motel com um profissional do sexo, pago pelo contribuinte.

A síndrome de celebridade. Quando as pessoas esquecem quem são, e passam a acreditar no que os outros dizem sobre elas. A Superclasse, o sonho de todos, o mundo sem sombras nem trevas, a palavra "sim" sempre servindo de resposta a qualquer pedido.

Igor é poderoso. Lutara sua vida inteira para chegar aonde está. Para que isso acontecesse, fora obrigado a participar de jantares aborrecidos, conferências que não terminavam nunca, encontros com pessoas que detestava, sorrisos quando estava com vontade de dizer algum insulto, insultos quando na verdade tinha pena dos pobres coitados que "serviam de exemplo". Trabalhara dia e noite, finais de semana, enterrado em encontros com seus advogados, administradores, funcionários, assessores de imprensa. Partira do zero logo após a queda do regime comunista e conseguira chegar ao topo. Mais do que isso, conseguira sobreviver a todas as tempestades políticas e econômicas que assolaram seu país nas duas primeiras décadas do novo regime.

Tudo isso por que razão? Porque temia a Deus e sabia que o caminho que percorrera em sua vida era uma bênção que precisava ser respeitada, ou perderia tudo.

Claro, em alguns momentos algo lhe dizia que estava deixando de lado a parte mais importante dessa bênção: Ewa. Mas por muitos anos teve certeza de que ela o compreendia, aceitava que aquilo era apenas uma fase, em breve poderiam desfrutar todo o tempo de que precisavam juntos. Faziam grandes planos — viagens, passeios de barco, uma casa isolada no meio de uma montanha, com a lareira acesa, e a certeza de que podiam ficar ali o tempo que fosse necessário, sem que precisassem pensar em dinheiro, dívidas, obrigações. Encontrariam uma escola para as muitas crianças que planejavam ter juntos, passariam tardes inteiras caminhando pelas florestas ao redor, iriam jantar em pequenos mas acolhedores restaurantes locais.

Teriam tempo de cuidar do jardim, ler, ir ao cinema, fazer as coisas simples com que todo mundo sonha, as únicas coisas capazes de preencher a vida de qualquer indivíduo sobre a face da Terra. Quando chegava em casa, cheio de papéis que espalhava sobre a cama, ele pedia um pouco mais de paciência. Quando o telefone celular tocava justamente no dia em que tinham escolhido jantar juntos, e era obrigado a interromper a conversa e passar um longo tempo discutindo com a pessoa no outro lado da linha, pedia de novo mais um pouco de paciência. Sabia que Ewa fazia o possível e o impossível para que ele se sentisse confortável, embora de vez em quando se queixasse, com muito carinho, que precisavam aproveitar a vida enquanto eram ainda jovens, que tinham dinheiro suficiente para as próximas cinco gerações.

Igor confirmava: podia parar naquele mesmo dia. Ewa sorria, acariciava seu rosto — e neste momento ele se lembrava de que tinha esquecido alguma coisa importante, ia até o telefone ou o computador, conversava ou enviava uma mensagem.

Um homem de aproximadamente quarenta anos levanta-se, olha o bar em torno de si e brande um jornal acima de sua cabeça gritando:

— "Violência e horror em Tóquio", diz a manchete. "Sete pessoas assassinadas em uma loja de jogos eletrônicos."

Todos olham em sua direção.

— Violência! Eles não sabem do que estão falando! A violência está aqui!

Igor sente um arrepio na espinha.

— Se um desequilibrado mata a facadas alguns inocentes, o mundo inteiro se horroriza. Mas quem dá atenção à violência intelectual que está acontecendo em Cannes? Nosso festival está sendo assassinado em nome de uma ditadura. Já não se trata de escolher o melhor filme, mas de cometer crimes contra a humanidade, obrigando as pessoas a comprar produtos que não desejam, esquecer a arte para pensar na moda, deixar de ir a projeções de filmes para participar de almoços e jantares. Isso é uma brutalidade! Eu estou aqui...

— Cala a boca — diz alguém. — Ninguém está interessado em saber por que você está aqui.

— ... Eu estou aqui para denunciar a escravidão dos desejos do homem! Que passou a fazer suas escolhas não por causa da inteligência, mas por causa da propaganda, da mentira! Por que se preocupam com as facadas em Tóquio, e não dão importância às facadas que toda uma geração de cineastas está sendo obrigada a suportar?

O homem faz uma pausa, esperando a ovação consagradora, mas nem sequer escuta o silêncio da reflexão; todos já voltaram a conversar em suas mesas, indiferentes ao que terminara de ser dito. Torna a sentar-se, aparentando um ar de suprema dignidade, mas com o coração aos pedaços por causa do ridículo que acabou de passar.

"Vi-si-bi-li-da-de", pensa Igor. "O problema é que ninguém prestou atenção."

É sua vez de olhar em torno. Ewa está no mesmo hotel, e, depois de muitos anos de casamento, é capaz de jurar que está tomando um café ou um chá não muito longe do lugar onde está sentado. Recebeu seus recados, e com toda certeza o procura agora, sabendo que ele também deve estar próximo.

Não consegue vê-la. E não consegue parar de pensar nela, sua obsessão. Lembra-se de certa noite, voltando tarde para casa em sua limusine importada, com seu chofer que ao mesmo tempo servia de segurança — tinham lutado juntos na guerra do Afeganistão, mas a sorte sorrira de maneira diferente para ambos —, ele pediu que parasse no Hotel Kempinski. Deixou o celular e os papéis no carro, subiu até o bar que se encontrava no terraço do edifício. Ao contrário daquele terraço de Cannes, o lugar estava quase vazio, pronto para fechar. Distribuiu uma generosa gorjeta entre os empregados, fez com que continuassem trabalhando para ele apenas uma hora a mais.

E foi aí que entendeu tudo. Não, não era verdade que iria parar no próximo mês, nem no próximo ano, nem na próxima década. Jamais teriam a tal casa de campo e a família que sonhavam. Perguntava a si mesmo, naquela noite, por que isso era impossível, e tinha apenas uma resposta.

O caminho do poder não tem volta. Seria eternamente escravo daquilo que escolheu, e, se fosse realmente realizar o seu sonho de largar tudo, entraria em uma depressão profunda.

Por que agia assim? Por causa dos pesadelos de noite, quando se lembrava das trincheiras, do rapaz jovem, assustado, cumprindo um dever que não tinha escolhido, sendo obrigado a matar? Porque não conseguia esquecer sua primeira vítima, um camponês que entrara na linha de tiro quando o Exército Vermelho lutava contra os guerrilheiros afegãos? Por causa das muitas pessoas que primeiro o olharam com descrédito, e depois o humilharam, quando decidira que o futuro do mundo estava na telefonia celular, e começara a buscar investidores para o seu negócio? Porque no início teve que se associar com as sombras, os mafiosos russos que desejavam lavar o dinheiro ganho com prostituição?

Havia conseguido devolver os empréstimos sem ter que corromper a si mesmo e sem ficar devendo favores. Havia conseguido negociar com as sombras, e mesmo assim manter sua luz. Entendia que a guerra era coisa de um passado remoto, e jamais retornaria a um campo de batalha. Conseguira encontrar a mulher da sua vida. Trabalhava naquilo que sempre quis. Era rico — era riquíssimo, e, mesmo que amanhã o sistema comunista voltasse, a maior parte de sua fortuna pessoal estava fora do país. Tinha boas ligações com todos os partidos políticos. Conhecera as grandes personalidades mundiais. Terminara por organizar uma Fundação que se ocupava de órfãos de soldados mortos durante a invasão soviética no Afeganistão.

Mas ali, naquele café perto da Praça Vermelha, sendo o único cliente, e sabendo que tinha poder bastante para pagar aos garçons de modo a passar a noite inteira ali, entendeu.

Entendeu porque estava vendo o mesmo se passar com sua mulher, agora sempre viajando, também chegando tarde quando se encontrava em Moscou, indo direto para a tela do computador assim que entrava. Entendeu que, ao contrário do que todos pensavam, o poder total significa a escravidão mais absoluta. Quando se chega ali, não se quer mais sair. Sempre existe uma nova montanha a conquistar. Sempre existe um concorrente a ser convencido ou superado. Junto com mais duas mil pessoas, fazia parte do clube mais exclusivo do mundo, que se reúne apenas uma vez por ano em Davos, na Suíça, no Fórum Econômico Mundial; todas elas eram mais do que ricas, milionárias, poderosas. E todas elas trabalhavam de manhã até a noite, sempre querendo ir mais longe, jamais mudando de assunto — aquisições, Bolsas de Valores, tendências de mercado, dinheiro, dinheiro. Trabalhar não porque se está precisando de algo, mas porque se julgavam necessários — precisavam alimentar milhares de famílias, acreditavam ter uma gigantesca responsabilidade com seus governos e com seus associados. Trabalhavam pensando honestamente que estavam ajudando o mundo — o que podia ser verdade, mas que exigia como pagamento sua própria vida.

No dia seguinte, fez algo que sempre detestou na vida: procurou um psiquiatra — alguma coisa devia estar errada. Descobriu então que sofria de uma doença bastante comum entre aqueles que atingiram algo que parecia além dos limites de uma pessoa comum. Era um trabalhador compulsivo, ou um *workaholic*, expressão mundialmente conhecida para designar esse tipo de desordem. Trabalhadores compulsivos, disse o psiquiatra, quando não estão envolvidos com os desafios e problemas de sua companhia, correm o risco de entrar em depressão profunda.

— Uma desordem cujo motivo ainda não conhecemos, mas que está associada à insegurança, a certos medos infantis, a uma realidade que se quer negar. É algo tão sério como a escravidão às drogas, por exemplo.

"Mas, ao contrário destas, que diminuem a produtividade, o trabalhador compulsivo termina dando uma grande contribuição à riqueza do seu país. Portanto, não interessa a ninguém fazer com que seja curado."

— E quais são as consequências?

— Você deve saber, porque foi por isso que me procurou. A mais grave é a destruição da vida familiar. No Japão, um dos países onde a doença se manifesta com mais frequência e às vezes com consequências fatais, existem vários processos para controlar a obsessão.

Nos dois anos mais recentes de sua vida, não se lembrava de escutar alguém com o mesmo respeito que dedicava ao homem de óculos e bigode na sua frente.

— Então, posso acreditar que existe uma saída para esse distúrbio.

— Quando um trabalhador compulsivo chega a procurar ajuda de um psiquiatra, é porque ele está preparado para a cura. De cada mil casos, apenas um se dá conta de que está precisando de ajuda.

— Estou precisando de ajuda. Tenho dinheiro suficiente...

— Essas são palavras típicas de um trabalhador compulsivo. Sim, sei que tem dinheiro suficiente, como todos eles. Sei quem é você; já vi suas fotos em festas de caridade, em congressos, e em uma audiência privada com o nosso presidente — ele também com os mesmos sintomas dessa desordem, diga-se de passagem.

"Dinheiro não basta. Quero saber se tem vontade suficiente."

Igor pensou em Ewa, na casa nas montanhas, na família que gostaria de constituir, nas centenas de milhões de dólares que tinha no banco. Pensou em seu prestígio e em seu poder naquele momento, e como seria difícil abandonar tudo isso.

— Não estou sugerindo que abandone o que está fazendo — comentou o psiquiatra, como se pudesse ler seu pensamento. — Estou sugerindo que use o trabalho como uma fonte de alegria, e não como uma obsessão compulsiva.

— Sim, estou preparado.

— E qual o seu grande motivo para isso? Afinal de contas, todos os trabalhadores compulsivos acham que estão satisfeitos com o que fazem; nenhum de seus amigos que se encontram na mesma posição reconhecerá que precisa de ajuda.

Igor abaixou os olhos.

— Qual seu grande motivo? Quer que eu responda para você? Pois farei isso. Como disse antes, sua família está sendo destruída.

— Pior que isso. Minha mulher apresenta os mesmos sintomas. Começou a distanciar-se de mim desde uma viagem que fizemos ao lago Baikal. E se existe alguém no mundo por quem eu seria capaz de matar de novo...

Igor se deu conta de que havia falado além do necessário. Mas o psiquiatra parecia impassível do outro lado da mesa.

— Se existe alguém no mundo por quem eu seria capaz de fazer tudo, absolutamente tudo, é minha mulher.

O psiquiatra chamou sua assistente e pediu que marcasse uma série de consultas. Não perguntou se seu cliente estaria disponível naquelas datas: fazia parte do tratamento deixar claro que todo e qualquer compromisso, por mais importante que fosse, podia ser adiado.

— Posso lhe fazer mais uma pergunta?

O médico assentiu com a cabeça.

— O fato de eu ser levado a trabalhar mais do que devo não pode ser também considerado como algo nobre? Um respeito profundo às oportunidades que Deus me concedeu nesta vida? Uma maneira de corrigir a sociedade, mesmo que às vezes eu seja obrigado a usar métodos um pouco...

Silêncio.

— ... um pouco o quê?

— Nada.

Igor saiu do consultório confuso e aliviado ao mesmo tempo. Talvez o médico não compreendesse a essência de tudo que fazia: a vida tem sempre uma razão, todas as pessoas estão unidas, e muitas vezes é necessário extirpar os tumores malignos para que o corpo continue sadio. As pessoas se trancam em seus mundos egoístas, fazem planos que não incluem o próximo, acreditam que o planeta é apenas mais um terreno a ser explorado, seguem seus instintos e desejos sem dedicar absolutamente nada ao bem-estar coletivo.

Não estava destruindo sua família, estava simplesmente querendo deixar um mundo melhor para os filhos que sonhava ter. Um mundo sem drogas, sem guerras, sem o escandaloso mercado de sexo, onde o amor fosse a grande força que unisse todos os casais, povos, nações e religiões. Ewa entenderia — mesmo que no momento o casamento estivesse passando por uma crise, com toda certeza enviada pelo espírito Maligno.

No dia seguinte, pediu à sua secretária que desmarcasse as consultas — tinha outras coisas importantes para fazer. Estava organizando um grande plano para purificar o mundo, precisava de ajuda, e já havia entrado em contato com um grupo que se dispunha a trabalhar para ele.

Dois meses depois, era abandonado pela mulher que amava. Por causa do Mal que a havia possuído. Porque não pudera explicar exatamente as razões de certas atitudes suas.

Voltou à realidade de Cannes com o ruído bruto do arrastar de uma cadeira. Diante dele está uma mulher com um copo de uísque em uma das mãos e um cigarro na outra. Bem-vestida, mas visivelmente embriagada.

— Posso sentar aqui? Todas as mesas estão ocupadas.

— A senhora acaba de sentar-se.

— Não é possível — disse a mulher, como se o conhecesse de longa data. — Simplesmente não é possível. A polícia me expulsou do hospital. E o homem que me fez viajar quase um dia inteiro, alugar um quarto de hotel pagando o dobro do preço, está agora entre a vida e a morte. Droga!

Alguém da polícia?

Ou será que nada do que ela dizia tinha relação com o que estava pensando?

— O que o senhor, ou melhor, você está fazendo aqui? Não está com calor? Não acha melhor tirar o paletó, ou quer impressionar os outros com sua elegância?

Como sempre, as pessoas escolhiam seu próprio destino. Aquela mulher estava fazendo isso.

— Sempre uso paletó, independente da temperatura. A senhora é atriz?

A mulher deu uma risada, próxima da histeria.

— Digamos que eu seja uma atriz. Sim, sou uma atriz. Estou representando o papel de alguém que tem um sonho ainda adolescente, cresce com ele, luta sete miseráveis anos de sua vida para transformá-lo em realidade, hipoteca sua casa, trabalha sem parar...

— Sei o que é isso.

— Não, não sabe. É pensar dia e noite em uma única coisa. Ir a lugares onde não foi convidada. Apertar mãos de gente que despreza. Telefonar uma, duas, dez vezes até conseguir alguma atenção de gente que não tem nem a metade do seu valor ou da sua coragem, mas está em uma determinada posição e resolve vingar-se de todas as frustrações em sua vida familiar, tornando impossível a vida dos outros.

— ... e não encontrar outro prazer em sua vida a não ser perseguir aquilo que se deseja. Não ter diversões. Achar tudo o mais aborrecido. Terminar por destruir sua família.

A mulher olhou espantada para ele. Sua bebedeira parecia ter desaparecido.

— Quem é o senhor? Como é capaz de ler o que estou pensando?

— Estava pensando justamente nisso quando a senhora entrou. E pode continuar me chamando de você. Penso que posso ajudá-la.

— Ninguém pode me ajudar. A única pessoa que podia está neste momento na unidade de terapia intensiva do hospital. E pelo pouco que pude saber antes que a polícia chegasse, não deve sair com vida. MEU DEUS!

Ela termina de beber o que resta no copo. Igor faz um sinal para o garçom. Ele o ignora, e vai servir outra mesa.

— Sempre em minha vida preferi um elogio cínico a uma crítica construtiva. Por favor, diga que sou bela, que sou capaz.

Igor ri.

— Como sabe que não posso ajudá-la?

— O senhor por acaso é distribuidor de filmes? Tem contatos no mundo inteiro, salas de cinema espalhadas pelo planeta?

Talvez ambos estivessem pensando na mesma pessoa. Se fosse o caso, e se aquilo fosse uma armadilha, era tarde demais para fugir — devia estar sendo vigiado, e assim que se levantasse seria preso. Sente o estômago contrair-se, mas por que está com medo? Horas antes tentara, sem êxito, entregar-se à polícia. Havia escolhido o martírio, oferecera sua liberdade como sacrifício, mas tal oferta fora rejeitada por Deus.

E agora, os Céus haviam reconsiderado sua decisão.

Precisa imaginar como se defender da cena que virá a seguir: o suspeito é identificado, uma mulher fingindo-se de bêbada vai na frente, confirma os dados. Depois, com toda discrição, um homem entra e pede que o acompanhe apenas para uma pequena conversa. Tal homem é um policial. Igor tem neste momento uma espécie de caneta no paletó, que não desperta nenhuma suspeita — mas a Beretta o denunciará. Vê sua vida inteira desfilar diante dos olhos.

Pode usar a pistola e reagir? O policial que deve aparecer assim que a identificação for confirmada deve ter outros amigos observando a cena, e será morto antes que possa fazer alguma coisa. Por outro lado, não veio aqui para matar inocentes de maneira bárbara e indiscriminada; tem uma missão, e suas vítimas — ou mártires do amor, como prefere chamar — estão servindo a um propósito maior.

— Não sou distribuidor — responde. — Não tenho absolutamente nada que ver com o mundo do cinema, da moda, do glamour. Trabalho em telecomunicações.

— Ótimo — disse a mulher. — Deve ter dinheiro. Deve ter tido alguns sonhos na vida, e sabe do que estou falando.

Estava perdendo o rumo da conversa. Torna a fazer um

sinal para outro garçom. Desta vez foi atendido, e pede duas xícaras de chá.

— O senhor não vê que estou tomando uísque?

— Sim. Mas, como disse antes, acho que posso ajudá-la. E para isso precisa estar sóbria, consciente de cada passo.

Maureen mudou de tom. Desde que aquele estranho conseguira adivinhar o que estava pensando, parecia que estava sendo devolvida à realidade. Sim, quem sabe poderia mesmo ajudá-la? Há muitos anos ninguém tentava seduzi-la dizendo uma das mais famosas frases do meio: "Conheço gente influente". Não há nada melhor para mudar o estado de espírito de uma mulher do que saber que é desejada por alguém do sexo oposto. Teve um impulso de levantar-se e ir ao banheiro, olhar-se no espelho, retocar sua maquiagem. Mas isso podia esperar; antes precisava enviar claros sinais de que estava interessada.

Sim, precisava de companhia, estava aberta às surpresas do destino — quando Deus fecha uma porta, abre uma janela. Por que, de todas as mesas naquele terraço, esta era a única ocupada por uma pessoa? Havia um sentido, um sinal oculto: os dois precisavam se encontrar.

Riu de si mesma. No seu atual estado de desespero qualquer coisa era um sinal, uma saída, uma boa notícia.

— Em primeiro lugar, preciso saber do que está precisando — diz o homem.

— Ajuda. Tenho um filme pronto, com um elenco de primeira linha, que deveria ser distribuído por uma das poucas pessoas que ainda acreditam no talento de alguém que não pertence ao sistema. Ia encontrar-me com um distribuidor amanhã. Eu estava no mesmo almoço com ele, e de repente notei que passou mal.

Igor começa a relaxar. Talvez fosse verdade, já que no mundo real as coisas são mais absurdas que nos livros de ficção.

— Saí, descobri o hospital para onde tinha sido levado, e fui até lá. No caminho, imaginei o que iria dizer: que era sua amiga, e estávamos prontos para trabalhar juntos. Jamais havia conversado com ele, mas tenho certeza de que alguém em uma situação crítica sente-se confortável quando uma pessoa, qualquer pessoa está por perto.

"Ou seja, ia aproveitar a tragédia alheia em benefício próprio", pensou Igor.

São todos iguais. Absolutamente iguais.

— E o que é exatamente um elenco de primeira linha?

— Gostaria de ir ao banheiro, se me der licença.

Igor levanta-se educadamente, coloca os óculos escuros, e enquanto ela se afasta procura aparentar toda a calma possível. Toma seu chá, enquanto os olhos percorrem incessantemente o terraço. Em princípio não há nenhuma ameaça à vista, mas de qualquer maneira é melhor abandonar o local assim que a mulher voltar.

Maureen fica impressionada com o cavalheirismo do seu novo amigo. Há anos não via alguém comportar-se segundo as normas de etiqueta que seus pais e mães haviam ensinado. Ao sair do terraço, notou que moças jovens, bonitas, que estavam na mesa ao lado e com toda certeza tinham escutado parte da conversa, olhavam para ele e sorriam. Viu que ele colocara seus óculos escuros — talvez para poder observar as mulheres sem que elas se dessem conta. Talvez, quando voltasse, estariam tomando chá juntos.

Mas a vida é assim: não há nada do que se queixar, e nada que esperar.

Olha seu rosto no espelho; como é que um homem poderia se interessar por ela? Devia voltar realmente à realidade, como ele sugerira. Tem os olhos cansados, vazios, estava exausta como todos aqueles que participavam de um festival de cinema, e mesmo assim sabia que precisava continuar lutando. Cannes ainda não havia terminado, Javits poderia recuperar-se ou outra pessoa apareceria representando sua distribuidora. Tinha entradas para assistir aos filmes dos outros, convite para a festa da revista *Gala* — uma das mais importantes da França —, e podia aproveitar o tempo disponível para ver o que os produtores e diretores independentes na Europa fazem para mostrar seu trabalho. Precisava se recompor rapidamente.

Quanto ao homem bonito, melhor deixar suas ilusões de lado. Volta para a mesa convencida de que irá encontrar as duas moças sentadas ali, mas o homem está só. De novo levanta-se educadamente, e puxa sua cadeira para que possa sentar-se.

— Não me apresentei. Meu nome é Maureen.

— Igor. Muito prazer. Mas interrompemos a conversa quando você dizia que tinha o elenco ideal.

Agora podia aproveitar para dar uma alfinetada nas moças da mesa ao lado. Falou um pouco mais alto do que de costume.

— Aqui em Cannes, ou em qualquer outro festival, todos os anos atrizes são descobertas, e todos os anos grandes atrizes perdem um grande papel — porque a indústria acha que se tornaram velhas demais, embora ainda sejam jovens e cheias de entusiasmo. Entre aquelas que são descobertas ("tomara que as meninas ao lado estejam escutando"), algumas tomam o caminho do puro glamour. Embora ganhem pouco nos filmes que fazem — todos os diretores sabem disso, e se aproveitam ao máximo —, investem na coisa mais errada do mundo.

— Ou seja...

— A própria beleza. Tornam-se celebridades, começam a cobrar para aparecer em festas, são chamadas para anúncios, para recomendar produtos. Terminam conhecendo os homens mais poderosos e os atores mais desejados do planeta. Ganham uma quantidade imensa de dinheiro — porque são jovens, bonitas, e seus agentes conseguem uma quantidade enorme de contratos.

"Na verdade, se deixam guiar por seus agentes, que estimulam a vaidade a todo momento. Elas são o sonho das donas de casa, das adolescentes, dos jovens artistas que não têm dinheiro sequer para viajar até a cidade vizinha, mas que a consideram uma amiga, alguém que está vivendo o que eles gostariam de experimentar. Continuam fazendo filmes, ganham um pouco melhor, mesmo que os assessores de imprensa divulguem salários altíssimos; tudo uma mentira, que nem mesmo os jornalistas acreditam, mas que publicam porque sabem que o público gosta de notícia, não de informação."

— E qual é a diferença? — pergunta um Igor cada vez mais relaxado, mas sem deixar de prestar atenção à sua volta.

— Vamos dizer que você comprou um computador folheado a ouro em um leilão em Dubai, e resolveu escrever um novo livro usando essa maravilha tecnológica. O jornalista, quando souber disso, vai telefonar perguntando: "E como é seu computador de ouro?". Isso é notícia. A verdadeira informação, que é o que está escrevendo, não tem a menor importância.

"Será que Ewa está recebendo notícias em vez de informação?" Jamais havia pensado nisso.

— Continue.

— O tempo passa. Melhor dizendo, sete ou oito anos passam. De repente, já não há mais convites para filmes. Os eventos e o dinheiro de anúncios começam a escassear. O agente parece mais ocupado que antes — não atende com a mesma frequência seus telefonemas. A grande estrela se revolta: como é que podem fazer isso com ela, o grande símbolo sexual, o maior ícone do glamour? Primeiro culpa o agente, decide mudar a pessoa que a representa, e — para sua surpresa — nota que ele não se incomoda. Pelo contrário, pede que assine um papel dizendo que tudo correu bem durante o tempo que estiveram juntos, deseja-lhe boa sorte, e ponto-final da relação.

Maureen correu os olhos pelo local, para ver se encontrava algum exemplo do que estava dizendo. Gente que ainda é famosa, mas que desapareceu por completo do cenário, e hoje em dia procura desesperadamente uma nova oportunidade. Ainda se comportam como grandes divas, ainda têm o mesmo ar distante de antes, mas o coração está cheio de amargura, a pele repleta de botox e de cicatrizes invisíveis de operações plásticas. Viu botox, viu operações plásticas, mas nenhuma das celebridades da década passada estava ali. Talvez já não tivessem nem mais dinheiro para vir a um festival como aquele; neste momento animavam bailes do interior, festas de produtos como chocolate e cerveja, sempre se comportando como se ainda fossem quem tinham sido certa vez, mas sabendo que já não eram mais.

— Você falou de dois tipos de pessoas.

— Sim. O segundo grupo de atrizes encontra exatamente o mesmo problema. Com uma única diferença — de novo sua voz aumentou de tom, porque agora as moças da mesa ao lado estavam visivelmente interessadas nela, alguém que conhecia o meio. — Elas sabem que a beleza é passageira. Não são tão vistas em anúncios ou capas de revista, porque estão ocupadas em aprimorar sua arte. Continuam estudando, fazendo contatos que serão importantes para o futuro, emprestando seu nome e sua aparência a determinados produtos — não na condição de modelo, mas de sócias. Ganham menos, claro. Mas ganham pelo resto da vida.

"E aí aparece alguém como eu. Que tenho um roteiro bom, dinheiro suficiente, e gostaria que estivessem em meu filme. Elas aceitam; têm talento o bastante para desempenhar os papéis que lhes são confiados, e inteligência suficiente para saber que, mesmo que o filme termine não sendo um grande sucesso, pelo menos continuam nas telas, podem ser vistas trabalhando em suas idades maduras, e quem sabe um novo produtor se interesse de novo pelo que fazem."

Igor também nota que as moças estão escutando a conversa.

— Talvez fosse bom caminharmos um pouco — diz em voz baixa. — Aqui neste bar não temos privacidade. Conheço um lugar mais isolado, onde podemos assistir ao pôr do sol, é um lindo espetáculo.

Aquilo era tudo que precisava ouvir no momento; um convite para passear! Para ver o pôr do sol, embora ainda faltasse muito tempo para que o sol se escondesse! Nada de vulgaridades como "vamos subir para o meu quarto porque preciso trocar de sapatos", e "não vai acontecer nada, prometo", mas lá em cima começa com a mesma conversa de que "eu tenho meus contatos, e sei exatamente de quem precisa", enquanto tenta agarrá-la para dar o primeiro beijo.

Honestamente, não se incomodaria de ser beijada por aquela pessoa que parecia encantadora, e sobre a qual não sabia absolutamente nada. Mas a elegância com que a seduzia era algo que não esqueceria tão cedo.

Levantam-se, na saída ele pede que debitem a conta no seu quarto (então, estava hospedado no Martinez!). Ao chegar à Croisette, ele sugere que virem à esquerda.

— É mais isolado. Além do mais, imagino que a vista seja mais bonita, porque o sol desce sobre as colinas que ficarão diante dos nossos olhos.

— Igor, quem é você?

— Boa pergunta — respondeu. — Gostaria também de ter a resposta.

Mais um ponto positivo. Nada de começar a dizer como era rico, inteligente, capaz disso e daquilo. Estava apenas interessado em ver o entardecer com ela, e isso bastava. Caminharam em silêncio até o final da praia, cruzando com todo tipo de gente — de casais mais velhos que pareciam viver em um mundo diferente, completamente alheios ao festival, a jovens que passavam de patins, as roupas justas, os iPods nos ouvidos. De vendedores ambulantes com suas mercadorias expostas em um tapete cujas pontas estavam atadas a cordas, de modo que ao primeiro sinal de fiscais podiam transformar as "vitrines" em bolsas, até um local que parecia ter sido isolado pela polícia, por alguma razão desconhecida — afinal era simplesmente um banco de praça. Nota que seu companheiro olha duas ou três vezes para trás, como se estivesse esperando alguém. Mas não se trata disso — talvez tenha visto um conhecido.

Entram por um píer onde barcos cobrem um pouco a vista da praia, mas terminam encontrando um lugar isolado. Sentam-se em um banco confortável, com apoio para as costas. Estão completamente sozinhos — ninguém vinha até aquele lugar, porque ali não acontece absolutamente nada. Está de ótimo humor.

— Que paisagem! Você sabe por que Deus resolveu descansar no sétimo dia?

Igor não entende a pergunta, mas ela continua:

— Porque no sexto dia, antes que acabasse o trabalho e deixasse um mundo perfeito para o ser humano, um grupo de produtores de Hollywood se aproximou Dele: "Não se preocupe com o resto! Nós nos encarregaremos do pôr do sol em tecnicolor, efeitos especiais para as tempestades, iluminação perfeita, equipamento sonoro que sempre que o homem escutar as ondas vai achar que é o mar de verdade!".

Ri sozinha. O homem ao seu lado adotara um ar mais grave.

— Você me perguntou quem sou eu — disse o homem.

— Não sei quem é, mas sei que conhece bem a cidade. E posso acrescentar; foi uma bênção encontrá-lo. Em um único dia vivi a esperança, o desespero, a solidão e o prazer de ter uma companhia. Muitas emoções juntas.

Ele retira um objeto do bolso — parece um tubo de madeira de menos de quinze centímetros.

— O mundo é perigoso — diz. — Não importa onde você esteja, sempre está arriscado a ser abordado por pessoas que não têm o menor escrúpulo em assaltar, destruir, matar. E ninguém, absolutamente ninguém, aprende a se defender. Estamos todos nas mãos dos mais poderosos.

— Tem razão. Portanto, imagino que este tubo de madeira seja uma maneira de não deixar que façam mal a você.

Ele torce a parte superior do objeto. Com a delicadeza de um mestre que retoca sua obra-prima, retira a tampa: na verdade, não era exatamente uma tampa, mas uma espécie de cabeça no que parecia ser um imenso prego. Os raios do sol refletem na parte metálica.

— Não deixariam você passar em um aeroporto carregando isso na valise — ela riu.

— Claro que não.

Maureen entendeu que estava com um homem cortês, bonito, provavelmente rico, mas também capaz de protegê-la de todos os perigos. Embora não soubesse as estatísticas sobre crimes na cidade, era bom sempre pensar em tudo.

Para isso os homens foram feitos: para pensar em tudo.

— Evidente que, para poder usar isso, tenho que saber exatamente onde é necessário aplicar o golpe. Mesmo sendo feita de aço, é frágil por causa do seu diâmetro, e pequena demais para causar grandes danos. Se não houver precisão, não haverá resultado.

Ele levantou a lâmina e colocou-a na altura da orelha de Maureen. Sua primeira reação foi de medo, logo substituído por excitação.

— Aqui seria um dos lugares ideais, por exemplo. Um pouco acima, e os ossos do crânio protegem o golpe. Um pouco abaixo, a veia do pescoço é atingida, a pessoa pode morrer, mas terá condições de reagir. Se estiver armada, atiraria de volta, já que estou muito perto.

A lâmina desceu lentamente pelo seu corpo. Passou sobre o seu seio, e Maureen entendeu: estava querendo impressioná-la e excitá-la ao mesmo tempo.

— Não pensei que alguém que trabalha em telecomunicações soubesse tanto a respeito. Mas, pelo que me diz, matar com isso é bastante complicado.

Foi a maneira de dizer: "Estou interessada no que está me contando. Você me interessa. Daqui a pouco, por favor, segure minha mão, para que possamos ver o pôr do sol juntos".

A lâmina deslizou pelo seio, mas não parou ali. Mesmo assim, aquilo foi suficiente para deixá-la excitada. Finalmente, parou um pouco debaixo do seu braço.

— Aqui eu estou na altura do seu coração. Em torno dele, existem costelas, uma proteção natural. Se estivéssemos brigando, seria impossível causar qualquer dano com esta pequena arma. Ela com certeza se chocaria com uma das costelas, e, mesmo que penetrasse no corpo, o sangramento provocado pela ferida não seria suficiente para diminuir a força do inimigo. Talvez nem mesmo sentisse o golpe. Mas neste lugar aqui, ela é mortal.

O que estava ela fazendo ali, em um lugar isolado, com um completo estranho, que conversava sobre um assunto tão macabro? Neste momento sentiu uma espécie de choque elétrico que a deixou paralisada — a mão havia empurrado a lâmina para dentro do seu corpo. Pensou que estava sendo asfixiada, queria respirar, mas logo perdeu a consciência.

Igor a abraçou — como fizera com a primeira vítima. Mas desta vez ajeitou seu corpo para que permanecesse sentada. Seu único gesto foi colocar luvas, pegar sua cabeça, e fazer com que pendesse para a frente.

Se alguém resolvesse se aventurar naquele canto da praia, tudo o que veria era uma mulher dormindo — exausta de tanto procurar produtores e distribuidores no festival de cinema.

O rapaz atrás de um velho armazém, que adorava ir ali e ficar escondido, esperando que os casais se aproximassem e trocassem carícias para masturbar-se, agora telefonava como um louco para a polícia. Tinha assistido a tudo. No início achou que era uma brincadeira, mas o homem havia enfiado realmente o estilete na mulher! Devia esperar que os guardas chegassem, antes de sair do seu esconderijo; aquele louco podia voltar a qualquer momento e estaria perdido.

Igor joga a lâmina no mar, e toma o caminho rumo ao hotel. Desta vez, sua própria vítima escolhera a morte. Estava sozinho no terraço do hotel, pensando no que fazer, voltando ao passado, quando ela se aproximara. Não imaginou que aceitaria caminhar com um desconhecido até um canto isolado — mas ela seguira adiante. Teve todas as possibilidades de fugir quando começou a mostrar-lhe os diferentes locais onde um pequeno objeto pode causar um ferimento mortal, e ela continuou ali.

Um carro de polícia passa por ele, usando a pista interditada para o público. Resolve acompanhá-lo com os olhos e, para sua surpresa, nota que entra justamente no píer que ninguém, absolutamente ninguém parece frequentar durante o período do festival. Estivera ali de manhã, e permanecia tão deserto como o havia encontrado na parte da tarde, embora fosse o melhor lugar para assistir a um pôr do sol.

Poucos segundos depois, uma ambulância passa com sua sirene ensurdecedora e suas luzes acesas. Toma o mesmo rumo.

Continua a andar, certo de uma coisa: alguém assistira ao crime. Como iria descrevê-lo? Um homem de cabelos grisalhos, com calça jeans, camisa branca e paletó negro. A possível testemunha faria um retrato falado, e isso iria não apenas demorar algum tempo, como acabaria levando à conclusão de que existiam dezenas, talvez milhares de pessoas parecidas com ele.

Desde que se apresentara ao guarda e fora mandado de volta ao hotel, estava certo de que ninguém seria mais capaz de interromper sua missão. As dúvidas eram outras: será que Ewa merecia os sacrifícios que estava oferecendo ao universo? Chegara à cidade convencido que sim. Agora, algo diferente começava a cruzar sua alma: o espírito da pequena vendedora de artesanato, com suas sobrancelhas grossas e seu sorriso inocente.

"Somos todos parte da centelha divina", ela parecia dizer. "Temos todos um propósito na criação, chamado Amor. Mas isso não deve ser concentrado em apenas uma pessoa — ele está espalhado pelo mundo, esperando ser descoberto. Acorde, desperte para esse amor. O que passou não deve voltar. O que chegar precisa ser reconhecido."

Luta contra essa ideia; só descobrimos que um plano está errado quando vamos até as últimas consequências. Ou quando Deus misericordioso nos guia em outra direção.

Olha para o seu relógio: ainda tem mais doze horas na cidade, tempo suficiente antes de tomar seu avião com a mulher que ama e voltar para...

... para onde? Seu trabalho em Moscou depois de tudo que havia experimentado, sofrido, refletido, planejado? Ou finalmente renascer através de todas as suas vítimas, escolher a liberdade absoluta, descobrir a pessoa que não sabia quem era, e a partir desse momento fazer exatamente as coisas que sonhava fazer quando ainda estava com Ewa?

16h34

Jasmine fica olhando o mar enquanto fuma um cigarro inteiro sem pensar em nada. Nestes momentos sente uma conexão profunda com o infinito, como se não fosse ela quem estivesse ali, mas algo mais poderoso, capaz de coisas extraordinárias.

Lembra-se de um velho conto que lera não sabia mais onde. Nasrudin apareceu na corte com um magnífico turbante, pedindo dinheiro para caridade.

"Você veio me pedir dinheiro, e está usando um ornamento muito caro na cabeça. Quanto custou esta peça maravilhosa?" — perguntou o soberano.

"Foi uma doação de alguém muito rico. E seu preço, pelo que pude apurar, são quinhentas moedas de ouro" — respondeu o sábio sufi.

O ministro sussurrou: "É mentira. Nenhum turbante custa essa fortuna".

Nasrudin insistiu:

"Não vim aqui só para pedir, vim também para negociar. Sei que, em todo o mundo, apenas um soberano seria capaz de comprá-lo por seiscentas moedas, para que eu pudesse dar o lucro aos pobres, e assim aumentar a doação que precisa ser feita."

O sultão, lisonjeado, pagou o que Nasrudin pedia. Na saída, o sábio comenta com o ministro:

"Você pode conhecer muito bem o valor de um turbante, mas sou eu quem conhece até onde a vaidade pode levar um homem."

Era essa a realidade em torno de si. Não tinha nada contra a sua profissão, não julgava as pessoas pelos seus desejos, mas estava consciente do que é realmente importante na vida. E gostaria de permanecer com os pés na terra, embora as tentações estivessem por todos os cantos.

Alguém abre a porta, diz que falta apenas meia hora para entrarem na passarela. Aquilo que geralmente era a pior parte do dia, o longo período de tédio que precede o momento do desfile, está chegando ao final. As moças deixavam seus iPods e telefones celulares de lado, os maquiadores retocam os detalhes, os cabeleireiros refazem as mechas que haviam saído de lugar.

Jasmine senta-se diante do espelho do camarim e deixa que as pessoas façam seu trabalho.

— Não fique nervosa só porque é Cannes — diz a maquiadora.

— Não estou nervosa.

Por que haveria de estar? Ao contrário, cada vez que pisava a passarela sentia uma espécie de êxtase, a famosa injeção de adrenalina na veia. A maquiadora parece disposta a conversar, comenta sobre as rugas das celebridades que passaram por suas mãos, promove um novo creme, diz que está cansada de tudo aquilo, pergunta se tem algum convite extra para uma festa. Jasmine ouve tudo com infinita paciência, porque seu pensamento está nas ruas de Antuérpia, no dia em que decidira procurar os fotógrafos.

Passara por uma pequena dificuldade, mas tudo dera certo no final.

Assim seria hoje. Assim fora então, quando — junto com a mãe, que queria ver a filha recuperar-se rapidamente da sua depressão e terminara aceitando acompanhá-la — tocou a campainha do fotógrafo que a havia abordado na rua. A porta abria para uma pequena sala, com uma mesa transparente coberta de negativos de fotos, outra mesa com um computador, e uma espécie de prancheta de arquiteto cheia de papéis. O fotógrafo estava acompanhado de uma senhora de aproximadamente quarenta anos, que a olhou de alto a baixo e sorriu. Apresentou-se como coordenadora de eventos, e os quatro sentaram-se.

— Eu tenho certeza de que sua filha tem um grande futuro como modelo — disse a mulher.

— Estou aqui apenas para acompanhá-la — respondeu a mãe. — Se tiver qualquer coisa a dizer, dirija-se diretamente a ela.

A mulher levou alguns segundos para recuperar-se. Pegou uma ficha, começou a anotar detalhes e medidas, enquanto comentava:

— Evidente que Cristina não é um bom nome. Muito comum. A primeira coisa de que precisamos é mudar isso.

"Cristina não era um bom nome por outras razões", pensava ela. Porque pertencia a uma moça que ficara inválida no dia em que testemunhara um assassinato, e morrera quando negou o que os seus olhos teimavam em esquecer. Quando resolveu mudar tudo, começou pela maneira com que sempre lhe chamavam desde criança. Precisava mudar tudo, absolutamente tudo. Portanto, tinha a resposta na ponta da língua:

— Jasmine Tiger. Doçura de uma flor, perigo de um animal selvagem.

A mulher pareceu gostar.

— A carreira de modelo não é fácil, e você tem sorte de ter sido escolhida para dar um primeiro passo. Claro, é necessário acertar muitos pontos, mas estamos aqui justamente para ajudá-la a chegar aonde deseja. Faremos suas fotos e enviaremos para as agências especializadas. Você precisará também de um *composite*.

Ficou esperando que Cristina perguntasse: "O que é um *composite*?". Mas não houve pergunta. De novo, a mulher se recompôs rapidamente.

— *Composite*, como imagino que você deve saber, é uma folha em papel especial, com sua melhor foto e suas medidas de um lado. Atrás, mais fotos — em diversas situações. De biquíni, de estudante, eventualmente uma apenas mostrando o rosto, outra com um pouco mais de maquiagem, para que possa também ser selecionada no caso de desejarem alguém que pareça mais velho. Seus seios...

Outro momento de silêncio.

— ... seus seios talvez sejam um pouco além das medidas convencionais de uma modelo.

Virou-se para o fotógrafo:

— Precisaremos disfarçar isso. Tome nota.

O fotógrafo tomou nota. Cristina — agora rapidamente transformando-se em Jasmine Tiger — pensava: "Mas na hora de me chamarem, eles vão descobrir que tenho seios maiores do que imaginam!".

A mulher pegou uma linda pasta de couro e tirou uma espécie de lista.

— Precisaremos chamar um maquiador. Um cabeleireiro. Você não tem a menor experiência em passarela, não é verdade?

— Nenhuma.

— Pois ali não se caminha como se anda na rua. Se fizer isso, terminará caindo por causa da velocidade e dos saltos altos. Os pés devem ser colocados um diante do outro, como um gato. Não sorria jamais. E, sobretudo, a postura é fundamental.

Ela fez três marcas ao lado da lista no papel.

— Será necessário alugar algumas roupas.

Mais uma marca.

— Mas penso que no momento isso é tudo.

Levou de novo a mão à bolsa elegante e retirou uma calculadora. Pegou a lista, anotou alguns números, somou-os. Ninguém na sala ousava pronunciar uma palavra.

— Em torno de dois mil euros, eu acho. Não vamos contar as fotos, porque Yasser — ela virou-se para o fotógrafo — é caríssimo, mas resolveu fazer de graça, desde que você permita que use o material. Podemos convocar o maquiador e o cabeleireiro para amanhã de manhã, e eu vou entrar em contato com o curso, para ver se arranjo uma vaga. Com certeza irei conseguir. Da mesma maneira estou certa que você, ao investir em si mesma, está criando novas possibilidades para o seu futuro, e em breve esta despesa será coberta.

— A senhora está dizendo que eu devo pagar?

De novo a "coordenadora de eventos" pareceu desconcertada. Geralmente, as moças que chegavam ali deviam estar loucas para realizar o sonho de toda uma geração; querem ser as mulheres mais desejadas do planeta, e jamais fazem perguntas indelicadas, que podem deixar os outros constrangidos.

— Escute, querida Cristina...

— Jasmine. A partir do momento que eu cruzei aquela porta, me transformei em Jasmine.

O telefone tocou. O fotógrafo tirou-o do bolso e dirigiu-se para o fundo da sala, até então completamente às escuras. Quando abriu uma das cortinas, Jasmine pôde ver uma parede coberta de negro, tripés com flashes, caixas com luzes que brilhavam e vários focos de luz no teto.

— Escute, querida Jasmine, há milhares, milhões de pessoas que gostariam de estar em sua posição. Você foi selecionada por um dos mais importantes fotógrafos da cidade, terá os melhores profissionais para ajudá-la, e eu me ocuparei pessoalmente de dirigir sua carreira. Entretanto, como qualquer outra coisa na vida, é necessário acreditar que pode vencer, e investir para que isso aconteça. Sei que é bela o suficiente para ter muito sucesso, mas isso não basta nesse mundo extremamente competitivo. É preciso também ser a melhor, e isso custa dinheiro, pelo menos no início.

— Mas se você acha que eu tenho todas essas qualidades, por que não investe o seu dinheiro?

— Farei isso mais adiante. No momento, precisamos ver qual o seu grau de comprometimento. Quero ter certeza de que deseja realmente ser uma profissional, ou se é mais uma menina deslumbrada com a possibilidade de viajar, conhecer o mundo, encontrar um marido rico.

O tom da mulher agora era severo. O fotógrafo voltou do estúdio.

— É o maquiador ao telefone. Quer saber a que horas deve chegar amanhã.

— Se isso realmente for necessário, eu consigo arranjar a quantia... — disse a mãe.

Mas Jasmine já estava se levantando, e andava direto para a porta, sem apertar a mão dos dois.

— Muito obrigada. Não tenho esse dinheiro. E, mesmo que tivesse, usaria em outra coisa.

— Mas é o seu futuro!

— Justamente. É o meu futuro, e não o seu.

Saiu aos prantos. Primeiro tinha ido a uma boutique de luxo e não apenas haviam lhe tratado mal, como insinuaram que mentira ao dizer que conhecia o dono. Agora imaginava que iria começar uma nova vida, descobrira um nome perfeito para si mesma, e precisava de dois mil euros para dar o primeiro passo!

Mãe e filha voltaram para casa, sem trocar uma palavra. O telefone tocou várias vezes; ela olhava o número, e tornava a guardá-lo no bolso.

— Por que não atende? Não temos um outro encontro esta tarde?

— Pois trata-se exatamente disso. Não temos dois mil euros.

A mãe segurou-a pelos ombros. Sabia o estado frágil da filha, e precisava fazer alguma coisa.

— Sim, nós temos. Eu trabalho todos os dias desde que seu pai morreu, e nós temos dois mil euros. Temos mais, se for necessário. Uma faxineira aqui na Europa ganha bem, porque ninguém gosta de estar limpando a sujeira dos outros. E estamos falando do seu futuro. Não vamos voltar para casa.

O telefone tocou mais uma vez. Jasmine voltara a ser Cristina, e obedeceu ao que sua mãe exigia. Do outro lado da linha a mulher identificou-se, disse que estaria duas horas atrasada por causa de outro compromisso, e pedia desculpas.

— Não tem importância — respondeu Cristina. — Mas, antes que a senhora perca o seu tempo, gostaria de saber quanto vai custar o trabalho.

— Quanto vai custar?

— Sim. Acabo de vir de um outro encontro, e me cobraram dois mil euros pelas fotos, maquiagem...

A mulher do outro lado da linha riu.

— Não vai custar nada. Conheço o truque, e falamos sobre isso quando você chegar aqui.

O estúdio era parecido, mas a conversa foi diferente. A fotógrafa queria saber por que seu olhar parecia mais triste agora — pelo visto ainda se lembrava do primeiro encontro. Cristina comentou o que acontecera naquela manhã; a mulher explicou que era algo absolutamente normal, embora hoje em dia estivesse mais controlado pelas autoridades. Naquele exato momento, em muitos lugares do mundo, moças relativamente bonitas estavam sendo convidadas a mostrar "o potencial" de sua beleza, pagando caro para isso. Sob o pretexto de procurar novos talentos, alugavam quartos de hotéis de luxo, colocavam aparelhos de fotografia, prometiam pelo menos um desfile durante o ano, ou "o dinheiro de volta", cobravam uma fortuna pelos retratos, chamavam profissionais falidos para atuar como maquiadores e cabeleireiros, sugeriam escolas de modelo, e muitas vezes desapareciam sem deixar rastros. Cristina tivera a sorte de ir até um estúdio de verdade, mas fora inteligente o bastante para recusar a oferta.

— É parte da vaidade humana, e não existe nada de errado nisso — desde que você saiba se defender, claro. Acontece não apenas na moda, mas em muitas outras áreas: escritores que publicam seus próprios trabalhos, pintores que patrocinam suas exposições, cineastas que se endividam para disputar um lugar ao sol com os grandes estúdios, meninas de sua idade que largam tudo e vão trabalhar como garçonetes em grandes cidades, na esperança de que algum dia um produtor descubra seu talento e as convide para o estrelato.

Não, não ia fazer as fotos agora. Precisava conhecê-la melhor, porque apertar o botão da máquina é a última coisa em um longo processo, que começa por desvendar a alma da pessoa. Marcaram um encontro no dia seguinte, conversaram mais.

— Você precisa escolher um nome.
— Jasmine Tiger.
Sim, o desejo havia voltado.

A fotógrafa a convidou para um fim de semana em uma praia na fronteira da Holanda, e ali passaram mais de oito horas por dia fazendo todos os tipos de experiência diante das lentes da câmera.

Era preciso expressar com o rosto as emoções que certas palavras despertavam: "fogo!" ou "sedução!" ou "água!". Mostrar o lado bom e o lado ruim da própria alma. Olhar para a frente, para o lado, para baixo, para o infinito. Imaginar gaivotas e demônios. Sentir-se atacada por homens mais velhos, abandonada em um banheiro de bar, violentada por um ou mais homens, pecadora e santa, perversa e inocente.

Fizeram fotos ao ar livre — seu corpo parecia congelar de frio, mas ela era capaz de reagir a cada estímulo, obedecer a cada sugestão. Usaram um pequeno estúdio que havia sido montado em um dos quartos, onde diferentes músicas eram tocadas, e a iluminação modificada a cada instante. Jasmine se maquiava, a fotógrafa cuidava de arranjar seu cabelo.

— Estou bem? Por que está gastando seu tempo comigo?
— Conversamos mais tarde.

A mulher passava as noites olhando o trabalho, refletindo, anotando coisas. Nunca dizia se estava contente ou decepcionada com os resultados.

Só na segunda-feira de manhã, Jasmine (Cristina estava definitivamente morta àquela altura) escutou uma opinião. Estavam na estação de trem de Bruxelas, aguardando a conexão para Antuérpia:

— Você é a melhor.
— Não é verdade. — A mulher a olhou espantada.
— Sim, você é a melhor. Trabalho nesta área há vinte anos, já fotografei uma infinidade de pessoas, trabalhei com modelos profissionais e artistas de cinema. Gente com experiência; mas nenhum, absolutamente nenhum mostrou sua capacidade de expressar sentimentos como você o fez.

"Sabe como isso se chama? Talento. Para certas categorias de profissionais, é fácil medi-lo: diretores que são capazes de pegar uma empresa à beira da falência e torná-la lucrativa. Esportistas que quebram recordes. Artistas que foram capazes de sobreviver no mínimo duas gerações através de suas obras. Mas para uma modelo, como eu posso dizer e garantir isso? Porque sou uma profissional. Você conseguiu mostrar seus anjos e demônios através da lente de uma câmera, e isso não é fácil. Não estou falando de jovens que gostam de se vestir de vampiros e frequentar as festas góticas. Não estou falando de moças que fazem um ar inocente e procuram despertar a pedofilia escondida nos homens. Estou falando de verdadeiros demônios, e de verdadeiros anjos."

As pessoas andavam de um lado para o outro na estação. Jasmine olhou o horário do trem, sugeriu que fossem até o lado de fora — estava louca para fumar um cigarro e ali era proibido. Pensava se devia ou não dizer o que lhe passava pela alma naquele momento.

— Pode ser que eu tenha talento, mas, se esse for o caso, eu só consegui demonstrá-lo por uma única razão. Por sinal, durante os dias que passamos juntos, você quase não falou de sua vida privada, e tampouco perguntou sobre a minha. Quer que ajude com a bagagem? Fotografia devia ser uma profissão masculina: sempre há muito equipamento para transportar.

A mulher riu.

— Não tenho nada de especial para dizer, exceto que adoro meu trabalho. Chego aos trinta e oito anos divorciada, sem filhos, com uma série de contatos que me permitem viver confortavelmente, mas sem grandes luxos. Por sinal, gostaria de acrescentar algo ao que disse: caso tudo corra certo, você jamais, JAMAIS irá se comportar como uma pessoa que depende de sua profissão para sobreviver, mesmo que seja o caso.

"Se não seguir meu conselho, será facilmente manipulada pelo sistema. Claro que usarei suas fotos, e ganharei dinheiro com elas. Mas, a partir de agora, sugiro que contrate uma agente profissional."

Acendeu outro cigarro; era agora ou nunca.

— Sabe por que consegui mostrar meu talento? Por causa de algo que jamais imaginei que fosse acontecer em minha vida: apaixonar-me por uma mulher. Que desejaria ter ao meu lado, guiando-me através dos passos que precisarei dar. Uma mulher que, com sua doçura e seu rigor, conseguiu invadir minha alma soltando o que havia de pior e de melhor nos subterrâneos do espírito. Não fez isso através de longas aulas de meditação, ou com técnicas de psicanálise — como minha mãe desejaria e insistia que fosse. Usou...

Deu uma pausa. Estava com medo, mas precisava continuar: não tinha absolutamente mais nada a perder.

— Usou uma máquina fotográfica.

O tempo na estação de trem ficou em suspenso. As pessoas não caminhavam mais, os ruídos desapareceram, o vento já não soprava mais, a fumaça do cigarro congelou-se no ar, todas as luzes se apagaram — exceto as de dois pares de olhos que brilhavam mais que nunca, fixos um no outro.

— Está pronto — diz a maquiadora.

Jasmine levanta-se e olha sua companheira, caminhando sem parar através do salão improvisado em camarim, acertando os detalhes, conferindo os acessórios. Deve estar nervosa, afinal é seu primeiro desfile em Cannes, e, dependendo dos resultados, pode conseguir um bom contrato com o governo belga.

Tem vontade de ir até ela e acalmá-la. Dizer que tudo ia correr bem como havia corrido até então. Escutaria um comentário do tipo: "Você tem apenas dezenove anos, o que sabe da vida?".

Responderia: conheço sua capacidade, da mesma maneira que você conhece a minha. Conheço a relação que mudou nossa vida desde o dia em que, há três anos, você levantou a mão e tocou suavemente o meu rosto naquela estação de trem.

Nós duas estávamos assustadas, lembra? Mas sobrevivemos ao nosso próprio medo. Graças a isso eu estou aqui e você, além de ser uma excelente fotógrafa, está envolvida naquilo que sempre sonhou fazer: desenhar e produzir roupas.

Sabe que tal comentário não é uma boa ideia: pedir para que alguém se acalme faz com que a pessoa fique mais nervosa ainda.

Vai até a janela e acende outro cigarro. Está fumando muito, mas fazer o quê? É seu primeiro grande desfile na França.

16h43

Uma moça de tailleur preto e blusa branca está na porta. Pergunta seu nome, confere na lista, e pede para que aguarde um pouco: a suíte estava cheia. Dois homens e uma outra mulher, talvez mais jovem que ela, também estão esperando.

Todos comportados, em silêncio, aguardando sua vez. Quanto tempo vai demorar? O que está exatamente fazendo ali?

Pergunta a si mesma, e escuta duas respostas.

A primeira lembra que deve continuar adiante. Gabriela, a otimista, a que tinha perseverado o bastante para chegar até o estrelato e agora precisa pensar na grande estreia, nos convites, nas viagens em avião privado, nos anúncios espalhados pelas capitais do mundo, nos fotógrafos em plantão permanente na frente da sua casa, interessados na maneira como se veste, em que boutiques faz suas compras, quem é o homem ruivo e musculoso que foi visto ao seu lado em uma boate da moda. A volta vitoriosa até a cidade onde nasceu, os amigos com olhar de inveja e espanto, os projetos de caridade que pretende apoiar.

A segunda lembra que Gabriela, a otimista, a que tinha perseverado o bastante para chegar até o estrelato, está agora caminhando no fio de uma navalha, de onde é fácil escorregar para um dos dois lados e cair no abismo. Porque Hamid Hussein nem sequer sabia de sua existência, jamais a tinham visto maquiada e pronta para uma festa, o vestido talvez não fosse do seu tamanho, precisaria de ajustes e isso faria com que chegasse tarde ao encontro no Martinez. Já tinha vinte e cinco anos de idade, era possível que neste momento outra candidata estivesse no iate, podiam ter mudado de ideia, ou talvez fosse essa mesma a intenção: conversar com duas ou três pretendentes, e ver qual delas era capaz de sobressair na multidão. As três seriam convidadas para a festa, sem que uma soubesse da existência da outra.

Paranoia.

Não, não era paranoia, apenas realidade. Além do mais, embora Gibson e a Celebridade só aceitassem projetos importantes, mesmo assim não havia sucesso garantido. E se algo acontecesse de errado, a culpa seria exclusivamente dela. O fantasma do Chapeleiro Louco em *Alice no País das Maravilhas* ainda continua presente. Não tinha o talento que imaginava, é apenas uma pessoa esforçada. Não foi abençoada com a sorte de outros — até o momento nada de importante acontecera em sua vida, apesar de lutar dia e noite, noite e dia. Desde o momento em que chegara a Cannes não havia descansado: distribuíra seus books — que haviam custado caríssimo — para várias companhias encarregadas de selecionar elencos, e apenas um teste fora confirmado. Se fosse realmente alguém especial, a esta altura podia estar escolhendo que papel aceitar. Estava sonhando alto demais, em breve iria sentir o gosto da derrota, e ele seria muito mais amargo, já que quase chegara lá, seus pés tocaram a margem do oceano da fama... e não tinha conseguido.

"Estou atraindo más vibrações. Sei que elas estão aqui. Preciso me controlar."

Não pode fazer ioga diante daquela mulher de tailleur e das três pessoas que esperam em silêncio. Precisa afastar os pensamentos negativos, mas de onde eles estão vindo? Segundo os entendidos — afinal, lera muito sobre o assunto em uma época que achava que não conseguia nada por causa da inveja alheia —, com toda certeza uma atriz que fora rejeitada estava neste momento concentrando toda a sua energia para tornar a conseguir o papel. Sim, podia sentir isso, ERA A VERDADE! A única saída agora era deixar que sua mente abandonasse aquele corredor e fosse em busca do seu Eu Superior, que está conectado com todas as forças do Universo.

Respira fundo, sorri, e diz para si mesma:

"Neste momento, estou espalhando a energia do amor à minha volta, ela é mais poderosa que as forças das sombras, o Deus que habita em mim saúda o Deus que habita em todos os habitantes do planeta, mesmo aqueles que..."

Escuta uma gargalhada. A porta da suíte se abre, um grupo de jovens de ambos os sexos, sorridentes, alegres, acompanhados de duas celebridades femininas, saem e vão direto para o elevador. Os dois homens e a mulher entram, recolhem as dezenas de sacolas que foram deixadas do lado da porta, e se juntam ao grupo que os espera. Pelo visto, deviam ser assistentes, motoristas, secretários.

— É a sua vez — disse a moça de tailleur.

"A meditação não falha nunca."

Sorri para a recepcionista, e quase perde o fôlego: o interior do apartamento parece uma caverna de tesouros: óculos de todos os tipos, cabides de roupas, malas de diversos modelos, joias, produtos de beleza, relógios, sapatos, meias, aparelhos eletrônicos. Uma senhora loura, também com uma lista na mão e um celular pendurado no pescoço, vem ao seu encontro. Confere seu nome e pede que a siga.

— Não temos muito tempo a perder. Vamos direto ao que interessa.

Começaram a caminhar para um dos quartos, e Gabriela vê mais tesouros — luxo, glamour, coisas que sempre contemplou em vitrines, mas de que jamais teve oportunidade de chegar tão perto — exceto quando estavam sendo usadas por outras pessoas.

Sim, tudo aquilo a está esperando. Precisa ser rápida, e decidir exatamente o que vai usar.

— Posso começar pelas joias?

— Não vai escolher nada. Já sabemos o que HH deseja. E terá que nos devolver o vestido amanhã de manhã.

HH. Hamid Hussein. Sabem o que ele deseja para ela!

Atravessam o quarto; em cima da cama e nos móveis em volta estão mais produtos: camisetas, pilhas de especiarias e temperos, um painel de uma conhecida marca de máquinas de café tendo ao seu lado várias delas embrulhadas para presente. Entram por um corredor, e finalmente abrem-se as portas de um salão maior. Jamais imaginou que hotéis tinham suítes tão gigantescas.

— Chegamos ao templo.

Um elegante painel horizontal branco, com o logotipo da famosa marca de alta-costura, está colocado em cima de um imenso leito de casal. Uma criatura andrógina — que Gabriela não sabe dizer se é homem ou mulher — os espera em silêncio. Extremamente magra, cabelos longos completamente sem cor, sobrancelhas raspadas, anéis nos dedos, correntes saindo da calça apertada no corpo.

— Dispa-se.

Gabriela tira a blusa e a calça jeans, ainda tentando adivinhar o sexo da outra pessoa presente, que neste momento foi para um dos grandes cabides horizontais e retirou um vestido vermelho.

— Tire também o sutiã. Ele deixa marcas no modelo.

Existe um grande espelho no quarto, mas está virado em outra direção, e não lhe permite ver como o vestido cai em seu corpo.

— Precisamos andar rápido. Hamid disse que, além da festa, ela precisa subir os degraus.

SUBIR OS DEGRAUS!

A expressão mágica!

O vestido não ficou bem. A mulher e o andrógino começam a ficar nervosos. A mulher pede que traga duas, três opções diferentes, porque ela irá subir os degraus com a Celebridade, que a esta altura já está pronta.

"Subir os degraus" com a Celebridade! Será que estava sonhando?

Decidem por um vestido longo, dourado, grudado ao corpo, com um grande decote até a cintura. Em cima, na altura dos seios, uma corrente de ouro faz com que a abertura não vá além do que a imaginação humana pode suportar.

A mulher está nervosa. O andrógino tornou a sair e volta com uma costureira, que dá os retoques necessários na bainha. Se pudesse dizer qualquer coisa naquele minuto, seria para que parassem de fazer isso: costurar uma roupa no corpo significa que seu destino está também sendo costurado e interrompido. Mas isso não é hora para superstições — e muitas atrizes famosas devem enfrentar o mesmo tipo de situação todos os dias, sem que nada de ruim lhes aconteça.

Chega uma terceira pessoa com uma mala imensa. Vai até um canto do gigantesco quarto e começa a desmontá-la; é uma espécie de estúdio portátil de maquiagem, incluindo um espelho cercado de luzes. O andrógino está diante dela, ajoelhado como uma Madalena arrependida, experimentando sapato atrás de sapato.

Cinderela! Que daqui a pouco vai se encontrar com o Príncipe Encantado, e "subir os degraus" com ele!

— Este está bom — diz a mulher.

O andrógino começa a colocar os outros sapatos de volta em suas caixas.

— Dispa-se de novo. Terminaremos os retoques do vestido enquanto preparam seu cabelo e maquiagem.

Que bom, as costuras no corpo terminaram. Seu destino está aberto de novo.

Vestida apenas de calcinha, é conduzida até o banheiro. Ali, um kit portátil de lavar e secar cabelos já está instalado, um homem de cabeça raspada a espera, pede que se sente e coloque sua cabeça para trás, em uma espécie de bacia de aço. Usa um chuveiro manual adaptado à torneira da pia para lavar os seus cabelos, e como todos os outros ali parece estar à beira de um ataque de nervos. Reclama do ruído lá fora; precisa de um lugar tranquilo para poder trabalhar direito, mas ninguém lhe dá ouvidos. Além do mais, jamais tem tempo suficiente para fazer o que deseja — tudo é sempre em cima da hora.

— Ninguém consegue entender a gigantesca responsabilidade que pesa sobre meus ombros.

Não está falando para ela, mas para si mesmo. Continua:

— Quando você sobe os degraus, você acha que estão vendo você? Não, estão vendo meu trabalho. MINHA maquiagem. MEU estilo de cabelo. Você é apenas uma tela onde eu pinto, desenho, faço minhas esculturas. Se estiver errado, o que os outros vão dizer? Posso perder o emprego, sabia?

Gabriela sente-se ofendida, mas precisa acostumar-se com aquilo. É assim o mundo do glamour e do brilho. Mais tarde, quando for realmente alguém, irá escolher pessoas bem-educadas e gentis para trabalhar com ela. No momento, volta a concentrar-se em sua maior virtude: paciência.

A conversa é interrompida pelo barulho do secador de cabelos, semelhante ao de um avião decolando. Por que reclama do ruído lá fora?

Enxuga os cabelos com alguma violência, e pede que caminhe rápido para o estúdio de maquiagem portátil. Ali, o humor do homem muda por completo: fica em silêncio, contempla a figura no espelho, parece estar em outro mundo. Caminha de um lado para o outro usando o secador e a escova da mesma maneira que Michelangelo usava o martelo e o cinzel para trabalhar a escultura de David. E ela procura manter os olhos fixos adiante, e lembra-se dos versos de um poeta português:

"*O espelho reflete certo; não erra porque não pensa. Pensar é essencialmente errar.*"

O andrógino e a mulher voltam, faltam apenas vinte minutos para que a limusine chegue e a leve até o Martinez, onde deve encontrar-se com a Celebridade. Não existe local para estacionar ali, devem estar pontualmente na hora. O cabeleireiro murmura alguma coisa, como se fosse um artista incompreendido pelos seus senhores, mas sabe que tem que cumprir os horários. Começa a trabalhar em seu rosto como Michelangelo pintando os murais da Capela Sistina.

Limusine! Subir os degraus! Celebridade!

"*O espelho reflete certo; não erra porque não pensa.*"

Não pense, ou irá deixar-se contagiar pelo estresse e pelo mau humor reinante: as vibrações negativas podem voltar. Adoraria perguntar o que é aquela suíte cheia de coisas tão diferentes, mas deve comportar-se como se estivesse acostumada a frequentar lugares como aquele. Michelangelo dá os últimos retoques sob o ar severo da mulher e o olhar distante do andrógino. Levanta-se, é rapidamente vestida, calçada, tudo está em seu lugar, graças a Deus.

Pegam em algum lugar do salão uma pequena bolsa de couro Hamid Hussein. O andrógino abre, tira um pouco de papel que está ali dentro para fazer com que conserve sua forma, olha o resultado com o mesmo ar distante de sempre, mas parece aprovar o volume e entrega-lhe.

A mulher lhe dá quatro cópias de um gigantesco contrato, com pequenos marcadores vermelhos colados nas margens, onde está escrito: "Assine aqui".

— Ou assina sem ler, ou leve para casa, ou telefone para o seu advogado, diga que precisa de mais tempo para tomar uma decisão. Você irá subir os degraus de qualquer jeito, porque já não há nada que possamos fazer. Entretanto, se este contrato não estiver aqui amanhã de manhã, basta devolver o vestido.

Lembra-se da mensagem enviada pela agente: aceite qualquer coisa. Gabriela pega a caneta que lhe é estendida, vai até as páginas onde estão os marcadores, assina tudo rapidamente. Não tem nada, absolutamente nada a perder. Se as cláusulas não forem justas, com certeza poderá acioná-los na Justiça, dizendo que foi pressionada a fazer aquilo: mas antes precisa fazer o que sempre sonhou.

A mulher recolhe as cópias e desaparece sem se despedir. O Michelangelo está de novo desmontando a mesa de maquiagem, imerso em seu mundo onde a injustiça é a única lei, seu trabalho nunca é reconhecido, não tem tempo para fazer aquilo de que gostaria, e se alguma coisa der errado a culpa é exclusivamente dele. O andrógino pede que o siga até a porta da suíte, consulta o seu relógio — onde Gabriela pode ver o símbolo de uma caveira no mostrador — e fala pela primeira vez desde que se conheceram.

— Faltam ainda três minutos. Não pode descer assim e ficar exposta ao olhar dos outros. E eu devo acompanhá-la até a limusine.

A tensão volta: já não está mais pensando em limusine, celebridade, subir os degraus — está com medo. Precisa conversar.

— O que é essa suíte? Por que tem tantos objetos diferentes?

— Inclusive um safári para o Quênia — diz o andrógino, apontando para um canto. Ela não havia notado uma faixa discreta de uma companhia de aviação, com alguns envelopes em cima de uma mesa. — Gratuito, como tudo o mais aqui, exceto as roupas e acessórios do Templo.

Máquinas de café, aparelhos eletrônicos, vestidos, bolsas, relógios, bijuterias, safári para o Quênia.

Tudo absolutamente grátis?

— Sei o que está pensando — diz o andrógino, com sua voz que não é nem de homem nem de mulher, mas de um ser interplanetário. — Sim, gratuito. Melhor dizendo, uma troca honesta, já que não existe nada grátis neste mundo. Este é um dos muitos "Quartos de Presentes" espalhados por Cannes durante a época do Festival. Os eleitos entram aqui e escolhem o que desejam; são pessoas que vão circular por aí usando a blusa de A, os óculos de B, receberão outras pessoas importantes nas suas casas e, no final da festa, irão até a cozinha preparar um café em um novo modelo de máquina. Transportarão seus computadores em bolsas feitas por C, terminarão por recomendar os cremes de D, que estão sendo lançados agora no mercado, e se sentirão importantes fazendo isso — porque possuem algo exclusivo, que ainda não chegou às lojas especializadas. Irão para a piscina com a bijuteria de E, serão fotografados com o cinto de F — nenhum desses produtos está ainda no mercado. Quando chegarem ao mercado, a Superclasse já fez a propaganda necessária — não exatamente porque gostam, mas pela simples razão que ninguém mais tem acesso àquilo. Neste momento, os pobres mortais gastarão todas as suas economias para comprar esses produtos. Nada mais simples, minha querida. Os produtores investem em algumas amostras, e os eleitos se transformam em cartazes ambulantes.

"Mas não se anime; você ainda não chegou lá."

— E o que o safári para o Quênia tem a ver com tudo isso?

— Você quer melhor propaganda que um casal de meia-idade chegando entusiasmado de sua "aventura na selva", as câmeras cheias de fotos, recomendando a todos esse passeio exclusivo? Todos os seus amigos vão querer experimentar a mesma coisa. Repito: não existe absolutamente nada grátis neste mundo. Por sinal, os três minutos passaram, é hora de descer e preparar-se para subir os degraus.

Um Maybach branco os espera. O chofer, de luvas e quepe, abre a porta. O andrógino dá as últimas instruções:

— Esqueça o filme, não é por causa disso que você está subindo os degraus. Quando chegar lá em cima, cumprimente o diretor do Festival, o prefeito, e, logo depois de entrar no Palácio do Congresso, caminhe em direção ao banheiro que fica no primeiro andar. Vá até o final desse corredor, vire à esquerda e saia por uma porta lateral. Alguém a estará esperando ali; sabem como está vestida, e a levarão para uma nova sessão de maquiagem, penteado, um momento de repouso no terraço. Eu a encontro ali, e a acompanharei até o jantar de gala.

— Mas o diretor e os produtores não vão ficar aborrecidos?

O andrógino fez um sinal com os ombros e voltou para o hotel com seus passos cadenciados e estranhos. O filme? O filme não tinha a menor importância. O importante mesmo era:

SUBIR OS DEGRAUS!

Ou seja, a expressão local para designar o tapete vermelho, o supremo corredor da fama, o lugar onde todas as celebridades do mundo do cinema, das artes, do grande luxo eram fotografadas, e o material distribuído por agências para os quatro cantos do mundo, publicado em revistas que iam da América ao Oriente, do Norte ao Sul do planeta.

— O ar-condicionado está bom, madame?

Ela faz um sinal positivo com a cabeça para o chofer.

— Se desejar algo, há uma garrafa de champanhe gelada no console à sua esquerda.

Gabriela abre o console, pega uma taça de cristal, estende os braços para bem distante do seu vestido, escuta o barulho da rolha desprendendo-se da garrafa, serve uma taça que bebe imediatamente, torna a enchê-la e bebe outra vez. Do lado de fora, cabeças curiosas tentavam ver quem estava dentro do imenso carro com vidros fumê, andando pela pista especial. Em breve, ela e a Celebridade estariam ali, juntos, o início não apenas de uma nova carreira, mas de uma incrível, bela, intensa história de amor.

É uma mulher romântica e se orgulha disso.

Lembra-se de que deixara a roupa e a bolsa no "Quarto dos Presentes". Não tinha a chave do apartamento em que estava hospedada. Não tinha para onde ir quando a noite acabasse. Aliás, se algum dia escrevesse um livro sobre sua vida, seria incapaz de contar a história daquele dia: acordando de ressaca em um apartamento com roupas e colchonetes espalhados pelo chão, desempregada, de mau humor — e seis horas depois em uma limusine, pronta para caminhar pelo tapete vermelho diante de uma multidão de jornalistas, ao lado de um dos homens mais desejados do mundo.

Suas mãos tremem. Pensa em beber mais uma taça de champanhe, mas resolve não correr o risco de aparecer embriagada nos degraus da fama.

"Relaxe, Gabriela. Não esqueça quem você é. Não se deixe levar por tudo que está acontecendo agora — seja realista."

Repete sem cessar estas frases à medida que se aproximam do Martinez. Mas, querendo ou não, jamais poderia voltar a ser quem era antes. Não havia uma porta de saída — exceto aquela que o andrógino indicou, e que leva para uma montanha mais alta ainda.

16h52

Até mesmo o Rei dos Reis, Jesus Cristo, precisou passar pela prova diante da qual Igor agora se encontra: a sedução do demônio. E ele precisa agarrar-se com unhas e dentes à sua fé para que consiga não fraquejar na missão que lhe foi concedida.

O demônio está pedindo que pare, que perdoe, que deixe tudo aquilo de lado. O demônio é um profissional de primeiríssima qualidade, e assusta os fracos com sentimentos de medo, preocupações, impotência, desespero.

No caso dos fortes, as tentações são muito mais sofisticadas: boas intenções. Foi isso que ele fez com Jesus quando o encontrou no deserto: sugerir que transformasse as pedras em alimento. Assim, não apenas poderia saciar sua fome, mas também a de todos aqueles que imploravam algo para comer. Jesus, entretanto, agiu com a sabedoria que era de esperar do Filho de Deus. Respondeu que nem só de pão vive o homem, mas também de tudo aquilo que vem do Espírito.

Boas intenções, virtude, integridade, o que é exatamente isso? Pessoas que se diziam íntegras porque obedeciam a seu governo terminaram construindo os campos de concentração na Alemanha. Médicos que estavam convencidos de que o comunismo era um sistema justo deram atestado de insanidade e exilaram na Sibéria todos os intelectuais que eram contra o regime. Soldados vão para a guerra matar em nome de um ideal que não conhecem direito, cheios de boas intenções, virtude, integridade.

Não é nada disso. O pecado para o bem é uma virtude, a virtude para o mal é um pecado.

Em seu caso, o perdão é a maneira que o Maligno encontrou para deixar sua alma em conflito. Diz: "Você não é o único que passa por isso. Muita gente já foi abandonada pela pessoa que mais amou, e mesmo assim conseguiu transformar amargura em felicidade. Imagine as famílias das pessoas que, por sua causa, acabam de deixar este mundo: serão tomadas de ódio, sede de vingança, amargura. É assim que você pretende melhorar o mundo? É isso que você gostaria de oferecer à mulher que ama?".

Mas Igor é mais sábio que as tentações que agora parecem possuir sua alma: se resistir mais um pouco, aquela voz acabará por cansar-se e desaparecer. Principalmente porque uma das pessoas que enviou ao Paraíso está a cada minuto mais presente em sua vida; a menina de sobrancelhas grossas diz que tudo está bem, que existe uma grande diferença entre perdoar e esquecer. Não existe o menor ódio em seu coração, e não está fazendo aquilo para vingar-se do mundo.

O demônio insiste, mas ele precisa mostrar-se firme, relembrar a razão por que está ali.

Entra na primeira pizzaria que vê. Pede uma marguerita e uma Coca-Cola normal. Melhor alimentar-se agora, não conseguirá — como nunca conseguiu — comer direito em jantares com outras pessoas na mesa. Todas se sentem na obrigação de manter uma conversa animada, relaxada, e adoram interrompê-lo justamente quando está pronto para saborear mais um pouco do delicioso prato à sua frente. Em ocasiões normais, tem sempre um plano para evitar isso: bombardear os outros com perguntas, de modo que todos possam dizer coisas inteligentes enquanto ele janta tranquilo. Mas nesta noite não está disposto a ser conveniente e social. Será antipático e distante. Em último caso, pode alegar que não fala a língua.

Sabe que nas próximas horas a Tentação estará mais forte que nunca, pedindo que pare, que desista de tudo. Mas ele não pretende parar; seu objetivo é terminar a missão planejada, mesmo que a razão pela qual se dispôs a cumpri-la esteja mudando.

Não tem a menor ideia se três mortes violentas fazem parte da estatística normal de um dia em Cannes; se for assim, a polícia não irá suspeitar que algo diferente está acontecendo. Continuarão com seus procedimentos burocráticos e poderá embarcar como previsto durante a madrugada. Tampouco sabe se já o identificaram; há o casal que passava de manhã e cumprimentou a vendedora, um dos guarda-costas do homem havia prestado atenção, e alguém presenciara o assassinato da mulher.

A Tentação agora está mudando de estratégia: quer deixá-lo assustado, como faz com as pessoas fracas. Pelo visto, o demônio não tem a menor ideia de tudo que passou, e como saiu fortalecido da prova que o destino lhe impusera.

Pega seu celular e digita uma nova mensagem.

Imagina qual a reação de Ewa quando recebê-la. Algo em seu interior diz que ela ficará assustada e contente ao mesmo tempo. Está profundamente arrependida do passo que deu há dois anos — deixando tudo para trás, inclusive suas roupas e joias, e pedindo que seu advogado entrasse em contato com ele para os procedimentos oficiais de divórcio.

Motivo: incompatibilidade de gênios. Como se todas as pessoas interessantes do mundo pensassem rigorosamente igual, e tivessem muitas coisas em comum. Claro que era uma mentira: tinha se apaixonado por outro.

Paixão. Quem no mundo pode dizer que, depois de mais de cinco anos de casado, não olhou para o lado e desejou estar em outra companhia? Quem pode dizer que não traiu pelo menos uma vez na vida, mesmo que essa traição tenha se passado apenas no imaginário da pessoa? E quantas mulheres e homens saíram de casa por causa disso, descobriram que a paixão não dura, e terminaram voltando para seus verdadeiros parceiros? Um pouco de maturidade, e tudo seria esquecido. Isso é absolutamente normal, aceitável, parte da biologia humana.

Claro, teve que aprender isso aos poucos. No início, instruiu seus advogados para serem de uma rigidez nunca vista — se ela quisesse largá-lo teria que também abrir mão da fortuna que acumularam juntos, centavo por centavo, durante quase vinte anos. Embriagou-se durante uma semana, enquanto aguardava a resposta; pouco se importava com o dinheiro, estava fazendo aquilo porque a queria de volta de qualquer maneira, e essa era a única pressão que conhecia.

Ewa era uma pessoa íntegra. Os advogados dela aceitaram as condições.

A imprensa tomou conhecimento do caso — e foi pelos jornais que soube da nova relação de sua ex-esposa. Um dos mais bem-sucedidos costureiros do planeta, alguém que viera do nada, como ele. Que tinha em torno de quarenta anos, como ele. Que era conhecido por não ser arrogante, e trabalhava dia e noite.

Como ele.

Não podia entender o que havia acontecido. Pouco antes de embarcar para uma feira de moda em Londres, tinham passado um dos raros momentos de solidão e romance em Madri. Embora tivessem viajado no jato da companhia, se hospedado num hotel com todos os confortos possíveis e imagináveis, haviam resolvido redescobrir o mundo juntos. Não reservavam restaurantes, entravam em enormes filas de museus, usavam táxis em vez das limusines com chofer sempre esperando do lado de fora, andavam e se perdiam pela cidade. Comiam muito, bebiam mais ainda, chegavam exaustos e contentes, voltaram a fazer amor todas as noites.

Ambos precisavam se controlar para não se conectarem aos seus computadores portáteis, ou para deixar os telefones celulares desligados. Mas conseguiram. E voltaram para Moscou com o coração cheio de lembranças, e um sorriso no rosto.

Ele mergulhou de novo em seu trabalho, surpreso ao ver que as coisas haviam continuado a funcionar bem apesar de sua ausência. Ela partiu para Londres na semana seguinte, e nunca mais voltou.

Igor contratou um dos melhores escritórios de vigilância privada — normalmente usado para espionagem industrial ou política — e foi obrigado a ver centenas de fotos em que sua mulher aparecia de mãos dadas com o novo companheiro. Os detetives conseguem arranjar-lhe uma "amiga" desenhada sob medida, através de informações fornecidas por seu ex-marido. Ewa a encontra por acaso em uma loja de departamentos; viera da Rússia, foi "abandonada pelo marido", não arranja emprego por causa das leis britânicas, e agora está a ponto de passar fome. Ewa desconfia a princípio, depois resolve ajudá-la. Fala com seu namorado, que resolve correr os riscos e termina arranjando um emprego em um dos seus escritórios, embora não tenha papéis legais.

É sua única "amiga" que fala a língua materna. Está só. Teve problemas matrimoniais. Segundo os psicólogos da empresa de vigilância, o modelo ideal para obter as informações desejadas: sabe que Ewa ainda não conseguiu se adaptar ao novo meio, e faz parte do instinto normal de todo ser humano dividir coisas íntimas com um desconhecido em circunstâncias semelhantes. Não para encontrar uma resposta; simplesmente para desafogar a alma.

A "amiga" grava todas as conversas, que acabam na mesa de Igor, e são mais importantes que os papéis a assinar, os convites a aceitar, os presentes que precisam ser enviados aos principais clientes, fornecedores, políticos, empresários.

As fitas são muito mais úteis — e muito mais dolorosas que as fotos. Descobre que a relação com o famoso costureiro começou dois anos antes, na Semana de Moda de Milão, onde os dois se encontravam por motivos profissionais. Ewa resistiu no início — o homem vivia cercado das mais belas mulheres do mundo, e àquela altura ela já estava com trinta e oito anos. Mesmo assim, terminaram indo para a cama em Paris, na semana seguinte.

Quando escutou isso, notou que ficara excitado, e não entendeu direito a resposta do seu corpo. Por que o simples fato de imaginar sua mulher de pernas abertas, sendo penetrada por outro homem, lhe provocava uma ereção em vez de repulsa?

Foi o único momento em que julgou haver perdido a sanidade. E resolveu fazer uma espécie de confissão pública, para diminuir o sentimento de culpa. Conversando com seus companheiros, contava que "um amigo seu" sentia imenso prazer ao saber que sua mulher estava tendo relações extraconjugais. Foi aí que veio a surpresa.

Os companheiros, geralmente grandes executivos e políticos de diversas classes sociais e nacionalidades, ficavam horrorizados no início. Mas após o décimo copo de vodca confessavam que isso era uma das coisas mais excitantes que pode acontecer em um casamento. Um deles sempre pedia que a mulher lhe contasse os detalhes mais sórdidos, as palavras que tinham sido ditas. Outro confessou que os clubes de swing — locais frequentados por casais que desejam ter experiências sexuais coletivas — eram a terapia ideal para salvar um casamento.

Um exagero. Mas ficou feliz em saber que não era o único homem que se excitava ao saber que sua mulher tivera relações com outros. E ficou infeliz por conhecer tão pouco o gênero humano, principalmente o masculino — suas conversas giravam apenas em torno de negócios, raramente entrando no terreno pessoal.

Volta a pensar nas fitas. Em Londres (as semanas de moda, para facilitar a vida dos profissionais, aconteciam de maneira sucessiva) o tal costureiro já estava apaixonado; o que não era difícil acreditar, já que tinha encontrado uma das mulheres mais especiais do mundo. Ewa, por sua vez, continuava cheia de dúvidas: Hussein era o segundo homem com quem fazia amor em sua vida, trabalhavam no mesmo ramo, ela sentia-se imensamente inferior. Teria que renunciar ao sonho de trabalhar com moda, porque era impossível concorrer com seu futuro marido — e voltaria a ser uma simples dona de casa.

Pior do que isso: não conseguia explicar por que alguém tão poderoso podia interessar-se por uma russa de meia-idade.

Igor poderia explicar, se ela lhe desse pelo menos uma oportunidade de conversarem: sua simples presença era capaz de despertar a luz de todos que a cercavam, fazer com que todos dessem o melhor de si mesmos, que surgissem das cinzas do passado cheios de luz e de esperança. Porque isso havia acontecido com o jovem que voltara de uma guerra sangrenta e inútil.

A Tentação volta. O demônio diz que não é exatamente assim, ele mesmo havia superado seus traumas através do trabalho compulsivo. Embora isso pudesse ser considerado uma desordem psicológica pelos psiquiatras, na verdade era uma maneira de superar as próprias feridas através do perdão e do esquecimento. Ewa não era exatamente tão importante assim: Igor precisava deixar de identificar todas as suas emoções com uma relação que já não existia.

"Você não é o primeiro", repetia o demônio. "Você está sendo levado a fazer o mal pensando que desta maneira desperta o bem."

Igor começa a ficar nervoso. Era um homem bom e, sempre que precisara agir de maneira dura, tinha sido em nome de uma causa maior: servir seu país, evitar que os excluídos não sofressem desnecessariamente, usar ao mesmo tempo a outra face e o chicote, como fizera Jesus Cristo, seu único modelo de vida.

Faz um sinal da cruz, na esperança de que a Tentação se afaste. Força-se a lembrar das fitas, do que Ewa dizia, de sua infelicidade com o novo companheiro. Mas que jamais pretende voltar ao passado, porque fora casada com um "desequilibrado".

Que absurdo. Pelo visto, estava passando por um processo de lavagem cerebral em seu novo ambiente. Devia andar em péssimas companhias. Tem certeza de que está mentindo quando comenta com sua amiga russa que havia decidido se casar por uma única razão: medo de ficar sozinha.

Em sua juventude sentia-se sempre rejeitada pelos outros, não conseguia jamais ser ela mesma — era obrigada a fingir constantemente que se interessava pelas mesmas coisas que suas amigas, que participava dos mesmos jogos, que se divertia nas festas, que buscava um homem bonito, que lhe desse segurança no lar, filhos e fidelidade conjugal. "Tudo mentira", confessa.

Na verdade, sempre sonhou com a aventura e o desconhecido. Se pudesse ter escolhido uma profissão quando ainda era adolescente, seria trabalhar com arte. Desde criança adorava recortar e fazer colagens com fotos das revistas do Partido Comunista; embora detestasse o que visse ali, conseguia colorir os vestidos sombrios e alegrar-se com os resultados. Por causa das dificuldades em encontrar roupas de boneca, vestia seus brinquedos com figurinos feitos pela sua mãe. Ewa não apenas admirava as roupinhas, mas dizia a si mesma que um dia seria capaz de fazer a mesma coisa.

Não existia moda na antiga União Soviética. Só passaram a saber o que acontecia no resto do planeta quando o Muro de Berlim foi abaixo e as revistas estrangeiras começaram a entrar no país. Ela já era uma adolescente, e agora fazia colagens mais vivas e mais interessantes, até que um dia resolveu comentar com a família que seu sonho era exatamente isso: desenhar roupas.

Assim que terminou a escola, seus pais a enviaram para uma faculdade de direito. Por mais que estivessem contentes com a liberdade recém-conquistada, havia certas ideias capitalistas que estavam ali para destruir o país, afastar o povo da verdadeira arte, trocar Tolstói e Pushkin por livros de espionagem, corromper o balé clássico com aberrações modernas. Sua filha única precisava ser afastada rapidamente da degradação moral que tinha vindo junto com a Coca-Cola e os carros de luxo.

Na universidade encontrou um rapaz bonito, ambicioso, que pensava exatamente como ela: não podemos continuar achando que o regime em que nossos pais viveram vá retornar. Ele se foi e para sempre. É hora de começar uma nova vida.

Adorou o rapaz. Começaram a sair juntos. Viu que era inteligente e iria conseguir muitas coisas na vida. Era capaz de entendê-la. Claro, havia lutado na guerra do Afeganistão, havia sido atingido durante um combate, mas nada sério; nunca reclamou do passado, e nos muitos anos em que estiveram juntos jamais demonstrou qualquer sintoma de desequilíbrio ou trauma.

Certa manhã trouxe-lhe um buquê de rosas. Disse que estava abandonando a universidade para começar um negócio por conta própria. Em seguida, propôs casamento. Ela aceitou; embora não tivesse por ele nada além de admiração e companheirismo, achava que o amor viria com o tempo e a convivência. Além do mais, o rapaz era o único que realmente a entendia e a estimulava; se deixasse escapar aquela oportunidade, talvez nunca mais encontrasse alguém que a aceitava como era.

Casaram-se sem grandes formalidades e sem o apoio da família. O rapaz conseguiu dinheiro junto a pessoas que ela considerava perigosas, mas não podia fazer nada. Pouco a pouco, a companhia que havia aberto começou a crescer. Depois de quase quatro anos juntos, ela fez — morrendo de medo — sua primeira exigência: que pagasse logo às pessoas que haviam lhe emprestado dinheiro no passado, e que não pareciam muito interessadas em recebê-lo de volta. Ele seguiu seu conselho, e mais tarde viria a agradecer muitas vezes por isso.

Os anos se passaram, as necessárias derrotas aconteceram, as noites em claro se sucediam, até que as coisas começaram a melhorar, e a partir daí o patinho feio da história começou a seguir exatamente o roteiro das histórias infantis: transformou-se em um belo cisne, cobiçado por todos.

Ewa reclamou de sua vida como dona de casa. Em vez de reagir como os maridos de suas amigas, para os quais o trabalho era sinônimo de falta de feminilidade, ele comprou uma loja em um dos pontos mais cobiçados de Moscou. Passou a vender modelos dos grandes costureiros mundiais, embora jamais arriscasse a fazer seus próprios desenhos. Mas seu trabalho tinha outras compensações: viajava para os grandes salões de moda, convivia com pessoas interessantes, e foi então que conheceu Hamid. Até hoje não sabia se o amava — possivelmente a resposta seria "não". Mas sentia-se confortável ao seu lado. Não tinha nada a perder quando ele confessou que jamais encontrara alguém como ela, e lhe propôs que vivessem juntos. Não tinha filhos. Seu marido era casado com o próprio trabalho, e eventualmente nem sequer notaria sua falta.

"Deixei tudo para trás", dizia Ewa em uma das fitas. "E não me arrependo de minha decisão. Teria feito a mesma coisa mesmo que Hamid — contra a minha vontade — não tivesse comprado a linda fazenda na Espanha e a colocado em meu nome. Tomaria a mesma decisão se Igor, meu ex-marido, tivesse me oferecido metade de sua fortuna. Tomaria a mesma decisão porque sei que não preciso mais ter medo. Se um dos homens mais desejados do mundo quer estar ao meu lado, sou melhor do que eu mesma penso."

Em outra fita, ele nota que sua amada devia estar passando por problemas psicológicos muito sérios.

"Meu marido perdeu a razão. Não sei se é a guerra, ou a tensão causada por excesso de trabalho, mas ele pensa que pode entender os desígnios de Deus. Antes de decidir ir embora, fui procurar um psiquiatra para que pudesse entendê-lo melhor, ver se era possível salvar nossa relação. Não entrei em detalhes para não o comprometer, e não vou entrar em detalhes agora com você. Mas acho que ele seria capaz de coisas terríveis se julgasse que estava fazendo o bem.

"O psiquiatra me explicou que muita gente generosa, e com compaixão pelo seu semelhante, de uma hora para outra é capaz de mudar por completo de atitude. Alguns estudos foram feitos a respeito, e chamam essa mudança de 'O Efeito de Lúcifer', o anjo mais amado por Deus, que terminou querendo exercer o mesmo poder que Ele."

"E por que isso acontece?", pergunta uma outra voz feminina.

Mas, pelo visto, não planejaram bem o tempo de gravação. A fita termina ali.

Ele gostaria muito de saber a resposta. Porque sabe que não está se igualando a Deus. Porque tem certeza de que a sua amada está inventando tudo aquilo para si mesma, com medo de voltar e de não ser aceita. Claro, já teve que matar por necessidade, mas o que isso tem a ver com o casamento? Matou na guerra, sob a permissão oficial que os soldados têm. Matou duas ou três pessoas, sempre procurando o melhor para elas — que não tinham mais condição de viver com dignidade. Em Cannes, estava apenas cumprindo uma missão.

E só mataria alguém que ama se entendesse que estava louca, que havia perdido o seu caminho, e começara a destruir sua própria vida. Não permitiria nunca que a decadência da mente comprometesse um passado de brilho e generosidade.

Só mataria alguém que ama para salvá-la de uma longa e dolorosa autodestruição.

Igor olha a Maserati que acabara de parar diante dele, em local proibido; um carro absurdo e desconfortável, obrigado a andar à mesma velocidade que os outros apesar da potência do seu motor, baixo demais para estradas secundárias, perigoso demais para as rodovias.

Um homem em torno dos cinquenta anos — mas querendo parecer trinta — abre a porta e sai, fazendo um imenso esforço, já que a porta se encontra muito próxima do chão. Entra na pizzaria, pede uma "quattro formaggi" para levar.

Maserati e pizzaria. Essas coisas não combinam. Mas acontecem.

A Tentação volta. A esta altura já não está mais lhe falando de perdão, de generosidade, de esquecer o passado e seguir adiante — é algo diferente, que começa a colocar dúvidas de verdade em sua mente. E se Ewa fosse, como dizia, completamente infeliz? Se, apesar do seu profundo amor por ele, estivesse já mergulhada no abismo sem volta de uma decisão mal tomada, como aconteceu com Adão no momento em que aceitou a maçã que lhe era oferecida, e terminou por condenar todo o gênero humano?

Planejou tudo, repete para si mesmo pela milésima vez. Sua ideia era voltarem juntos, não deixar que uma palavra tão pequena como "adeus" pudesse arrasar por completo a vida de ambos. Entende que um casamento sempre passa por suas crises, principalmente depois de dezoito anos.

Mas sabe que um bom estrategista precisa estar constantemente mudando de planos. Envia de novo a mensagem pelo celular, só para certificar-se de que terminará recebendo. Levanta-se, faz uma oração, e pede que não precise beber do cálice da renúncia.

A alma da pequena vendedora de artesanato está ao seu lado. Entende agora que cometera uma injustiça; não custava nada esperar mais um pouco até encontrar um adversário à sua altura, como o pseudoatlético de cabelos acaju naquele almoço. Ou agir pela absoluta necessidade de salvar uma pessoa de novos sofrimentos, como fizera com a mulher na praia.

A menina de sobrancelhas grossas, porém, parece flutuar como uma santa à sua volta, e pede para que não se arrependa; ele agiu corretamente, salvando-a de um futuro de sofrimentos e dor. Sua alma pura vai afastando pouco a pouco a Tentação, fazendo compreender que a razão pela qual está em Cannes não é forçar a volta de um amor perdido — isso é impossível.

Está ali para salvar Ewa da decadência e da amargura. Embora ela tenha sido injusta com ele, o que fez para ajudá--lo merece recompensa.

"Sou um homem bom."

Vai até o caixa, paga a conta, pede uma pequena garrafa de água mineral. Quando sai, derrama todo o seu conteúdo na cabeça.

Precisa pensar com lucidez. Sonhou tanto para que este dia chegasse, e agora está confuso.

17h06

Apesar de a moda renovar-se a cada seis meses, uma coisa continua exatamente igual: os seguranças na porta estão sempre com ternos negros.

Hamid estudara alternativas para seus desfiles — seguranças com roupas coloridas, por exemplo. Ou todos vestidos de branco. Mas, caso saísse da regra geral, os críticos iriam comentar mais sobre as "inovações inúteis" do que escrever sobre aquilo que realmente interessava: a coleção na passarela. Além do mais, preto é uma cor perfeita: conservadora, misteriosa, gravada no inconsciente coletivo através dos antigos filmes de Hollywood. Os bons sempre se vestiam de branco, e os maus de negro.

"Imagine se a Casa Branca se chamasse Casa Negra. Todos iriam pensar que ali habitava o gênio das trevas."

Toda cor tem seu propósito, embora pensem que são escolhidas por acaso. Branco significa pureza e integridade. Negro intimida. Vermelho choca e paralisa. Amarelo chama atenção. Verde faz com que tudo pareça tranquilo, é possível seguir adiante. Azul acalma. Laranja confunde.

Guarda-costas precisavam estar vestidos de negro. Era assim desde o início, e assim deveria continuar.

Como sempre, três entradas diferentes. A primeira para a imprensa em geral, poucos jornalistas e muitos fotógrafos carregando seus pesados equipamentos, que parecem gentis uns com os outros mas estão sempre dispostos a dar cotoveladas nos companheiros quando chega o momento de conseguir o melhor ângulo, a foto única, o momento perfeito, a falha gritante. A segunda para os convidados, e a Semana de Moda de Paris não era em nada diferente daquele balneário do sul da França; as pessoas sempre malvestidas, com quase toda certeza sem dinheiro para comprar o que seria mostrado ali. Mas precisam estar presentes com suas pobres calças jeans, suas camisetas de mau gosto, seus tênis de marca sobressaindo a todo o resto, convencidas de que isso significa descontração e familiaridade com o ambiente, o que era uma completa mentira. Algumas usavam bolsas e cintos que podiam ter custado caro, e isso era ainda mais patético: como se colocassem um quadro de Velásquez em uma moldura de plástico.

Finalmente, a entrada para os VIPs. Os seguranças nunca sabem de nada, limitam-se a manter os braços cruzados na frente e a mostrar um olhar ameaçador — como se fossem os verdadeiros donos do local. A moça gentil aproxima-se, educada para decorar o rosto das pessoas famosas. Tem uma lista na mão e se dirige até o casal.

— Sejam bem-vindos, Sr. e Sra. Hussein. Obrigado por terem confirmado a presença.

Passam na frente de todo mundo; embora o corredor seja o mesmo, uma separação de pilares de metal com fitas de veludo vermelho mostra na verdade quem é quem, e quais são as pessoas mais importantes. Este é o momento da Pequena Glória, ser tratado de maneira especial, e, mesmo que aquele desfile não faça parte do calendário oficial — afinal de contas era preciso não esquecer que Cannes é um Festival de Cinema —, o protocolo deve ser rigorosamente respeitado. Por causa da Pequena Glória em todos os eventos paralelos (como jantares, almoços, coquetéis), homens e mulheres passam horas diante do espelho, convencidos de que a luz artificial não faz tão mal à pele como o sol lá fora, onde precisam usar toneladas de cremes protetores. Estão a dois passos da praia, mas preferem as sofisticadas máquinas de bronzear nos institutos de beleza sempre a uma quadra do local onde estão hospedados. Desfrutariam de uma linda vista se resolvessem passear pela Croisette, mas quantas calorias iriam perder nessa caminhada? Melhor usar as esteiras rolantes também instaladas em miniacademias nos hotéis.

Assim estarão em plena forma, vestindo-se de maneira estudadamente casual para os almoços em que comem de graça e sentem-se importantes porque foram convidadas, os jantares de gala em que é preciso pagar muito dinheiro ou ter contatos em posição de destaque, as festas que acontecem depois dos jantares e se estendem até de madrugada, o último café ou uísque no bar do hotel. Isso tudo com muitas visitas ao banheiro para retocar a maquiagem, ajeitar a gravata, retirar as partículas de pele ou de poeira dos ombros do paletó, verificar se o batom continua com o mesmo contorno.

Finalmente, a volta para os seus quartos de hotel de luxo, onde encontrarão o leito preparado, o menu do café da manhã, a previsão do tempo, um bombom de chocolate (retirado imediatamente do local porque significa calorias em dobro), um envelope com seus nomes escritos em bela caligrafia (jamais aberto, porque ali dentro está a carta padronizada do gerente do hotel lhes dando as boas-vindas) ao lado de uma cesta de frutas (avidamente devoradas porque contêm uma dose razoável de fibras, bom para o funcionamento do organismo e ótimo para evitar gases). Olham-se no espelho enquanto tiram a gravata, a maquiagem, os vestidos e os smokings, e dizem para si mesmos: nada, nada de importante aconteceu hoje. Talvez amanhã seja melhor.

Ewa está bem-vestida, usando um HH que reflete discrição e elegância ao mesmo tempo. Os dois são encaminhados para os assentos que ficam diretamente em frente à passarela, ao lado do local onde ficarão os fotógrafos — que agora já começam a entrar e instalar seus equipamentos.

Um jornalista se aproxima e faz a pergunta de sempre:

— Senhor Hussein, qual foi o melhor filme que viu até agora?

— Acho prematuro dar alguma opinião — é a resposta de sempre. — Vi muita coisa boa, interessante, mas prefiro esperar o final do Festival.

Na verdade, não viu absolutamente nada. Mais tarde irá conversar com Gibson para saber qual "o melhor filme da temporada".

A moça loura, educada e bem-vestida pede que o repórter se afaste. Pergunta se irão participar do coquetel que será oferecido pelo governo da Bélgica logo depois do desfile. Diz que um dos ministros do governo está presente, e gostaria de conversar com ele. Hamid considera a proposta, já que o país está investindo fortunas para fazer com que seus costureiros ganhem destaque no cenário internacional — e assim possam recuperar o esplendor perdido depois que suas colônias na África desapareceram.

— Sim, talvez vá tomar uma taça de champanhe.

— Acho que temos um encontro logo depois com Gibson — corta Ewa.

Hamid entende o recado. Diz para a produtora que havia esquecido esse compromisso, mas que entrará em contato com o ministro mais adiante.

Alguns fotógrafos descobrem que estão ali, e começam a disparar suas câmeras. No momento, são as únicas pessoas que interessam à imprensa. Mais tarde, chegam alguns manequins que já causaram comoção e furor no passado, que posam e sorriem, dão autógrafos para algumas das pessoas malvestidas na plateia, e fazem o possível para serem notadas — na esperança de verem seus rostos de novo nas páginas impressas. Os fotógrafos se voltam para elas, sabendo que estão fazendo isso apenas para cumprir o dever, dar uma satisfação aos seus editores; nenhuma daquelas fotos será publicada. A moda é o presente; as manequins de três anos atrás — excluindo as que ainda são capazes de se manter nas manchetes de jornais por causa de escândalos cuidadosamente estudados por suas agentes, ou porque realmente conseguiram destacar-se das demais — são lembradas apenas por aquelas pessoas que sempre ficam atrás das cercas de metal na entrada dos hotéis, ou por senhoras que não conseguem acompanhar a velocidade com que as coisas mudam.

As antigas modelos que acabam de entrar estão conscientes disso (e entenda-se por "antiga" alguém que já atingiu seus vinte e cinco anos), e se desejam aparecer não é porque sonhem voltar às passarelas: estão pensando em arranjar um papel em um filme, ou participar como apresentadora de um programa de televisão a cabo.

Quem estará na passarela aquele dia, além de Jasmine — sua única razão de estar ali?

Seguramente, nenhuma das quatro ou cinco top models do mundo, porque estas fazem apenas o que desejam, cobram uma fortuna, e não têm nenhum interesse em aparecer em Cannes para prestigiar o evento dos outros. Hamid calcula que verá duas ou três classe A, como deve ser o caso de Jasmine, ganhando em torno de mil e quinhentos euros para trabalhar naquela tarde; para isso é preciso ter carisma e, sobretudo, futuro na indústria. Outras duas ou três modelos classe B, profissionais que sabem desfilar com perfeição, exibem uma silhueta adequada, mas que não tiveram a sorte de participar de eventos paralelos como convidadas especiais para festas dos conglomerados de luxo, custarão entre oitocentos e seiscentos euros. O resto do grupo será constituído da classe C, meninas que acabaram de entrar na roda-viva dos desfiles, e que ganham entre duzentos e trezentos euros para "conseguir experiência necessária".

Hamid sabe o que se passa na cabeça de algumas moças desse terceiro grupo: vou vencer. Vou mostrar a todos do que sou capaz. Serei uma das modelos mais importantes do planeta, mesmo que tenha que seduzir homens mais velhos.

Homens mais velhos, porém, não são tão estúpidos como elas pensam; a maioria é menor de idade, e isso pode conduzir à prisão em quase todos os países do mundo. A lenda é completamente diferente da realidade: ninguém consegue chegar ao topo graças à sua generosidade sexual; é preciso muito mais que isso.

Carisma. Sorte. A agente certa. O momento adequado. E o momento adequado, para os estúdios de tendência, não é o que aquelas meninas que acabam de entrar no mundo da moda estão pensando. Leu as pesquisas mais recentes, e tudo indica que o público está cansado de ver mulheres anoréxicas, diferentes, com olhares provocantes e idade indefinida. As agências de *casting* (que selecionam manequins) estão buscando algo que parece extremamente difícil de encontrar: a menina do apartamento ao lado. Ou seja, alguém que seja absolutamente normal, que transmita a todos que virem os cartazes e as fotos nas revistas especializadas a sensação de que "eu sou como ela".

E encontrar uma mulher extraordinária que aparente uma "pessoa normal" é uma tarefa quase impossível.

Foi-se o tempo das manequins que serviam apenas como cabides ambulantes para os estilistas. Claro, é mais fácil vestir alguém magro — a roupa sempre cai melhor. Foi-se o tempo em que a publicidade para produtos de luxo masculino era feita em cima de lindos modelos; funcionou muito na época yuppie, no final dos anos 80, mas hoje em dia não vende absolutamente mais nada. Ao contrário da mulher, o homem não tem um padrão definido de beleza: o que ele quer mesmo encontrar nos produtos que compra é algo que o associe ao companheiro de escritório ou de bebida.

O nome de Jasmine chegou até Hamid como "ela é a verdadeira face da sua nova coleção", simplesmente porque a viram desfilar; veio junto de comentários como "tem um carisma extraordinário, e mesmo assim todos podem reconhecer-se nela". Ao contrário das manequins classe C, que estão atrás de contatos e de homens que se dizem poderosos e capazes de transformá-las em estrelas, a melhor promoção no mundo da moda — e possivelmente em qualquer coisa que se deseja promover — são os comentários que a indústria faz. No momento em que alguém está para ser "descoberto", as apostas começam a aumentar sem que exista nenhuma lógica para isso. Às vezes dá certo. Às vezes dá errado. Mas o mercado é assim, não se pode ganhar sempre.

A sala começa a se encher — os assentos da primeira fila estão reservados, um grupo de homens de terno e mulheres elegantemente vestidas ocupa algumas cadeiras e o resto continua vazio. O público é colocado na segunda, terceira e quarta filas. Uma famosa modelo — casada com um jogador de futebol, que já fez muitas viagens ao Brasil porque "adora o país", é agora o centro das atenções dos fotógrafos. Todo mundo sabe que "viagem ao Brasil" é sinônimo de "cirurgia estética", mas ninguém ousa comentar abertamente; entretanto, depois de algum tempo de convivência, perguntam discretamente se, além de visitarem as belezas de Salvador e dançarem no Carnaval do Rio, podem encontrar ali algum médico que tenha experiência em operação plástica. Um cartão de visita troca rapidamente de mãos, e a conversa termina por ali.

A menina loura e gentil aguarda que os profissionais da imprensa terminem seu trabalho (também estão perguntando à modelo qual o melhor filme que viu até agora), em seguida é conduzida para o único assento livre ao lado de Hamid e Ewa. Os fotógrafos se aproximam e tiram dezenas de fotos do trio — o grande costureiro, sua esposa e a modelo transformada em dona de casa.

Alguns jornalistas querem saber o que acha do trabalho da estilista. Ele já está acostumado com esse tipo de pergunta:

— Vim para conhecer. Escutei que tem muito talento.

Os jornalistas insistem, como se não tivessem escutado a resposta. São belgas em sua quase totalidade — a imprensa francesa ainda não está interessada no tema. A moça loura e simpática pede que deixem os convidados em paz.

Eles se afastam. A ex-modelo que se sentou ao seu lado tenta puxar conversa, dizendo que adora tudo que faz. Ele agradece gentilmente; se ela esperava como resposta "precisamos conversar depois do desfile", a esta altura deve estar desapontada. Mesmo assim, ela começa a contar o que tem acontecido em sua vida — as fotos, os convites, as viagens.

Ele escuta tudo com infinita paciência, mas assim que tem uma chance (ela acaba de virar-se para falar com alguém) vira-se para Ewa pedindo que o salve desse diálogo de surdos. Sua mulher, porém, está mais estranha que nunca, e recusa-se a conversar; a única saída é ler o que diz o folheto explicativo do desfile.

A coleção é uma homenagem a Ann Salens, considerada a pioneira da moda belga. Começou no final dos anos 60, com uma pequena boutique, mas logo entendeu que a maneira de se vestir criada pelos jovens hippies que viajavam de todo mundo em direção a Amsterdã tinha um potencial gigantesco. Capaz de enfrentar — e vencer — os sóbrios estilos que vigoravam na burguesia da época, terminou vendo seu trabalho usado por alguns dos ícones, como a rainha Paola, ou a grande musa do movimento existencialista francês, a cantora Juliette Gréco. Foi uma das criadoras do "desfile-show", que misturava as roupas na passarela com espetáculos de luz, som, e arte. Mesmo assim, não ganhou muita projeção além das fronteiras do seu país. Sempre tivera um medo gigantesco de câncer; e, como diz a Bíblia em seu livro de Jó, "tudo o que eu mais temia me aconteceu". Morreu da doença que mais a assustava, enquanto via seus negócios indo por água abaixo por causa da sua absoluta falta de talento para lidar com dinheiro.

E como tudo que acontece em um mundo que se renova a cada seis meses, foi completamente esquecida. Era muito corajosa a atitude da estilista que em poucos minutos estaria mostrando sua coleção: voltar ao passado, em vez de tentar inventar o futuro.

Hamid guarda o folheto no bolso; se Jasmine não fosse aquilo que esperava, iria conversar com a estilista e ver se tem algum projeto que poderiam desenvolver em comum. Sempre há espaço para novas ideias — desde que os concorrentes estejam sob sua supervisão.

Olha em torno: os refletores estão bem posicionados, é relativamente boa a quantidade de fotógrafos presentes — não esperava que isso acontecesse. Talvez a coleção seja realmente digna de se ver, ou talvez o governo belga tenha usado toda a sua influência para trazer a imprensa, oferecendo passagens e hospedagem. Existe ainda uma possibilidade para todo aquele interesse, mas Hamid torce para estar errado: Jasmine. Se deseja levar adiante os seus planos, ela precisa ser uma desconhecida completa do grande público. Até o momento, escutou apenas comentários de gente ligada ao meio em que trabalha. Caso seu rosto já tivesse aparecido em muitas revistas, seria uma perda de tempo contratá-la. Primeiro, porque alguém já teria chegado antes. Segundo, estaria fora de questão associá-la com algo novo.

Hamid faz os cálculos; aquele evento não deve estar custando barato, mas o governo belga está tão certo como o sheik: moda para as mulheres, esporte para os homens, celebridades para ambos os sexos, esses são os únicos assuntos que interessam a todos os mortais, e os únicos que podem projetar a imagem de um país no cenário internacional. Claro, no caso específico da moda, existe a conversa — que pode demorar anos — com a Federação. Mas um dos dirigentes está sentado ao lado dos políticos belgas; pelo visto, não estão com vontade de perder tempo.

Outros vips chegam, sempre acompanhados da simpática moça loura. Parecem um pouco desorientados, não sabem exatamente o que estão fazendo ali. Estão bem-vestidos demais, deve ser o primeiro desfile a que assistem na França, vindos diretamente de Bruxelas. Com toda certeza não fazem parte da fauna que neste momento inunda a cidade por causa do festival de cinema.

Cinco minutos de atraso. Ao contrário da Semana de Moda de Paris, na qual praticamente nenhum desfile começa na hora marcada, muitas outras coisas diferentes estão acontecendo na cidade, e a imprensa não pode ficar esperando por muito tempo. Mas logo se dá conta de que está errado: a maior parte dos jornalistas presentes foi conversar e entrevistar os ministros; são quase todos estrangeiros, vindos do mesmo país. Política e moda só combinam em uma situação como essa.

A simpática menina loura se dirige até onde estão concentrados e pede que voltem aos seus lugares: o espetáculo vai começar. Hamid e Ewa não trocam uma palavra. Ela não parece contente nem descontente — e isso é o pior de tudo. Se reclamasse, se sorrisse, se dissesse alguma coisa! Mas nada, nenhum sinal do que está acontecendo no seu interior.

Melhor se concentrar no interior do painel que vê ao fundo, de onde sairão os modelos. Ali pelo menos ele sabe o que está se passando.

Há alguns minutos, as modelos retiraram todas as roupas de baixo, ficaram completamente nuas — para não deixar marcas nos vestidos que vão apresentar. Já colocaram o primeiro, e aguardam que as luzes se apaguem, a música comece, e uma pessoa — geralmente uma mulher — toque em suas costas, indicando o tempo exato para saírem em direção aos refletores e ao público.

As modelos classes A, B, e C têm diferentes graus de nervosismo — sendo que as menos experientes são as mais excitadas. Algumas fazem uma prece, outras procuram ver através da cortina se algum conhecido está presente, se o pai ou a mãe conseguiram o lugar adequado. Devem ser dez ou doze, cada uma com sua foto diante do local onde estão penduradas em ordem as roupas que trocam em questão de segundos, voltando para a passarela completamente relaxadas, como se estivessem usando aquele modelo desde o início da tarde. Os últimos retoques já foram dados na maquiagem, nos cabelos.

Repetem para si mesmas:

"Não posso escorregar. Não posso tropeçar na bainha. Fui escolhida pessoalmente pela estilista entre sessenta modelos. Estou em Cannes. Alguém importante deve estar na plateia.

Sei que HH está presente, e pode me escolher para sua marca. Dizem que o local está cheio de fotógrafos e jornalistas.

"NÃO POSSO SORRIR porque assim diz a regra. Os pés devem seguir uma linha invisível. Preciso andar como se estivesse marchando, por causa do salto! Não importa que o andar seja artificial, que não me sinta bem — não posso me esquecer disso!

"Tenho que chegar à marcação, virar para um lado, parar por dois segundos, e voltar logo em seguida, com a mesma velocidade, sabendo que assim que eu desaparecer de cena haverá alguém esperando para tirar minha roupa, colocar a próxima, sem que eu nem sequer possa olhar no espelho! Preciso confiar que tudo vai dar certo. Preciso mostrar não apenas meu corpo, não apenas meu vestido, mas a força do meu olhar!"

Hamid olha para o teto: ali está a marcação, um foco de luz mais intenso que os outros. Se a modelo andar mais adiante, ou parar antes, não será bem fotografada; neste caso, os editores de revista — melhor dizendo, os diretores de revistas belgas — escolherão outro manequim. A imprensa francesa a esta altura está na frente dos hotéis, no tapete vermelho, nos coquetéis de final de tarde, ou comendo um sanduíche e se preparando para o principal jantar de gala daquela noite.

As luzes do salão se apagam. Os refletores da passarela se acendem.

O grande momento chega.

Um poderoso sistema de som enche o ambiente com uma trilha sonora de músicas dos anos 60 e 70. Aquilo transporta Hamid para um outro mundo que jamais pôde conhecer, mas de que havia escutado falar. Sentia certa nostalgia do que nunca conhecera, e alguma revolta — por que não vivera o grande sonho dos jovens que percorriam o mundo naquela época?

Entra a primeira modelo, e a visão se mistura com o som — a roupa colorida, cheia de vida, de energia, contando uma história que aconteceu há muito tempo, mas que o mundo parecia ainda gostar de escutar outras vezes. Ao seu lado, ouve as dezenas, centenas de cliques das máquinas fotográficas. As câmeras estão gravando. A primeira modelo faz o desfile perfeito — vem até o ponto de luz, gira para a direita, permanece dois segundos, e volta. Terá aproximadamente quinze segundos até chegar aos bastidores — ali desmonta sua pose e sai correndo em direção ao cabide onde está a próxima roupa, despe-se com rapidez, veste-se mais rápido ainda, toma seu lugar na fila, e está pronta para o próximo passo. A estilista assiste a tudo através de um circuito interno de TV, mordendo os lábios e esperando que ninguém escorregue, que o público entenda o que quer dizer, que termine sendo aplaudida no final, que o emissário da Federação se deixe impressionar.

O desfile continua. Na posição que está, tanto Hamid como as câmeras de TV veem o porte elegante, as pernas com passos firmes. Para as pessoas sentadas nas filas laterais — e que não estão acostumadas com desfile, como deve ser o caso da maioria dos VIPs ali presentes — há uma sensação estranha: por que "marcham" em vez de andar, como a maioria dos manequins que estão acostumadas a ver nos programas de moda? Seria isso uma invenção da estilista para tentar dar um toque de originalidade?

Não, responde silenciosamente Hamid para si mesmo. Por causa dos saltos altos. Porque assim têm firmeza suficiente a cada passo. O que as câmeras mostram — porque estão filmando de frente — não é exatamente o que acontece no mundo real.

A coleção é melhor do que pensava — uma volta no tempo com toques contemporâneos e criativos. Nada de excessos — porque o segredo da moda é o mesmo da cozinha: saber dosar bem os ingredientes usados. Flores e contas que relembram os anos loucos, mas foram colocadas de tal forma que parecem absolutamente modernas. Já seis manequins desfilaram pela passarela, e em uma delas notou um ponto no joelho, que a maquiagem não consegue disfarçar: minutos antes devia ter aplicado ali uma dose de heroína, para acalmar-se e para controlar o apetite.

De repente, Jasmine aparece. Usa uma blusa branca de mangas compridas, toda bordada à mão, uma saia também branca que vai abaixo dos joelhos. Caminha com segurança, e, ao contrário das que passaram antes, sua seriedade não é estudada: é natural, absolutamente natural. Hamid lança um olhar rápido para a plateia: todos na sala parecem hipnotizados pela presença de Jasmine, ninguém dá atenção à modelo que está saindo ou entrando depois que ela completa seu percurso e começa a retornar ao camarim.

"Perfeita!"

Em suas duas próximas aparições na passarela, ele mantém os olhos em cada detalhe do seu corpo; e vê que ele irradia algo muito mais forte do que suas curvas bem desenhadas. Como poderia definir isso? O casamento do Céu e do Inferno, o Amor e o Ódio andando de mãos dadas.

Como qualquer desfile, aquele não dura mais que quinze minutos — embora tenha custado meses de trabalho para ser concebido e montado. No final a estilista entra em cena, agradece os aplausos, as luzes se acendem, a música para — e só então se dá conta de que estava adorando aquela trilha sonora. A moça simpática torna a vir até eles e dizer que alguém do governo belga está muito interessado em uma conversa. Ele abre sua carteira de couro e tira um cartão, diz que está hospedado no Hotel Martinez, e que terá muito prazer em marcar um encontro para o dia seguinte.

— Mas gostaria muito de conversar com a estilista e a modelo negra. Você por acaso sabe em que jantar estarão hoje à noite? Posso esperar aqui por uma resposta.

Torceu para que a simpática loura voltasse logo. Os jornalistas se aproximaram e iniciaram a série de perguntas de sempre: melhor dizendo, a mesma pergunta repetida por jornalistas diferentes:

"O que achou do desfile?"

— Muito interessante — a resposta também era sempre a mesma.

— E o que isso quer dizer?

Com a delicadeza de um profissional experiente, Hamid movia-se em direção ao jornalista seguinte. Nunca tratar mal a imprensa; mas nunca responder a nenhuma pergunta, dizer apenas o que é conveniente naquele momento.

A simpática loura voltou. Não, não iam ao grande jantar de gala daquela noite. Apesar de todos os ministros presentes, a política do Festival era ditada por outro tipo de poder.

Hamid disse que irá mandar entregar em mãos os convites necessários, o que é imediatamente aceito. Com toda certeza, a estilista esperava esse tipo de resposta, e estava consciente do produto que tinha em mãos.

Jasmine.

Sim, ela é a pessoa. Raramente iria utilizá-la em um desfile, porque é mais forte que as roupas que está usando. Mas, para ser "o rosto visível de Hamid Hussein", não existia ninguém melhor.

Ewa torna a ligar o celular na saída. Segundos depois aparece um envelope voando por um céu azul, descendo na base da tela, e abrindo-se. Tudo isso para dizer: "Você tem uma mensagem".

"Que animação ridícula", pensa Ewa.

De novo o número bloqueado. Tem dúvidas se deve ou não abrir o texto, mas a curiosidade é mais forte que o medo.

— Pelo visto, algum admirador descobriu seu telefone — brinca Hamid. — Nunca recebeu tantas mensagens como hoje.

— Pode ser.

Na verdade, gostaria de dizer: "Será que você não percebe? Depois de dois anos juntos, não consegue ver o meu estado de terror, ou pensa que estou apenas em meu período menstrual?".

Finge ler despreocupadamente o que está escrito:

Destruí outro mundo por sua causa. E já começo a me perguntar se vale a pena fazer isso, porque parece que você não está entendendo nada. Seu coração está morto.

— Quem é? — pergunta Hamid.

— Não tenho a menor ideia. Não mostra o número. Mas sempre é bom ter admiradores desconhecidos.

17h15

Três crimes. Todas as estatísticas haviam sido superadas em apenas algumas horas, e mostravam um aumento de 50% no total.

Vai até o carro e usa a frequência especial do rádio.

— Existe um assassino em série na cidade.

A voz murmurou algo do outro lado. O barulho da estática corta algumas palavras, mas Savoy entende o que diz.

— Não tenho certeza. Mas não tenho dúvida tampouco.

Mais comentários, mais estática.

— Não sou louco, comandante, e não vivo entrando em contradições. Por exemplo: não tenho certeza de que meu salário vai ser depositado no final do mês, e no entanto não tenho dúvidas: será que me explico?

Estática e voz irritada do outro lado.

— Não estou discutindo aumento de salário, mas certezas e dúvidas podem conviver, principalmente em uma profissão como a nossa. Sim, deixemos este assunto de lado e vamos ao que nos interessa. É bem possível que os telejornais noticiem três crimes, porque o sujeito no hospital acaba de morrer. Evidente que apenas nós sabemos que todos foram cometidos com técnicas bastante sofisticadas, e por causa disso ninguém vai suspeitar que estejam interligados. Mas de repente Cannes começará a ser vista como uma cidade insegura. E, se isso continuar amanhã, começarão as especulações a respeito de um único assassino. O que deseja que faça?

Comentários alterados do comandante.

— Sim, estão aqui perto. O rapaz que testemunhou o assassinato está contando tudo para eles; nestes dez dias temos fotógrafos e jornalistas em todos os buracos. Achei que iam estar todos no tapete vermelho, mas, pelo visto, estava enganado; acho que lá tem muito repórter e pouco assunto.

Mais comentários alterados. Ele tira um bloco do bolso e anota um endereço.

— Está bem. Sairei daqui e irei até Monte Carlo conversar com a pessoa que me indica.

A estática parou: a pessoa do outro lado da linha havia desligado.

Savoy caminha até o final do píer, coloca a sirene no teto do seu carro em volume máximo e sai dirigindo como um louco — esperando atrair os repórteres para um outro crime inexistente. Eles conhecem o truque e não se movem, continuam entrevistando o rapaz.

Estava começando a ficar excitado. Finalmente poderia deixar a papelada toda para ser preenchida por um subalterno, e dedicar-se àquilo que sempre sonhou: desvendar assassinatos que desafiam a lógica. Gostaria de ter razão — um assassino em série está na cidade, e começa a aterrorizar seus habitantes. Por causa da velocidade com que a informação é difundida nos dias de hoje, em pouco tempo estaria diante dos holofotes, explicando que "nada está ainda provado", mas de tal maneira que ninguém acredite por completo, e assim os holofotes continuam brilhando até que o criminoso seja descoberto. Porque, apesar de todo o brilho e glamour, Cannes ainda é uma pequena cidade do interior — onde todos sabem o que se passa, e não será difícil encontrar o criminoso.

Fama. Celebridade.

Será que está pensando apenas em si mesmo, e não no bem-estar dos cidadãos?

Mas o que há de errado em buscar um pouco de glória, quando há anos é obrigado a conviver com estes doze dias em que todo mundo quer brilhar além de suas próprias capacidades? Isso termina contagiando todo mundo. Todo mundo gosta de ver o seu trabalho reconhecido pelo público; os cineastas ali estão fazendo a mesma coisa.

"Deixe de pensar na glória; ela virá por si mesma, desde que você execute bem seu trabalho. Além do mais, a fama é caprichosa: imagine se termina sendo considerado incapaz da missão que lhe foi confiada? A humilhação também será pública.

"Concentre-se."

Depois de trabalhar quase vinte anos na polícia ocupando todos os tipos de cargo, sendo promovido por mérito, lendo montanhas de relatórios e documentos, entendera que na maior parte das vezes em que chegam a um criminoso, a intuição é sempre tão importante quanto a lógica. O perigo neste exato momento em que se dirige para Monte Carlo não é o assassino — que deve estar exausto por causa da gigantesca quantidade de adrenalina que foi misturada com seu sangue, e apreensivo, porque foi reconhecido por alguém. O grande inimigo é a imprensa. Os jornalistas seguem sempre o mesmo princípio de misturar técnica com intuição: se conseguissem estabelecer um laço, por menor que seja, uma relação entre três assassinatos, a polícia perderia por completo o controle e o Festival pode se transformar em um caos absoluto, com gente não querendo mais sair nas ruas, estrangeiros viajando antes da hora, comerciantes fazendo protestos pela ineficiência da polícia, manchetes em todos os jornais do mundo — afinal de contas um assassino em série é sempre muito mais interessante na vida real do que nas telas.

E nos anos seguintes o Festival de Cinema já não seria o mesmo: o mito do terror se instalaria, o luxo e o glamour escolheriam um lugar mais apropriado para mostrar seus produtos, e pouco a pouco toda aquela festa de mais de sessenta anos de existência terminaria se transformando em um evento menor, longe dos holofotes e das revistas.

Tem uma grande responsabilidade. Melhor dizendo, tem duas grandes responsabilidades: a primeira é saber quem está cometendo aqueles crimes, e impedi-lo antes que mais um cadáver apareça em sua jurisdição. A segunda é controlar a imprensa.

Lógica. Precisa pensar com lógica. Qual daqueles repórteres presentes, na sua maior parte vindos de cidades distantes, tem a exata noção de quantos crimes são cometidos ali? Quantos deles se preocupariam em telefonar para a Guarda Nacional e procurar saber as estatísticas?

Resposta lógica: nenhum. Pensam apenas no que acaba de acontecer. Estão excitados porque um grande produtor teve um ataque cardíaco durante um dos almoços tradicionais que acontecem no período do Festival. Ninguém ainda sabe que fora envenenado — o relatório do legista está no banco de trás do seu carro. Ninguém ainda sabe — e possivelmente não saberá nunca — que fazia parte de um grande esquema de lavagem de dinheiro.

Resposta não lógica: sempre tem alguém que pensa diferente dos outros. É preciso, assim que for possível, dar todas as explicações necessárias, organizar uma entrevista coletiva, mas falar apenas do crime da produtora americana no banco de praça; assim, os outros incidentes serão momentaneamente esquecidos.

Uma mulher importante no mundo do cinema é assassinada. Quem se interessará pela morte de uma menina sem nenhuma expressão? Neste caso, todos vão chegar à mesma conclusão que ele, logo no início das investigações: excesso de drogas.

Não há risco.

Voltemos à produtora de cinema; talvez não seja tão importante como imagina, ou a esta altura o comissário já estaria chamando seu telefone celular. Fatos: um homem bem-vestido, de aproximadamente quarenta anos, cabelos começando a ficar grisalhos, que ficara conversando com ela algum tempo enquanto admiravam o horizonte e eram observados pelo jovem escondido atrás das pedras. Depois de enfiar um estilete com a técnica de um cirurgião, sai caminhando lentamente, e agora já se misturava com centenas, milhares de pessoas parecidas com ele.

Desliga a sirene por alguns instantes e telefona para o inspetor substituto que permanecera na cena do crime, e que agora devia estar sendo interrogado em vez de interrogar. Pede para que responda aos seus carrascos, jornalistas que sempre atrapalham com suas conclusões precipitadas, que tinha "quase certeza" de que havia sido um crime passional.

— Não diga que está certo. Diga que as circunstâncias podem indicar isso, já que os dois estavam juntos, namorando. Não se trata de roubo ou de vingança, mas de um dramático acerto de contas de problemas pessoais.

"Cuidado para não mentir; suas declarações estão sendo gravadas, e isso poderá ser usado mais tarde contra você."

— E por que devo explicar isso?

— Porque as circunstâncias indicam. E, quanto mais cedo tiverem algum tipo de satisfação, melhor para nós.

— Estão perguntando qual foi a arma do crime.

— "Tudo indica" que foi um punhal, como disse a testemunha.

— Mas ele não tem certeza.

— Se nem a testemunha sabe o que viu, o que você pode afirmar além do "tudo indica"? Assuste o rapaz; diga também para ele que suas palavras estão sendo gravadas pelos jornalistas, e mais tarde poderão ser usadas contra ele.

Desliga. Daqui a pouco o inspetor substituto ia começar com perguntas inconvenientes.

"Tudo indica" que foi crime passional, mesmo que a vítima tivesse acabado de chegar à cidade, vinda dos Estados Unidos. Mesmo que estivesse hospedada sozinha em seu quarto de hotel. Mesmo que, pelo pouco que conseguiram apurar, seu único compromisso fora um encontro sem maiores consequências durante a manhã, no mercado aberto de filmes que se encontra ao lado do Palácio do Congresso. Os jornalistas não teriam acesso a todas essas informações.

E havia algo muito mais importante que só ele sabia — ninguém mais em sua equipe, ninguém mais no mundo.

A vítima estivera no hospital. Conversaram um pouco e a mandara embora — para a morte.

Torna a ligar a sirene, para fazer com que o ruído ensurdecedor afaste qualquer sentimento de culpa. Não, não fora ele quem enfiara o estilete em seu corpo.

Claro que pode pensar: "Tal senhora estava ali, na sala de espera, porque tem relação com a máfia da droga, e queria saber se realmente o assassinato tinha sido bem-sucedido". Isso é coerente com a "lógica", e, se comunicar o encontro casual ao seu superior, começarão a investigar nessa direção. Claro que inclusive pode ser verdade; fora morta com requintes de sofisticação, como acontecera com o distribuidor de Hollywood. Ambos eram americanos. Ambos tinham sido assassinados por instrumentos pontiagudos. Tudo indicava que se tratava do mesmo grupo, e que os dois tinham relação entre si.

Quem sabe está enganado, e não existe nenhum assassino em série atuando na cidade?

Porque a menina encontrada no banco, com marcas de asfixia provocadas por mãos experientes, talvez tivesse contato na noite anterior com alguém do grupo que viera para encontrar-se com o produtor. Talvez vendesse outras além das mercadorias que costumava expor na calçada: drogas.

Imagina a cena: os estrangeiros chegam para acertar contas. Em um dos muitos bares, o distribuidor local apresenta um deles para a linda menina de sobrancelhas grossas, "que trabalha conosco". Terminam indo para a cama, mas o estrangeiro bebeu mais do que devia, a língua está solta, a Europa tem um ar diferente, perde o controle e fala mais do que devia. No dia seguinte, logo de manhã, dá-se conta do erro e encarrega o assassino profissional — que sempre acompanha bandos como esses — de resolver o problema.

Enfim, tudo perfeitamente claro, se encaixando, sem deixar margens para dúvidas.

Tudo se encaixa tão claramente que, por essa razão, não faz nenhum sentido. Não era possível que um cartel de cocaína tivesse decidido acertar suas contas em uma cidade que, por causa do evento que estava acontecendo ali, tinha convocado um número extra de policiais vindos de todo o resto do país, que se somam aos guarda-costas privados, aos seguranças contratados para as festas, aos detetives que se encarregavam de vigiar vinte e quatro horas por dia as caríssimas joias que circulavam pelas ruas e pelos salões.

E se esse fosse o caso, também seria bom para sua carreira: os acertos de contas da máfia trazem tantos holofotes como a presença de um assassino em série.

Pode relaxar; seja qual for o caso, irá ganhar a notoriedade que sempre achou que merecia.

Desliga a sirene. Em meia hora já percorreu quase toda a autoestrada, cruzou uma barreira invisível e entrou em outro país, está a apenas alguns minutos de seu destino. Mas sua cabeça está pensando em coisas que, teoricamente, deveriam ser proibidas.

Três crimes no mesmo dia. Suas orações estavam com as famílias dos mortos, como dizem os políticos. Evidentemente que tem consciência de que o Estado lhe paga para manter a ordem, e não para ficar contente quando ela é quebrada de maneira tão violenta. A esta altura o comissário deve estar dando socos na parede, consciente da gigantesca responsabilidade de resolver dois problemas: encontrar o criminoso (ou criminosos, porque talvez ainda não esteja convencido de sua tese) e afastar a imprensa. Todos estão muito preocupados, as delegacias da região já foram avisadas, os carros estão recebendo através do computador um retrato falado do assassino. Algum político possivelmente terá seu merecido repouso interrompido, porque o chefe de polícia acha o tema muito delicado, e quer passar a responsabilidade para esferas mais altas.

O político dificilmente cairá na armadilha, dizendo apenas que façam a cidade voltar ao normal o mais breve possível, já que "milhões, ou centenas de milhões de euros dependem disso". Não quer aborrecer-se; tem assuntos mais importantes a resolver, como a marca de vinho que irão servir aquela noite aos convidados de determinada delegação estrangeira.

"E eu? Estou no caminho certo?"

Os pensamentos proibidos voltam: ele está feliz. O momento mais importante em toda a sua carreira dedicada a preencher papéis e cuidar de assuntos irrelevantes. Nunca imaginou que uma situação semelhante o deixaria no estado eufórico em que se encontra agora — o verdadeiro detetive, o homem que tem uma teoria que vai contra a lógica, que terminará sendo condecorado porque foi o primeiro a ver aquilo que ninguém mais conseguia enxergar. Não confessará a ninguém, nem mesmo à sua mulher — que ficaria horrorizada com a atitude do marido, certa de que perdera a razão por causa do perigoso ambiente de trabalho em que vivia.

"Estou contente. Excitado."

Suas orações estavam com as famílias dos mortos; seu coração, depois de alguns anos de inércia, voltava ao mundo dos vivos.

Ao contrário do que Savoy havia imaginado — uma grande biblioteca cheia de livros empoeirados, pilhas de revistas pelos cantos, uma mesa coberta de papéis desordenados —, o escritório era imaculadamente branco, algumas luminárias de bom gosto, uma confortável poltrona, a mesa transparente com uma gigantesca tela de computador. Completamente vazia, exceto pelo teclado sem fio e por um pequeno bloco de notas com uma luxuosa caneta Montegrappa sobre ele.

— Tire esse sorriso do rosto e mostre algum ar de preocupação — diz o homem de barbas brancas, de paletó tweed apesar do calor, gravata, calça bem cortada, o que não combina de maneira nenhuma com a decoração do seu escritório ou com o tema que estavam discutindo.

— Do que o senhor está falando?

— Sei como se sente. Está diante do caso de sua vida, em um lugar onde nunca acontece nada. Passei pelo mesmo conflito interior quando vivia e trabalhava em Penycae, Swansea, West Glamorgan, SA9 1GB, Grã-Bretanha. E foi graças a um assunto semelhante que terminei sendo transferido para a Scotland Yard em Londres.

"Paris. Esse é o meu sonho." Mas não diz nada. O estrangeiro o convida para sentar-se.

— Espero que realize seu sonho profissional. Muito prazer, Stanley Morris.

Savoy resolve mudar de assunto.

— O comissário teme que a imprensa acabe especulando a respeito de um assassino em série.

— Podem especular o que quiserem, estamos em um país livre. É o tipo de assunto que vende jornal, transformando a vida pacata de aposentados em algo excitante, que acompanham detalhadamente em todos os meios de comunicação possíveis qualquer novidade sobre o assunto, com uma mistura de medo e de certeza que "não vai acontecer conosco".

— Espero que o senhor tenha recebido uma descrição detalhada das vítimas. Na sua opinião, isso caracteriza um assassino em série, ou estamos diante de alguma vingança dos grandes cartéis do tráfico?

— Sim, recebi. Por sinal, queriam enviar por fax — este instrumento que não tem mais nenhuma utilidade nos dias de hoje. Pedi que mandassem por correio eletrônico, mas sabe o que responderam? Que não estão acostumados. Imagine! Uma das forças policiais mais bem equipadas do mundo ainda usa fax!

Savoy move-se na cadeira, demonstrando alguma impaciência. Não está ali para discutir os avanços e recuos da tecnologia moderna.

— Vamos ao trabalho — diz o Dr. Morris, que havia se transformado em uma celebridade na Scotland Yard, resolvera passar sua aposentadoria no sul da França, e que possivelmente estava tão contente quanto ele porque saía da rotina aborrecida das leituras, dos concertos, dos chás e jantares beneficentes.

— Como nunca estive diante de um caso desses, talvez seja necessário saber primeiro se o senhor concorda com a minha teoria de que há um único criminoso em ação. E me diga em que terreno estou pisando.

Dr. Morris explica que teoricamente está certo: três crimes com algumas características em comum são suficientes para caracterizar um assassino em série. Normalmente, eles se passam na mesma área geográfica (neste caso, a cidade de Cannes), e...

— Então, o assassino em massa...

Dr. Morris o interrompe e pede que não use termos incorretos. Assassinos em massa são terroristas ou adolescentes imaturos que entram em uma escola, em uma lanchonete e atiram em tudo o que veem — para em seguida terminar sendo mortos pela polícia ou cometendo suicídio. Têm preferência por arma de fogo e bombas, capazes de causar o maior dano possível no menor espaço de tempo — geralmente dois a três minutos no máximo. Essas pessoas não se importam com as consequências de seus atos — porque já conhecem o final da história.

No inconsciente coletivo, o assassino em massa é mais fácil de ser aceito, já que é considerado um "desequilibrado mental", e portanto é fácil estabelecer uma diferença entre "nós" e "ele". O assassino em série, porém, lida com algo muito mais complicado — o instinto destrutivo que toda pessoa tem dentro de si.

Faz uma pausa.

— Você já leu *O médico e o monstro*, de Robert Louis Stevenson?

Savoy explicou que tinha pouco tempo para leitura, já que trabalhava muito. O olhar de Morris tornou-se glacial.

— E você acha que eu não trabalho?

— Não foi isso que quis dizer. Escuta, senhor Morris, estou aqui em missão de urgência. Prefiro não discutir tecnologia ou literatura. Quero saber o que concluiu dos relatórios.

— Sinto muito, mas neste caso temos que ir para a literatura. *O médico e o monstro* é a história de um sujeito absolutamente normal, dr. Jekyll, que em certos momentos tem impulsos destruidores incontroláveis e transforma-se em alguém diferente, sr. Hyde. Todos nós temos esses instintos, senhor inspetor. Quando o assassino em série está atuando, ele não apenas ameaça a nossa segurança; ameaça também nossa sanidade. Porque cada ser humano na face da Terra, querendo ou não, tem uma imenso poder destruidor dentro de si mesmo, e muitas vezes gostaria de experimentar a sensação mais reprimida pela sociedade — tirar uma vida.

"As razões podem ser muitas: ideia de que está consertando o mundo, vingança de algo remoto que aconteceu na infância, ódio reprimido pela sociedade etc. Mas, consciente ou inconscientemente, todo ser humano já pensou nisso — mesmo que tenha sido durante a sua infância."

Outro silêncio proposital.

— Suponho que o senhor, independente do cargo que ocupa, já deve saber exatamente que sensação é essa. Já esquartejou algum gato, ou teve um prazer mórbido em atear fogo em insetos que não lhe fazem mal nenhum.

É a vez de Savoy devolver o olhar glacial, e não dizer nada. Morris, porém, interpreta o silêncio como um "sim", e continua falando com a mesma descontração e superioridade de antes:

— Não creia que vá encontrar uma pessoa visivelmente desequilibrada, cabelos desgrenhados e um sorriso de ódio no rosto. Se lesse um pouco mais — embora saiba que é uma pessoa ocupada... —, eu sugeriria um livro de Hannah Arendt, *Eichmann em Jerusalém*. Ali, ela analisa o julgamento de um dos maiores assassinos em série da história. Claro que no caso em questão ele precisou de ajudantes, ou não teria levado a cabo a gigantesca tarefa que lhe incumbiram de executar: purificação da raça humana. Um momento.

Mexe na tela do seu computador. Sabe que o homem que está diante dele quer apenas resultados, o que é absolutamente impossível nesse terreno. Precisa educá-lo, prepará-lo para os difíceis dias que virão.

— Aqui está. Arendt faz uma detalhada análise do julgamento de Adolf Eichmann, responsável pelo extermínio de seis milhões de judeus na Alemanha nazista. Na página vinte e cinco, diz que meia dúzia de psiquiatras encarregados de examiná-lo concluíram que era uma pessoa comum. Seu perfil psicológico, sua atitude com relação à mulher, filhos, mãe e pai, eram completamente dentro de todos os padrões sociais que se espera de um homem responsável. E Arendt continua:

"O problema com Eichmann é que se parecia um ser humano como muitos outros, onde não se nota nenhuma tendência pervertida ou sádica. Na verdade, são pessoas absolutamente normais [...] Do ponto de vista de nossas instituições, sua normalidade era tão aterrorizadora como os crimes que cometeu."

Agora pode entrar no assunto.

— Notei pelas autópsias que não houve nenhuma tentativa de abuso sexual das vítimas...

— Dr. Morris, eu tenho um problema a resolver, e preciso fazer isso rapidamente. Quero ter certeza de que estamos diante de um assassino em série. É óbvio que ninguém podia violar um homem em uma festa ou uma moça em um banco de praça.

É como se não dissesse nada. O outro ignora suas palavras e continua:

— ... o que é comum em muitos dos assassinos em série. Alguns deles têm várias características, digamos, "humanas". Enfermeiras que matam pacientes em estado terminal, mendigos que são assassinados e ninguém se dá conta, funcionários do Bem-estar Social que, compadecidos da dificuldade de certos pensionistas idosos e inválidos, chegam à conclusão de que uma outra vida será muito melhor para eles — um caso assim aconteceu recentemente na Califórnia. Há também os que procuram reorganizar a sociedade: neste caso, as prostitutas são as maiores vítimas.

— Senhor Morris, eu não vim aqui...

Desta vez, Morris levanta ligeiramente a voz.

— E eu tampouco o convidei. Estou fazendo um favor. Se quiser, pode ir embora. Se ficar, pare de interromper a cada minuto o meu raciocínio; quando desejamos capturar a pessoa, precisamos entender como ela pensa.

— Então o senhor realmente acha que é um assassino em série?

— Ainda não terminei.

Savoy controlou-se. E por que estava com tanta pressa? Não seria interessante deixar que a imprensa fizesse o estardalhaço de sempre, antes de vir com a solução desejada?

— Está bem. Continue.

Morris ajeita-se na cadeira e move o monitor de modo que Savoy possa ver o que está ali: na gigantesca tela, uma gravura, possivelmente do século XIX.

— Esse é o mais famoso de todos os assassinos em série: Jack, o Estripador. Atuou em Londres, apenas na segunda metade do ano de 1888, terminando com a vida de cinco a sete mulheres em lugares públicos ou semipúblicos. Abria seu ventre, extraía seus intestinos e seu útero. Jamais o encontraram. Transformou-se em um mito, e até hoje procura-se sua verdadeira identidade.

A tela do computador mudou para algo que parecia um mapa astral.

— Essa era a assinatura de Zodíaco. Matou comprovadamente cinco casais na Califórnia, durante dez meses; jovens que paravam seus carros em lugares isolados para desfrutar de um pouco de intimidade. Enviava uma carta para a polícia com este símbolo, parecido com a cruz celta. Até hoje, ninguém conseguiu saber quem era.

"Tanto no caso de Jack como no caso de Zodíaco, estudiosos acreditam que eram pessoas que procuravam restabelecer a moral e o bom costume em suas regiões. Tinham, digamos assim, uma missão a cumprir. E ao contrário do que a imprensa quer fazer crer com seus nomes criados para assustar, como 'O Estrangulador de Boston', ou 'O Infanticida de Toulouse', convivem com seus vizinhos nos finais de semana, e trabalham duro para ganhar o sustento. Nenhum deles se beneficia financeiramente dos seus atos criminosos."

A conversa estava começando a interessar a Savoy.

— Ou seja, pode ser absolutamente qualquer pessoa que veio para Cannes passar o período do Festival...

— ... decidido, conscientemente, a semear o terror por uma razão completamente absurda, como por exemplo "lutar contra a ditadura da moda" ou "acabar com a divulgação de filmes que estimulam a violência". A imprensa cria uma expressão horripilante para designá-lo, e começa a levantar suspeitas. Crimes que nada têm a ver com o assassino começam a ser atribuídos a ele. O pânico está instalado, e só termina se por acaso — eu repito, por acaso — ele é preso. Porque muitas vezes age por um período de tempo, e desaparece por completo. Deixou sua marca na história, eventualmente escreve algum diário que será descoberto depois da sua morte, e isso é tudo.

Savoy já não olha mais o relógio. Seu telefone toca, mas ele resolve não atender: o tema era mais complicado do que imaginava.

— O senhor concorda comigo.

— Sim — diz a autoridade máxima da Scotland Yard, o homem que tinha se transformado em lenda ao resolver cinco casos que todos davam por perdidos.

— Por que acha que estamos diante de um assassino em série?

Morris viu no seu computador o que parecia ser um correio eletrônico e sorriu. O inspetor à sua frente tinha finalmente passado a respeitar o que dizia.

— Pela completa ausência de motivos nos crimes que comete. A maioria desses criminosos tem o que chamamos de "assinatura": escolhem apenas um tipo de vítima, que pode ser homossexual, prostituta, mendigo, casais que se ocultam na floresta etc. Outros são chamados de "assassinos assimétricos": matam porque não conseguem controlar o impulso. Chegam a um certo ponto em que esse impulso é satisfeito e param de matar até que a pressão seja novamente incontrolável. Estamos diante de um desses.

"Há várias coisas a considerar neste caso: o criminoso tem um alto nível de sofisticação. Escolheu armas diversas — as próprias mãos, veneno, estilete. Não está sendo movido pelos motivos clássicos: sexo, alcoolismo, desordens mentais visíveis. Conhece a anatomia humana — e essa é a sua única assinatura por enquanto. Deve ter planejado os crimes com muita antecedência, porque o veneno não deve ter sido fácil de conseguir, de modo que podemos classificá-lo entre aqueles que julgam estar "cumprindo uma missão" que ainda não sabemos qual é. Pelo que pude deduzir da menina, e essa é a única pista que temos até agora, usou um tipo de arte marcial russa, chamada Sambo.

"Eu poderia ir mais longe, e dizer que é parte de sua assinatura aproximar-se da vítima e ficar amigo dela por algum tempo. Mas esta teoria não encaixa com o assassinato que foi cometido em pleno almoço, numa praia de Cannes. Pelo visto, a vítima estava com dois guarda-costas que teriam reagido. E também estava sendo vigiada pela Europol."

Russo. Savoy pensa em pegar o telefone e pedir que fizessem uma pesquisa urgente em todos os hotéis da cidade. Homem de aproximadamente quarenta anos, bem-vestido, cabelos ligeiramente grisalhos, russo.

— O fato de ter usado uma técnica marcial russa não significa que ele é dessa nacionalidade — Morris adivinhava seu pensamento, como bom ex-policial que era. — Da mesma maneira que tampouco podemos deduzir que é índio da América do Sul, porque utilizou o curare.

— E então?

— Então, é esperar pelo próximo crime.

18h50

Cinderela!

Se as pessoas acreditassem mais nos contos de fadas em vez de escutar apenas seus maridos e pais — que acham tudo impossível — estariam vivendo a mesma coisa que ela experimenta agora, dentro de uma das inumeráveis limusines que se encaminham, lenta mas inexoravelmente, em direção aos degraus, ao tapete vermelho, à maior passarela da moda no planeta.

A Celebridade está ao seu lado, sempre sorridente, vestindo um belo traje a rigor. Pergunta se está tensa. Claro que não: em sonhos não existem tensões, nervosismo, ansiedade ou medo. Tudo é perfeito, as coisas se passam como no cinema — a heroína sofre, luta, mas consegue realizar tudo que sempre desejou.

— Se Hamid Hussein resolver levar adiante o projeto, e se o filme for o sucesso que ele espera, prepare-se para outros momentos iguais.

Se Hamid Hussein resolver levar adiante o projeto? Mas já não está tudo combinado?

— Assinei um contrato quando fui pegar as roupas no Salão de Presentes.

— Esqueça o que eu disse, não quero estragar seu momento tão especial.

— Por favor, continue.

A Celebridade esperava exatamente aquele tipo de comentário da garota boba. Tem um prazer imenso de fazer o que pede.

— Já participei de inúmeros projetos que começam e não terminam jamais. Faz parte do jogo, mas não se preocupe com isso agora.

— E o contrato?

— Contratos são para advogados discutirem enquanto ganham dinheiro. Por favor, esqueça o que eu disse. Aproveite este momento.

O "momento" vai se aproximando. Por causa do trânsito lento, as pessoas podem ver quem está dentro dos carros, mesmo com os vidros fumê separando os mortais dos eleitos. A Celebridade acena, algumas mãos batem na janela pedindo que abra só por um instante, que dê um autógrafo, tire uma fotografia.

A Celebridade acena, como se não estivesse entendendo o que querem, e convencido de que um sorriso é suficiente para inundar o mundo com a sua luz.

Há um verdadeiro clima de histeria do lado de fora. Senhoras com seus pequenos bancos portáteis que devem estar sentadas ali desde a manhã fazendo tricô, homens com barrigas de cerveja que parecem estar morrendo de tédio mas são obrigados a acompanhar suas esposas de meia-idade vestidas como se elas também fossem subir o tapete vermelho, crianças que não estão entendendo absolutamente nada do que acontece mas sabem que se trata de algo importante. Asiáticos, negros, brancos, gente de todas as idades separadas por barreiras de aço da estreita faixa por onde as limusines andam, querendo acreditar que estão apenas a dois metros de distância dos grandes mitos do planeta, quando na verdade essa distância é de centenas de milhares de quilômetros. Porque não é apenas a barreira de aço e o vidro do carro que fazem a diferença, mas a chance, a oportunidade, o talento.

Talento? Sim, ela quer acreditar que o talento também conta, mas sabe que isso é o resultado de um jogo de dados entre os deuses, que escolhem determinadas pessoas, enquanto as outras são colocadas do outro lado do abismo intransponível, com a única missão de aplaudir, adorar, e condenar quando chega o momento em que a corrente muda de rumo.

A Celebridade finge conversar com ela — mas, na verdade, não está dizendo nada, apenas a olha e move os lábios, como grande ator que é. Não o faz com desejo nem prazer; Gabriela entende de imediato que ele não quer ser antipático com seus fãs do lado de fora, mas ao mesmo tempo já não tem mais paciência para acenar, distribuir sorrisos e beijos.

— Você deve estar achando que sou uma pessoa arrogante, cínica, com um coração de pedra — finalmente diz algo. — Se algum dia chegar aonde pretende, irá entender o que sinto: não há saída. O sucesso escraviza ao mesmo tempo em que vicia, e no final do dia, com um homem ou uma mulher diferente na cama, terminará se perguntando: valeu a pena? Por que sempre desejei isso?

Faz uma pausa.

— Continue.

— Não sei por que estou lhe contando isso.

— Porque quer me proteger. Porque é um homem de bem. Por favor, continue.

Gabriela podia ser ingênua em muitas coisas, mas era uma mulher, e sabia como arrancar quase tudo o que desejava de um homem. Neste caso, a ferramenta certa é a vaidade.

— Não sei por que sempre desejei isso — a Celebridade tinha caído na armadilha, e agora mostrava seu lado frágil, enquanto os fãs acenavam do lado de fora. — Muitas vezes, quando retorno ao hotel depois de um exaustivo dia de trabalho, entro debaixo do chuveiro e fico um tempo enorme escutando apenas o som da água caindo em meu corpo. Duas forças opostas estão lutando dentro de mim; a que me diz que devia dar graças aos céus, e a que me diz que devia abandonar tudo enquanto é tempo.

"Nesses momentos, sinto-me a pessoa mais ingrata do mundo. Tenho meus fãs, e já me falta paciência. Sou convidado para as festas mais cobiçadas do mundo, e tudo que desejo é sair logo e voltar para meu quarto, ficar em silêncio lendo um bom livro. Homens e mulheres de boa vontade me dão prêmios, organizam eventos e fazem tudo para que eu me sinta feliz, e na verdade o que me sinto é exausto, inibido, achando que não mereço tudo isso porque não sou digno do meu sucesso. Entende?"

Por uma fração de segundo, Gabriela sente compaixão pelo homem que está ao seu lado: imagina quantas festas foi obrigado a participar durante o ano, sempre com alguém pedindo uma foto, um autógrafo, contando uma história absolutamente desinteressante enquanto ele finge prestar atenção, propondo algum novo projeto, constrangendo-o com o clássico "você não se lembra de mim?", pegando seus celulares e pedindo que dê apenas uma palavra com o filho, a mulher, a irmã. E ele sempre alegre, sempre atento, sempre bem-disposto e educado, um profissional de primeira qualidade.

— Entende?

— Entendo. Mas gostaria de ter os conflitos que você tem, e sei que ainda falta muito.

Mais quatro limusines e chegarão ao destino. O chofer avisa que se preparem. A Celebridade abaixa um pequeno espelho do teto, ajeita sua gravata, e ela faz a mesma coisa com o cabelo. Gabriela já pode notar um pedaço do tapete vermelho, embora os degraus ainda estejam fora do seu campo de visão. A histeria desapareceu por encanto, a multidão agora é constituída de pessoas que usam um colar de identificação no pescoço, conversam uns com os outros e não prestam a menor atenção em quem está dentro dos carros, porque já estão cansados de ver a mesma cena.

Faltam dois carros. Do seu lado esquerdo, aparecem alguns degraus da passarela. Homens vestidos de terno e gravata estão abrindo as portas, e as agressivas barreiras de metal foram substituídas por cordas de veludo que se apoiam em pilares de madeira e bronze.

— Droga!

A Celebridade dá um grito. Gabriela leva um susto.

— Droga! Olha quem está ali! Olha quem está saindo do carro neste momento!

Gabriela vê uma Supercelebridade feminina, também vestida por Hamid Hussein, que acaba de colocar seus pés no início do tapete vermelho. A Celebridade volta a cabeça na direção oposta do Palácio do Congresso, ela acompanha seu olhar, vê algo completamente inesperado. Uma parede humana, de quase três metros de altura, com flashes disparando sem cessar.

— Está olhando para o lugar errado — consola-se a Celebridade, que parece ter perdido todo o seu charme, gentileza, e problemas existenciais. — Esses daí não foram credenciados. São da imprensa secundária.

— Por que "droga"?

A Celebridade não consegue esconder sua irritação. Ainda falta um carro para que cheguem.

— Você não está vendo? De que mundo você é, menina? Quando entrarmos no tapete vermelho, as câmeras dos fotógrafos escolhidos, que estão exatamente no meio do percurso, vão estar com suas lentes apontadas para ela!

E voltando-se para o chofer:

— Ande mais devagar!

O chofer aponta para um homem vestido à paisana, também com identificação no pescoço, fazendo sinal com as mãos para que sigam adiante e não atrapalhem o trânsito.

A Celebridade respira fundo; aquele não é o seu dia de sorte. Por que resolvera dizer tudo aquilo à atriz principiante ao seu lado? Sim, era verdade, estava farto da vida que levava, e mesmo assim não podia imaginar algo diferente.

— Não saia correndo — diz. — Vamos fazer o possível para demorar o máximo aqui embaixo. Deixamos um bom espaço entre a moça e a gente.

A "moça" era a Supercelebridade.

O casal que estava no carro anterior não parece atrair tanta atenção — embora deva ser importante porque ninguém chega até o início dos degraus sem antes ter escalado muitas montanhas na vida.

Seu companheiro parece relaxar um pouco, mas é a vez de Gabriela ficar tensa, sem saber exatamente como se comportar. Suas mãos estão suando. Ela agarra a bolsa cheia de papel dentro, respira fundo e faz uma prece.

— Ande devagar — diz a Celebridade. — E não fique muito perto de mim.

A limusine chega. Ambas as portas são abertas.

De repente, um barulho imenso parece tomar conta do universo inteiro, gritos vindos de todos os lados — até aquele momento ela não havia se dado conta de que estava em um carro à prova de som e não podia escutar nada. A Celebridade desce sorridente, como se nada tivesse acontecido dois minutos atrás e ele continuasse a ser o centro do universo — independentemente das confissões que fizera no carro, e que pareciam ser verdadeiras. Um homem em conflito consigo mesmo, com seu mundo, com sua história — que não pode mais dar nenhum passo atrás.

"Em que estou pensando? Devo concentrar-me, viver o presente! Subir os degraus!"

Os dois acenam para a imprensa "secundária", e gastam bons momentos ali. Pessoas lhe estendem papéis, ele dá autógrafos e agradece aos fãs. Gabriela não sabe exatamente se deve colocar-se ao seu lado, ou se deve seguir em direção ao tapete vermelho e à entrada do Palácio do Congresso — mas é salva por alguém que lhe estende um papel, uma caneta, e pede que autografe.

Não é o primeiro autógrafo de sua vida, mas é o mais importante até agora. Ela olha para a senhora que conseguiu esgueirar-se até a área reservada, dá um sorriso, pergunta seu nome — mas não consegue escutar nada por causa dos gritos dos fotógrafos.

Ah, como gostaria que esta cerimônia estivesse sendo transmitida ao vivo para o mundo inteiro, que sua mãe a estivesse vendo chegar em um vestido deslumbrante, acompanhada de um ator famosíssimo (embora ela agora começasse a ter dúvidas, mas era melhor afastar rapidamente aquelas vibrações negativas da cabeça), dando o mais importante autógrafo dos seus vinte e cinco anos de vida! Não consegue entender o nome da mulher, sorri, e escreve algo como "com amor".

A Celebridade se aproxima dela:

— Vamos. O caminho está livre.

A mulher para quem acabara de escrever palavras de carinho lê o que está escrito e reclama:

— Não é um autógrafo! Preciso de seu nome para poder identificar na foto!

Gabriela finge não escutar — nada no mundo pode destruir este momento mágico.

Começam a subir a suprema passarela europeia, com policiais fazendo uma espécie de cordão de segurança, embora o público esteja longe dali. Em ambos os lados, na fachada do edifício, gigantescas telas de plasma mostram aos pobres mortais do lado de fora o que está acontecendo naquele santuário ao ar livre. De longe vêm os gritos histéricos e o som de palmas. Quando chegam a uma espécie de degrau mais extenso, como se tivessem atingido o primeiro andar, nota outra multidão de fotógrafos, só que desta vez vestidos a rigor, berrando o nome da Celebridade, pedindo que se vire para aqui, para ali, só mais uma, por favor chegue mais perto, olhe para cima, olhe para baixo! Outras pessoas passam por eles e continuam subindo os degraus, mas os fotógrafos não estão interessados nelas; a Celebridade ainda mantém intacto o seu glamour, finge uma certa displicência, brinca um pouco para mostrar que está relaxado e acostumado com aquilo.

Gabriela nota que também está chamando atenção; embora não gritem seu nome (não têm a menor ideia de quem é), imaginam que seja o novo romance do famoso ator, pedem que se aproximem um do outro e tirem fotos juntos (o que a Celebridade faz por alguns segundos, sempre a uma prudente distância, evitando qualquer contato físico com ela).

Sim, haviam conseguido escapar da Supercelebridade! Que a esta altura já está na porta do Palácio dos Festivais, cumprimentando o presidente do Festival de Cinema e o prefeito de Cannes.

A Celebridade faz um sinal com a mão para que continuem subindo os degraus. Ela obedece.

Olha adiante, vê outra tela gigante colocada estrategicamente de modo que as pessoas possam ver a si mesmas. Uma voz anuncia pelo alto-falante instalado no local:

— Neste momento, está chegando...

E diz o nome da Celebridade e do seu filme mais famoso. Mais tarde, alguém irá lhe contar que todos os que já estão dentro da sala estão assistindo por um circuito interno à mesma cena que o monitor de plasma mostra do lado de fora.

Sobem os degraus restantes, chegam até a porta, cumprimentam o presidente do Festival, o prefeito da cidade, e entram no recinto propriamente dito. Tudo aquilo havia durado menos de três minutos.

A esta altura, a Celebridade está cercada de gente que quer falar um pouco, admirar um pouco, tirar fotos (mesmo os eleitos fazem isso, tiram fotos com gente famosa). Faz um calor sufocante ali dentro, Gabriela teme que a maquiagem vá ser afetada, e...

A maquiagem!

Sim, tinha esquecido por completo. Agora deve sair por uma porta situada à esquerda, alguém a está esperando lá fora. Desce mecanicamente os degraus, passa por dois ou três seguranças. Um deles pergunta se está saindo para fumar e se pretende retornar para o filme. Ela responde que não, e segue adiante.

Cruza outra série de barreiras de ferro, ninguém lhe pergunta nada — porque está saindo, e não tentando invadir o local. Pode ver as costas da multidão que continua acenando e gritando para as limusines que não param de chegar. Um homem vem em sua direção, pergunta seu nome, e pede que o siga.

— Pode esperar um minuto?

O homem parece surpreso, mas acena positivamente com a cabeça. Gabriela mantém os olhos cravados em um carrossel antigo, que possivelmente está ali desde o início do século passado, e continua a girar, enquanto as crianças saltam nos brinquedos.

— Podemos ir agora? — pergunta delicadamente o homem.
— Só mais um minuto.
— Vamos chegar tarde.

Mas Gabriela já não consegue mais controlar o choro, a tensão, o medo, o terror daqueles três minutos que acaba de viver. Soluça compulsivamente — pouco importa a maquiagem, ela será refeita de qualquer maneira. O homem estende o braço para que ela se apoie e não tropece com seus saltos altos; os dois começam a caminhar pela praça que vai dar na Croisette, o ruído da multidão vai ficando cada vez mais distante, os soluços compulsivos vão ficando cada vez mais altos. Está chorando todas as lágrimas do dia, da semana, dos anos em que sonhou com aquele momento — e que terminou sem que pudesse se dar conta do que tinha acontecido.

— Desculpa — diz ela para o homem que acompanha.

Ele afaga sua cabeça. Seu sorriso demonstra carinho, compreensão, e piedade.

19h31

Tinha finalmente entendido que é impossível procurar a felicidade a qualquer custo — a vida já lhe dera o máximo, e começava a entender que tinha sido sempre generosa com ele. Agora, e pelo resto dos seus dias, iria se dedicar a desenterrar os tesouros escondidos no seu sofrimento, e aproveitar cada segundo de alegria como se fosse o último.

Tinha vencido as tentações. Estava protegido pelo espírito da menina que entendia perfeitamente sua missão, e que agora começava a abrir seus olhos para as verdadeiras razões de sua viagem a Cannes.

Por alguns instantes naquela pizzaria, enquanto relembrava o que havia escutado nas fitas, a Tentação acusou-o de ser um desequilibrado mental, capaz de acreditar que tudo era permitido em nome do amor. Mas, graças a Deus, o seu momento mais difícil já ficara para trás.

É uma pessoa absolutamente normal; seu trabalho exige disciplina, horários, capacidade de negociação, planejamento. Muitos de seus amigos dizem que recentemente anda mais isolado que antes; o que não sabem é que sempre foi assim. O fato de ser obrigado a participar de festas, ir a casamentos e batizados, fingir que se divertia jogando golfe aos domingos — tudo aquilo não passa de estratégia em busca de seu objetivo profissional. Sempre detestou a vida mundana, com as pessoas escondendo por detrás de sorrisos a verdadeira tristeza de suas almas. Não custou muito para aprender que a Superclasse é tão dependente de seu sucesso como um usuário de drogas, e muito mais infeliz do que os que não almejam nada além de uma casa, um jardim, uma criança brincando, um prato de comida na mesa e uma lareira acesa no inverno. Estes têm consciência de seus limites, sabem que a vida é curta, e por que devem ir mais adiante?

A Superclasse tenta vender seus valores. Os seres humanos normais se queixam da injustiça divina, invejam o poder, sofrem ao ver que os outros estão se divertindo; não percebem que ninguém está se divertindo, todos estão preocupados, inseguros, escondendo o gigantesco complexo de inferioridade por trás de suas joias, seus carros, suas carteiras recheadas de dinheiro.

Igor é uma pessoa de gostos simples, embora Ewa sempre reclamasse da maneira como se vestia. Mas para que comprar uma camisa acima de um preço razoável, se a etiqueta está escondida atrás do seu pescoço? Qual a vantagem de frequentar restaurantes da moda, se nada de importante é dito ali? Ewa costumava dizer que não conversava muito nas ocasiões em que seu trabalho obrigava a frequentar festas e eventos. Igor tentava mudar seu comportamento, e se esforçava para ser simpático — mas tudo aquilo lhe parecia absolutamente desinteressante. Olhava as pessoas à sua volta falando sem parar, comparando preços de ações na Bolsa, comentando as maravilhas de seu novo iate, fazendo longas observações sobre pintores expressionistas só porque haviam gravado o que o guia turístico dissera durante uma viagem a um museu de Paris, afirmando que tal escritor é melhor que o outro — porque haviam lido as críticas, já que nunca têm tempo de ler um livro de ficção.

Todos cultos. Todos ricos. Todos absolutamente encantadores. E todos se perguntando no final do dia: "Não é o momento de parar?". E todos respondendo a si mesmos: "Se fizer isso, minha vida perde o sentido".

Como se soubessem o que é o sentido da vida.

A Tentação perdeu a batalha. Queria fazê-lo acreditar que estava louco: uma coisa é planejar o sacrifício de certas pessoas, a outra é ter a capacidade e a coragem de executá-lo. A Tentação dizia que todos nós sonhamos cometer crimes, mas que só os desequilibrados transformam essa ideia macabra em realidade.

Igor é equilibrado. Bem-sucedido. Se assim desejasse, poderia contratar um assassino profissional, o melhor do mundo, para que executasse sua tarefa e mandasse os recados necessários a Ewa. Ou poderia contratar a melhor agência de relações públicas do mundo; no final de um ano seria assunto não apenas em jornais especializados em economia, mas nas revistas que falam de sucesso, brilho e glamour. Com toda certeza, nesse momento sua ex-mulher pesaria as consequências de sua decisão equivocada, e ele saberia o momento certo de lhe enviar flores e pedir que voltasse — estava perdoada. Tem seus contatos em todas as camadas sociais, desde os empresários que chegaram ao topo através de muita perseverança e esforço até os criminosos que nunca tiveram uma chance de poder mostrar seu lado positivo.

Se está em Cannes não é porque tem um prazer mórbido em ver o que mostram os olhos de uma pessoa quando ela está diante do Inevitável. Se resolveu colocar-se na linha de tiro, na posição arriscada em que se encontra agora, é porque tem certeza de que os passos que está dando durante este dia que parece não terminar nunca serão fundamentais para que o novo Igor que existe dentro de si possa nascer das cinzas de sua tragédia.

Sempre foi um homem capaz de tomar decisões difíceis e ir até o final, mesmo que ninguém, nem mesmo Ewa, soubesse o que se passava nos corredores escuros de sua alma. Sofreu em silêncio muitos anos as ameaças de pessoas e grupos, reagiu com discrição quando se julgou forte o bastante para liquidar as pessoas que o ameaçavam. Precisou exercer um imenso autocontrole para não deixar que sua vida ficasse marcada pelas más experiências por que passou. Nunca levou seus medos e seus terrores para casa: Ewa precisava ter uma vida tranquila, sem tomar conhecimento dos sobressaltos que todo homem de negócios vive. Escolheu poupá-la, e não foi correspondido, nem sequer entendido.

O espírito da menina o tranquilizara com esse pensamento, mas acrescentara uma coisa que não tinha pensado até então: não estava ali para reconquistar a pessoa que o havia abandonado, mas para entender, finalmente, que ela não valia todos aqueles anos de dor, todos aqueles meses de planejamento, toda a sua capacidade de perdoar, ser generoso, ter paciência.

Mandou uma, duas, três mensagens, e Ewa não reagiu. Seria facílimo para ela procurar saber onde estava hospedado. Cinco ou seis telefonemas para os hotéis de luxo não resolveriam a questão, já que havia se registrado com nome e profissão diferentes; mas quem procura, acha.

Lera as estatísticas: Cannes tem apenas setenta mil habitantes; esse número é geralmente triplicado durante o período do Festival, mas as pessoas que chegam vão sempre aos mesmos lugares. Onde estava ela? Hospedada no mesmo hotel que ele, frequentando o mesmo bar — porque tinha visto os dois na noite anterior. Mesmo assim, Ewa não caminhava pela Croisette à sua procura. Não telefonava para amigos comuns, tentando saber onde estava; pelo menos um tinha todos os dados, já que imaginara que aquela que julgava ser a mulher da sua vida iria contatá-lo ao saber que estava tão perto.

O amigo tinha instruções para dizer como podiam se encontrar — mas, até agora, absolutamente nada.

Tira a roupa, entra no chuveiro. Ewa não merecia tudo aquilo. Tem quase certeza de que a encontrará esta noite, mas a cada momento isso parece perder a importância. Talvez sua missão seja muito maior do que simplesmente recuperar o amor de uma pessoa que o traiu, que espalha coisas negativas a seu respeito. O espírito da menina de sobrancelhas grossas faz com que se lembre da história contada por um velho afegão, no intervalo de uma batalha.

A população de uma cidade no alto de uma das montanhas desertas de Herat, depois de muitos séculos de desordem e maus governantes, está desesperada. Não pode abolir a monarquia de uma hora para outra, e, ao mesmo tempo, já não aguenta as muitas gerações de reis arrogantes e egoístas. Reúne a Loya Jirga, como é conhecido o conselho dos sábios do local.

A Loya Jirga decide: elegeriam um rei a cada quatro anos, e este teria o poder completo e absoluto. Poderia aumentar os impostos, exigir obediência total, escolher uma mulher diferente todas as noites para levar ao seu leito, comer e beber até não aguentar mais. Vestiria as melhores roupas, cavalgaria os melhores animais. Enfim: qualquer ordem, por mais absurda que fosse, seria obedecida sem que ninguém pudesse questionar sua lógica ou sua justiça.

Entretanto, no final desses quatro anos, seria obrigado a renunciar o trono e abandonar o local, levando apenas a família e a roupa do corpo. Todos sabiam que isso significava a morte em três ou quatro dias no máximo, já que naquele vale não existia nada além de um imenso deserto, congelante no inverno, e insuportavelmente quente no verão.

Os sábios da Loya Jirga imaginam que ninguém se arriscaria a tomar o poder, e poderiam voltar ao sistema antigo de eleições democráticas. A decisão foi promulgada: o trono do governante estava vago, mas as condições para ocupá-lo eram rígidas. Em um primeiro momento, várias pessoas ficaram animadas com a possibilidade. Um velho com câncer aceitou o desafio, mas morreu da doença durante o mandato, com um sorriso no rosto. Um louco sucedeu-lhe, mas por causa de suas condições mentais partiu quatro meses depois (havia entendido errado) e desapareceu no deserto. A partir daí, começaram a correr histórias dizendo que o trono estava amaldiçoado, e ninguém mais resolveu arriscar-se. A cidade ficou sem governante, a confusão começou a instalar-se, os habitantes entenderam que as tradições monárquicas precisavam ser esquecidas para sempre, e se prepararam para mudar seus usos e costumes. A Loya Jirga começa a comemorar a sábia decisão de seus membros: não obrigaram o povo a fazer uma escolha, apenas conseguiram eliminar a ambição daqueles que desejavam o poder a qualquer custo.

Neste momento aparece um jovem, bem casado e pai de três filhos.

— Aceito o cargo — diz ele.

Os sábios tentam explicar os riscos do poder. Dizem que tem família, que aquilo não passava de uma invenção para desestimular aventureiros e déspotas. Mas o rapaz se mantém firme em sua decisão. E como é impossível voltar atrás, a Loya Jirga não tem outro remédio a não ser esperar mais quatro anos antes de levar seus planos adiante.

O rapaz e sua família se tornam excelentes governantes; são justos, distribuem melhor a riqueza, abaixam o preço dos alimentos, dão festas populares para celebrar as mudanças de estação, estimulam o trabalho artesanal e a música. Entretanto, todas as noites uma grande caravana de cavalos deixa o local arrastando pesadas carroças cujo conteúdo está coberto por tecidos de juta, de modo que ninguém pode ver o que há lá dentro.

E jamais retornam.

No início, os sábios da Loya Jirga imaginam que o tesouro está sendo saqueado. Mas ao mesmo tempo se consolam com o fato de que o rapaz nunca se aventurara muito além das muralhas da cidade; se tivesse feito isso e galgado a primeira montanha, iria descobrir que os cavalos morreriam antes de chegar muito longe — estão no meio de um dos lugares mais inóspitos do planeta. Reúnem-se de novo, e dizem: deixemos que ele faça como quer. Assim que terminar seu reino, vamos até o local onde os cavalos caíram de exaustão, os cavaleiros morreram de sede, e recuperaremos tudo.

Param de preocupar-se e aguardam com paciência.

No final de quatro anos, o rapaz é obrigado a descer do trono e abandonar a cidade. A população revolta-se: afinal de contas, há muito tempo não tiveram um governante tão sábio e tão justo!

Mas a decisão da Loya Jirga precisa ser respeitada. O rapaz vai até sua mulher e seus filhos e pede que o acompanhem.

— Farei isso — diz a mulher. — Mas pelo menos deixe nossos filhos aqui; eles poderão sobreviver e contar sua história.

— Confie em mim.

Como as tradições tribais são rígidas, a mulher não tem alternativa se não obedecer ao marido. Montam seus cavalos, vão para a porta da cidade, despedem-se dos amigos que fizeram enquanto governavam o local. A Loya Jirga está contente: mesmo com todos aqueles aliados, o destino precisa ser cumprido. Ninguém mais se arriscará a subir ao trono, e as tradições democráticas serão finalmente restabelecidas.

Assim que puderem, recuperarão o tesouro que a esta altura deve estar abandonado no deserto, a menos de três dias dali.

A família segue para o vale da morte em silêncio. A mulher não ousa conversar nada, as crianças não entendem o que está se passando, e o jovem parece estar imerso em seus pensamentos. Cruzam uma colina, passam o dia inteiro atravessando uma gigantesca planície, e dormem no alto da colina seguinte.

A mulher desperta ainda de madrugada — quer aproveitar seus dois últimos dias de vida para olhar as montanhas da terra que tanto amou. Vai até o topo, olha para baixo, para o que sabe ser uma outra planície absolutamente deserta. E leva um susto.

Durante quatro anos as caravanas que partiam à noite não levavam joias nem moedas de ouro.

Levavam tijolos, sementes, madeira, telhas, tecidos, especiarias, animais, objetos tradicionais de perfurar o solo para encontrar água.

Diante dos seus olhos está uma outra cidade — muito mais moderna, mais bela, com tudo funcionando.

— Esse é o seu reino — diz o rapaz que acabou de acordar e juntar-se a ela. — Desde que soube do decreto, sabia que era inútil tentar corrigir em quatro anos o que séculos de corrupção e má administração haviam destruído. Mas tinha uma única certeza: era possível começar tudo de novo.

Está começando tudo de novo, enquanto a água cai em seu rosto. Entendeu finalmente porque a primeira pessoa com quem realmente conversou em Cannes está agora ao seu lado, corrigindo seu curso, ajudando-o a fazer os ajustes necessários, explicando que seu sacrifício não foi por acaso e nem foi desnecessário. Por um lado, o fizera entender que Ewa sempre fora uma entidade perversa, apenas interessada em ascensão social, mesmo que isso significasse abandonar a família.

"Quando voltar para Moscou, procure fazer esporte. Muito esporte. Isso o ajudará a libertar-se das tensões."

Consegue ver seu rosto nas nuvens de vapor provocadas pela água quente. Nunca esteve tão próximo de alguém como está agora de Olivia, a menina de sobrancelhas grossas.

"Siga adiante. Mesmo que já não esteja mais convencido, siga adiante; os desígnios de Deus são misteriosos, e às vezes o caminho só se mostra quando a pessoa começa a andar."

Obrigado, Olivia. Quem sabe está ali para mostrar ao mundo as aberrações do presente, do qual Cannes era a suprema manifestação?

Não tem certeza. Mas, seja o que for, está ali por uma razão, e seus dois anos de tensão, planejamento, medo, incertezas estão finalmente sendo justificados.

Pode imaginar como será o próximo Festival: pessoas precisando usar cartões magnéticos mesmo nas festas de praia, atiradores de elite em todos os tetos, centenas de policiais à paisana misturando-se com a multidão, detectores de metal em cada porta de hotel, onde grandes filhos da Superclasse terão que esperar até que policiais revistem suas bolsas, tirem seus sapatos altos, peçam que retornem porque esqueceram algumas moedas no bolso e o dispositivo apitou, ordenem que os senhores de cabelos grisalhos levantem os braços e sejam revistados como um criminoso qualquer, conduzam as mulheres a uma única cabine de lona instalada na entrada — destoando por completo da antiga elegância local —, onde devem esperar pacientemente em uma fila para serem revistadas, até que a policial feminina descubra o que fez soar o alarme: os suportes de aço que ficam na parte inferior dos sutiãs.

A cidade começará a mostrar sua verdadeira face. Luxo e glamour são substituídos por tensão, insultos, olhares indiferentes de policiais, tempo perdido. Isolamento cada vez maior — desta vez provocado pelo sistema, e não pela eterna arrogância dos eleitos. Custos proibitivos que caem nas costas dos contribuintes, por causa das forças militares deslocadas para um simples balneário com o único objetivo de proteger gente que está tentando se divertir.

Manifestações. Trabalhadores honestos protestando contra aquilo que julgam um absurdo. O governo dá uma declaração dizendo que começa a considerar a possibilidade de transferir os custos para os organizadores do Festival. Os patrocinadores — que podiam arcar com essas despesas — já não estão mais interessados, porque um deles foi humilhado por um agente de quinta categoria, que o mandou calar a boca e respeitar o esquema de segurança.

Cannes começa a morrer. Dois anos mais tarde, dão-se conta de que tudo aquilo que fizeram para manter a lei e a ordem tinha realmente valido a pena: nenhum crime durante o Festival. Os terroristas não estão mais conseguindo semear o pânico.

Querem voltar atrás, mas é impossível; Cannes continua a morrer. A nova Babilônia é destruída. A Sodoma dos tempos modernos está sendo riscada do mapa.

Sai do banho com uma decisão tomada: quando voltar para a Rússia, irá mandar seus empregados descobrirem o nome da família da moça. Fará doações anônimas através de bancos insuspeitos. Mandará um escritor de talento escrever sua história, e arcará com os custos das traduções no resto do mundo.

"A história de uma menina que vendia artesanato, era espancada por seu noivo, explorada pelos pais, até que um dia entrega sua alma a um estranho, e com isso muda uma parte do planeta."

Abre o armário, pega a camisa imaculadamente branca, o smoking bem passado, os sapatos de verniz feitos à mão. Não tem problemas com o nó da gravata-borboleta, fazia isso pelo menos uma vez por semana.

Liga a televisão: é a hora dos jornais locais. O desfile no tapete vermelho ocupa grande parte do noticiário, mas há uma pequena reportagem sobre uma mulher que foi assassinada em um píer.

A polícia cercou o local, o garoto que presenciou a cena (Igor presta atenção, mas não tem o menor interesse em vingar-se de nada) diz que viu um casal de namorados sentar-se para conversar, o homem tirou o pequeno estilete de metal e começou a passar pelo corpo da vítima, a mulher parecia contente. Por isso não chamou logo a polícia, estava convencido de que era uma brincadeira.

"Como se parecia?"

Branco, aproximadamente quarenta anos, com tal e tal roupa e maneiras delicadas.

Não há por que se preocupar. Abre sua pasta de couro e retira dois envelopes. Um convite para a festa que está para começar em uma hora (embora, na verdade, todos saibam que terá um mínimo de noventa minutos de atraso), na qual sabe que irá encontrar Ewa: se ela não veio até ele, paciência. Agora é tarde, ele irá ao encontro dela de qualquer maneira. Menos de vinte e quatro horas foram suficientes para entender com que tipo de mulher se havia casado, e como sofrera inutilmente durante dois anos.

O outro é um envelope prateado, hermeticamente fechado, onde está escrito "Para você" com uma bela caligrafia, que tanto pode ser feminina ou masculina.

Os corredores são vigiados por câmeras de vídeo — como acontece na maioria dos hotéis hoje em dia. Em algum porão do edifício há uma sala escura, cercada de monitores, onde um grupo de pessoas atentas nota cada detalhe do que está acontecendo. Suas energias estão voltadas para tudo que saia do normal, como o homem que estava fazia horas subindo e descendo as escadas do hotel: enviaram um agente para saber o que acontecia, e receberam como resposta "exercício grátis". Como estava hospedado ali, o agente pediu desculpas e se afastou.

Claro, não se interessam por hóspedes que entram nos quartos de outros e saem apenas no dia seguinte, geralmente depois que o café da manhã é servido. Isso é normal. Isso não lhes diz respeito.

Os monitores estão conectados a sistemas especiais de gravação digital; tudo que se passa nas dependências públicas do hotel é arquivado durante seis meses em um cofre do qual apenas os gerentes possuem a chave. Nenhum hotel do mundo quer perder sua clientela porque algum marido ciumento, com bastante dinheiro, conseguiu subornar uma das pessoas que vigiam o movimento de determinado ângulo do corredor, e colocou (ou vendeu) o material para uma revista de escândalos, depois de apresentar as provas na Justiça e evitar que a mulher se beneficie de parte da sua fortuna.

Se isso algum dia acontecesse, seria um trágico golpe no prestígio do estabelecimento, que preza por sua discrição e confiabilidade. A taxa de ocupação imediatamente sofreria uma queda radical — afinal de contas, se um casal escolheu ir para um hotel de luxo é porque sabe que os funcionários jamais veem nada além daquilo que estão educados para ver. Se alguém pede uma refeição no quarto, por exemplo, o garçom entra com os olhos cravados no carrinho, estende a conta para ser assinada pela pessoa que abriu a porta, e jamais — JAMAIS — olha em direção à cama.

As prostitutas e os prostitutos de luxo se vestem como pessoas discretas — embora os homens que neste momento estão na sala escura cercada de monitores saibam exatamente quem são, usando um sistema de dados fornecido pela polícia. Isso também não lhes diz respeito, mas mantêm uma atenção especial na porta por onde entraram até que os vejam sair. Em alguns hotéis, a telefonista é encarregada de inventar uma chamada falsa para ver se tudo está bem com o hóspede: ele atende o telefone, uma voz feminina pergunta por uma pessoa inexistente, escuta um insulto do tipo "você errou de quarto", e o barulho do telefone sendo desligado. Missão cumprida: não há motivos para preocupações.

Os bêbados ficam surpresos quando caem no chão, experimentam a chave de um quarto que não é o deles, veem que a porta não abre e começam a espancá-la. Neste momento, aparecendo do nada, surge um funcionário solícito do hotel que está passando ali "por acaso" e se propõe a acompanhá-lo ao lugar certo (geralmente, em um andar e em um número diferentes).

Igor sabe que todos os seus passos ali estão registrados no subterrâneo do hotel: o dia, a hora, o minuto e o segundo de cada uma de suas entradas no lobby, saídas do elevador, caminhadas até a porta da suíte, e o instante em que usa o cartão magnético que serve de chave. A partir dali, já pode respirar aliviado; ninguém tem acesso ao que está acontecendo lá dentro, já seria violar demais a intimidade alheia.

Fecha sua porta e sai.

Teve tempo de estudar as câmeras do hotel assim que chegou de viagem na noite anterior. Da mesma maneira que acontece com os carros — por mais espelhos retrovisores que tenham, sempre há um ponto "cego" que impede o motorista de ver algum veículo no instante da ultrapassagem —, as câmeras mostram claramente tudo que acontece no corredor, exceto os quatro apartamentos que ficam nas esquinas. Evidente que se um dos homens no subterrâneo vir que uma pessoa passa por determinado local e não aparece na tela seguinte, alguma coisa suspeita aconteceu — talvez um desmaio —, e logo enviará alguém para verificar a ocorrência. Se chegar ali e não vir ninguém, fica evidente que foi convidado a entrar, e isso passa a ser um assunto privado entre os hóspedes.

Mas Igor não pretende parar. Caminha pelo corredor com o ar mais natural do mundo, e na altura da curva para o hall dos elevadores desliza o envelope prateado por debaixo da porta do quarto — possivelmente uma suíte — que se encontra no ângulo.

Tudo não demorou mais do que uma fração de segundo; se alguém lá embaixo resolveu acompanhar seus movimentos, não percebeu nada. Muito mais tarde, quando requisitar as fitas para tentar identificar o culpado pelo ocorrido, terá muita dificuldade em determinar o momento exato da morte. Pode ser que o hóspede não esteja ali, e só abra o envelope quando voltar de algum dos eventos da noite. Pode ser que tenha aberto o envelope logo em seguida, mas o produto que contém não atua imediatamente.

Durante todo esse tempo, várias pessoas terão passado pelo mesmo local, todos serão suspeitos, e se alguém malvestido — ou dedicado a trabalhos menos ortodoxos como massagens, prostituição, entrega de drogas — tiver a pouca sorte de fazer o mesmo percurso, será imediatamente preso e interrogado. Durante um festival de cinema, as chances de que um indivíduo com tais características apareça no monitor são imensas.

Está consciente de que existe um perigo que não havia considerado: alguém assistiu ao assassinato da mulher na praia. Depois de alguma burocracia, será chamado para assistir às fitas. Mas está registrado com passaporte falso e nome fictício, cuja foto mostra um homem de óculos com bigode (o hotel nem se deu ao trabalho de conferir e, caso o fizesse, explicaria que raspou o bigode e usa lentes de contato agora).

Supondo que sejam mais rápidos que qualquer polícia do mundo, e já tenham concluído que uma única pessoa resolveu criar alguns inconvenientes para o bom andamento do Festival, ficarão esperando sua volta, e assim que retornar ao quarto será convidado a prestar declarações. Mas Igor sabe que aquela é a última vez que caminha pelos corredores do Martinez.

Entrarão em seu quarto. Encontrarão uma valise completamente vazia, sem nenhuma impressão digital. Irão até o banheiro e pensarão consigo mesmos: "Veja só, tão rico e resolve lavar suas roupas na pia do hotel! Será que não pode pagar a lavanderia?".

Um policial colocará a mão para pegar o que considera ser "prova onde serão encontrados vestígios de DNA, impressões digitais, fios de cabelo". Dará um grito: seus dedos foram queimados pelo ácido sulfúrico que neste momento dissolve todo o material que deixara para trás. Precisa apenas do seu passaporte falso, cartões de crédito e dinheiro vivo — tudo isso nos bolsos do smoking, junto com a pequena Beretta, arma desprezada pelos entendidos.

Viajar sempre foi fácil para ele: detesta carregar peso. Mesmo tendo uma missão complicada a cumprir em Cannes, escolheu material leve, fácil de transportar. Não consegue compreender como algumas pessoas trazem gigantescas malas, mesmo quando precisam passar apenas um ou dois dias fora de casa.

Não sabe quem abrirá o envelope, e isso não lhe interessa: quem faz a escolha não é ele, mas o Anjo da Morte. Muita coisa pode acontecer nesse meio-tempo — inclusive absolutamente nada.

O hóspede pode telefonar para a portaria, dizer que entregaram algo para a pessoa errada, e pedir que venham recolhê-lo. Ou jogá-lo no lixo, achando que é mais um dos bilhetes gentis da direção do hotel, perguntando se tudo está correndo bem; tem outras coisas para ler, e precisa se preparar para alguma festa. Se for um homem que espera a mulher chegar a qualquer instante, irá colocá-lo no bolso, certo de que a mulher que encontrou durante a tarde e que tentou seduzir de qualquer maneira agora está lhe dando uma resposta positiva. Pode ser um casal; como nenhum dos dois sabe a quem se destina o "para você", aceitam mutuamente que não cabe a eles agora começar a levantar suspeitas um sobre o outro, e atiram o envelope pela janela.

Se, entretanto, apesar de todas essas possibilidades, o Anjo da Morte estiver realmente decidido a roçar suas asas no rosto do destinatário, então ele (ou ela) vai rasgar a parte superior e ver o que tem dentro.

Algo que deu muito trabalho para ser colocado ali.

Precisou da ajuda dos seus antigos "amigos e colaboradores", que antes haviam lhe emprestado uma soma considerável para que pudesse montar sua companhia, e ficaram muito descontentes quando descobriram que ele resolvera pagar-lhes de volta, pois desejavam cobrá-la apenas quando fosse conveniente para eles — afinal, estavam muito contentes que um negócio absolutamente legal lhes permitisse integrar de novo no sistema financeiro russo um dinheiro cuja origem era difícil de explicar.

Mesmo assim, depois de um período em que quase não se falavam, voltaram a ter relações. Sempre que pediam qualquer favor — como arranjar vaga na universidade para a filha, ou conseguir ingressos para alguns concertos a que seus "clientes" desejavam assistir —, Igor movia o céu e a terra para atendê-los. Afinal de contas, foram os únicos que acreditaram em seus sonhos, independente dos motivos que tinham para isso. Ewa — e agora, cada vez que pensava nela, sentia uma irritação que era difícil controlar — os acusava de terem usado a inocência do seu marido para lavarem dinheiro de tráfico de armas. Como se isso fizesse alguma diferença; ele não estava envolvido nem na compra, nem na venda, e em qualquer negócio no mundo ambas as partes precisam lucrar.

E todos têm seus momentos difíceis. Alguns dos seus antigos financiadores passaram algum tempo na prisão, e ele jamais os abandonou — mesmo sabendo que não precisava mais de ajuda. A dignidade de um homem não é medida pelas pessoas que tem em torno de si quando está no ápice do sucesso, mas pela capacidade de não esquecer as mãos que se estenderam quando mais precisava. Se essas mãos estavam sujas de sangue ou de suor, dá no mesmo: uma pessoa à beira do precipício não pergunta quem o está ajudando a voltar para terra firme.

O sentimento de gratidão é importante em um homem: ninguém chega muito longe se esquece aqueles que estavam ao seu lado quando precisava. E ninguém precisa ficar lembrando que ajudou ou foi ajudado: Deus está com os olhos fixos em seus filhos e filhas, recompensando apenas aqueles que se comportam à altura das bênçãos que lhes foi confiada.

Assim, quando precisou do curare, soube a quem recorrer — embora tivesse que pagar um preço absurdo por algo relativamente comum nas florestas tropicais.

Chega ao salão do hotel. O local da festa está a mais de meia hora de carro, ia ser muito difícil achar um táxi se ficasse parado no meio-fio. Aprendera que a primeira coisa que se faz quando se chega a um lugar como este é dar — sem pedir nada em troca — uma generosa gorjeta ao *concierge*; todos os homens de negócio bem-sucedidos costumavam fazer isso, e sempre conseguiam reservas para os melhores restaurantes, entradas para os espetáculos que gostariam de ver, informações sobre certos pontos na cidade que não estavam em guias turísticos porque escandalizariam as famílias de classe média.

Com um sorriso, pede e consegue um carro na mesma hora, enquanto ao seu lado um outro hóspede reclama dos problemas de transporte que está sendo obrigado a enfrentar. Gratidão, necessidade e contatos. Qualquer problema pode ser resolvido.

Inclusive a complicada produção do envelope prateado, com o sugestivo "para você" escrito em bela caligrafia. Tinha deixado para usá-lo no final de sua tarefa, porque se Ewa, por acaso, não tivesse oportunidade de entender as outras mensagens, essa — a mais sofisticada de todas — não deixaria margem para dúvidas.

Seus antigos amigos tinham dado um jeito de providenciar o que necessitava. Ofereceram-no de graça, mas ele preferiu pagar; tinha dinheiro, e não gostava de contrair dívidas.

Não fez perguntas desnecessárias; sabia apenas que a pessoa que o havia fechado hermeticamente precisou usar luvas e uma máscara contra gases. Sim, neste caso o preço foi mais justo do que o do curare, porque a manipulação é mais delicada — embora o produto não seja muito difícil de conseguir, já que é usado em metalurgia, produção de papel, roupas, plásticos. Tem um nome relativamente assustador: cianureto. Mas seu odor se parece com amêndoas, e sua aparência é inofensiva.

Deixa de pensar em quem fechou, e começa a imaginar quem irá abrir o envelope — perto do rosto, como é normal. Irá encontrar um cartão branco, onde fora impresso em computador uma frase em francês:

"Katyusha *je t'aime*."

"Katyusha? Do que se trata isso?", perguntará a pessoa.

Nota que o cartão está coberto de pó. O contato do ar com o pó transformará o produto em gás. Um cheiro de amêndoas toma conta do ambiente.

A pessoa vai ficar surpresa; podiam ter escolhido algum aroma melhor. Deve ser mais uma dessas propagandas de perfume, refletirá em seguida. Retira o papel, vira-o de um lado para o outro, e o gás que desprende do pó começa a se espalhar cada vez mais rápido.

"Que tipo de brincadeira é essa?"

Esta será sua última reflexão consciente. Deixa o cartão em cima da mesa de entrada se dirige para o banheiro, pensando em tomar uma ducha, terminar a maquiagem, ajeitar a gravata.

Neste momento, descobre que seu coração está disparado. Não estabelece imediatamente uma relação com o perfume que tomou conta de seu quarto — afinal de contas, não tem inimigos, apenas concorrentes e adversários. Antes mesmo de chegar no banheiro nota que não consegue ficar de pé. Senta-se na beira da cama. Uma dor de cabeça insuportável e dificuldade de respirar são os próximos sintomas; logo depois, vem a ânsia de vômito. Mas não terá tempo para isso; perde rapidamente a consciência, antes mesmo de poder relacionar o conteúdo do envelope com o seu estado.

Em poucos minutos — porque a concentração do produto foi expressamente recomendada para ser a mais densa possível — o pulmão para de funcionar, o corpo se contrai, as convulsões começam, o coração não bombeia mais o sangue, e a morte chega.

Indolor. Piedosa. Humana.

Igor entra no táxi e dá o endereço: Hotel Du Cap, Eden Roc, Cap d'Antibes.

O grande jantar de gala daquela noite.

19h40

O andrógino, vestido com uma blusa negra, gravata-borboleta branca, e uma espécie de túnica indiana sobre as mesmas calças justas que realçam sua esqualidez, diz que a hora em que estão chegando pode ser algo muito bom ou muito ruim.

— O trânsito está melhor do que eu pensava. Seremos um dos primeiros a entrar no Eden Roc.

Gabriela, que a esta altura já passou por outra sessão de "retoques" no penteado e na pintura do rosto — desta vez com uma maquiadora que parecia absolutamente entediada com o seu trabalho —, não entende o comentário.

— Depois de todos esses engarrafamentos, não é melhor que sejamos precavidos? Como é que isso pode ser ruim?

O andrógino dá um profundo suspiro antes de responder, como se tivesse que explicar o óbvio a alguém que ignora as leis mais elementares do brilho e do glamour.

— Pode ser bom porque você estará sozinha no corredor...

Olha para ela. Vê que não compreende o que está falando, dá outro suspiro e recomeça:

— Ninguém entra diretamente nesse tipo de festa usando uma porta. Sempre passa por um corredor, onde de um lado estão os fotógrafos, e do outro há uma parede com a marca do patrocinador da festa pintada e repetida várias vezes. Nunca viu revistas de celebridades? Não reparou que estão sempre com alguma marca de algum produto atrás enquanto sorriem para as câmeras?

    Celebridade. O andrógino arrogante tinha deixado escapar uma palavra inadequada. Admitia, sem querer, que estava acompanhando uma delas. Gabriela saboreou a vitória em silêncio, embora fosse adulta o suficiente para saber que ainda havia muito caminho adiante.

    — E o que existe de errado em chegar na hora?

Mais um suspiro.

    — Os fotógrafos podem ainda não ter chegado. Mas vamos torcer para que tudo dê certo, assim eu me livro logo destes folhetos com a sua biografia.

    — Minha biografia?

    — Você acha que todo mundo sabe quem é? Não, minha filha. Eu vou ter que ir até lá, entregar este maldito papel a cada um, dizer que daqui a pouco irá entrar a grande estrela do próximo filme de Gibson, e que preparem suas câmeras. Farei um sinal para o grupo assim que você aparecer no corredor.

    "Não serei muito gentil com eles; estão acostumados a serem sempre tratados como aqueles que estão no degrau mais baixo na escala de poder em Cannes. Direi que estou lhes fazendo um grande favor, e isso é tudo; a partir daí, não vão correr o risco de perder uma oportunidade como essa porque podem ser despedidos, e o que não falta neste mundo é gente com uma máquina e uma conexão de internet, louca para colocar na rede mundial alguma coisa que todos, absolutamente todos, deixaram passar. Penso que em alguns anos os jornais vão utilizar apenas os serviços de anônimos, e com isso diminuir seus custos — já que a circulação de revistas e jornais está cada vez menor."

    Queria mostrar seu conhecimento sobre a mídia, mas a moça ao seu lado não se interessa; pega um dos papéis e começa a ler.

— Quem é Lisa Winner?

— Você. Mudamos seu nome. Ou melhor, este nome já estava escolhido mesmo antes de ter sido selecionada. A partir de agora é assim que se chama: Gabriela é italiano demais, e Lisa pode ser de qualquer nacionalidade. Os estúdios de tendências explicam que sobrenomes de quatro a seis letras são sempre mais fáceis de serem guardados pelo grande público: Fanta. Taylor. Burton. Davis. Woods. Hilton. Quer que eu continue?

— Já vi que você entende de mercado; agora preciso descobrir quem sou — segundo minha nova biografia.

Não procurou disfarçar a ironia em sua voz. Estava ganhando terreno; começava a se comportar como uma estrela. Começou a ler o que estava escrito ali: a grande revelação escolhida entre mais de mil participantes para trabalhar na primeira produção cinematográfica do famoso costureiro e empresário Hamid Hussein... etc.

— Os folhetos já estavam impressos há mais de um mês — disse o andrógino, fazendo a balança pesar de novo a seu favor, e saboreando sua pequena vitória. — Foi escrito pela equipe de marketing do grupo; eles não erram nunca. Veja certos detalhes como: "Trabalhou como modelo, fez curso de arte dramática". Confere com você, não é verdade?

— Isso significa que fui selecionada mais pela minha biografia do que pela qualidade do meu teste.

— Todas as pessoas que estavam ali tinham a mesma biografia.

— Que tal pararmos de nos provocar e tentarmos ser mais humanos e mais amigos?

— Neste meio? Esqueça. Não existem amigos, apenas interesses. Não existem humanos, apenas máquinas enlouquecidas que atropelam tudo à sua frente, até conseguirem chegar aonde desejam, ou terminarem batendo em um poste.

Apesar da resposta, Gabriela sente que acertou em cheio; a animosidade de seu companheiro de limusine começa a se diluir.

— Veja mais: "Durante muitos anos recusou-se a trabalhar em cinema, preferindo o teatro como forma de expressão do seu talento". Isso conta muitos pontos a favor: você é uma pessoa íntegra, que só aceitou o papel porque estava realmente apaixonada por ele, embora tivesse convites para continuar trabalhando em Shakespeare, Beckett ou Genet.

O andrógino é culto. Shakespeare todo mundo conhece, mas Beckett e Genet são apenas para pessoas especiais.

Gabriela — ou Lisa — concorda. O carro chega ao destino, e ali estão de novo os famosos guarda-costas vestidos de preto, camisa branca, gravata e com pequenos rádios nas mãos, como se fossem verdadeiros policiais (o que talvez seja o sonho coletivo daquele grupo). Um deles pede ao motorista que siga adiante, ainda é cedo demais.

O andrógino, porém, a esta altura já pesou os riscos, e decide que chegar cedo é melhor. Salta da limusine e se dirige até um homem que é o dobro de seu tamanho. Gabriela precisa se distrair, melhor pensar em outra coisa.

— Qual é mesmo a marca desse carro?

— Um Maybach 57 S — responde o chofer com um sotaque alemão. — Uma verdadeira obra de arte, a máquina perfeita, o luxo supremo. Foi criado...

Mas ela já não está prestando mais atenção. Vê o andrógino discutindo com um homem que é o dobro do seu tamanho. O homem parece não lhe dar ouvidos, faz sinal para que volte ao carro e que parem de atrapalhar o trânsito. O andrógino, um mosquito, dá as costas para o elefante, anda até o carro.

Abre a porta e pede que saia; vão entrar de qualquer maneira.

Gabriela teme o pior; escândalo. Passa com o mosquito junto do elefante, que lhes diz "Ei, vocês não podem entrar!", mas ambos continuam andando. Outras vozes: "Por favor, respeitem as regras, ainda não abrimos a porta!". Não tem coragem de olhar para trás e imaginar que a manada agora os persegue, prontos para massacrá-los no próximo segundo.

Mas nada acontece, embora em momento algum o andrógino tenha acelerado o passo, talvez por respeito ao vestido comprido de sua companheira. Caminham agora pelo jardim imaculado, o horizonte tingiu-se de rosa e azul, o sol está desaparecendo.

O androide saboreia outra vitória.

— Eles são muito machos enquanto ninguém reclama. Mas basta levantar a voz, olhar no fundo dos olhos e seguir adiante que não arriscam mais. Tenho os convites e é tudo que preciso apresentar; são grandes mas não são estúpidos, sabem que só gente importante é capaz de tratá-los como fiz.

Conclui, com uma surpreendente humildade:

— Eu já estou acostumado a fingir que sou importante.

Chegam até a porta do hotel de luxo, completamente isolado do movimento de Cannes, onde se hospedam somente aqueles que não precisam estar caminhando de um lado para o outro na Croisette. O andrógino pede que Gabriela/Lisa se dirija ao bar e peça duas taças de champanhe — assim saberão que está acompanhada. Nada de conversar com estranhos. Nada de vulgaridades, por favor. Ele irá ver como está o ambiente e distribuir os folhetos.

— Embora isso seja apenas protocolar. Ninguém irá publicar sua foto, mas sou pago para isso. Estou de volta em um minuto.

— Mas você não acabou de dizer que os fotógrafos...

A arrogância voltou. Antes que Gabriela possa revidar, ele já desapareceu.

Não há mesas vazias; o lugar está lotado, com todas as pessoas em smoking e vestidos longos. Todos falam em voz baixa — isso quando falam, porque a maioria tem os olhos fixos no oceano que pode ser visto através das grandes vidraças. Mesmo que seja sua primeira vez em um lugar daqueles, existe um sentimento palpável, inconfundível, que paira acima de todas aquelas cabeças coroadas: um profundo tédio.

Todos já participaram de centenas, milhares de festas como esta. Antes se preparavam para a excitação do desconhecido, de encontrar um novo amor, de fazer contatos profissionais importantes; mas agora já chegaram ao topo da carreira, não há mais desafios, só resta comparar um iate com o outro, sua joia com a da vizinha, os que estão sentados nas mesas mais perto da vidraça com aqueles que estão mais longe — sinal inconfundível do status superior do primeiro grupo. Sim, esse é o fim da linha: tédio e comparação. Depois de décadas procurando chegar aonde estão agora, parece não ter sobrado absolutamente nada, nem mesmo o prazer de ter contemplado mais um pôr do sol em um lugar daqueles.

O que pensam aquelas mulheres, tão ricas, silenciosas, distantes dos seus maridos?

Idade.

Precisam ir novamente a determinado cirurgião plástico e refazer o que está sendo consumido pelo tempo. Gabriela sabe que isso um dia vai também acontecer com ela, e, de repente — talvez por causa de todas as emoções daquele dia, que termina de maneira tão diferente de como começou —, nota os pensamentos negativos retornando.

De novo a sensação de terror misturada com alegria. Mais uma vez o sentimento de que, apesar de toda a sua luta, não merece o que lhe está acontecendo; é apenas uma moça esforçada no seu trabalho, mas despreparada para a vida. Não conhece as regras, está ousando mais do que o bom senso permite, esse mundo não lhe pertence e jamais conseguirá fazer parte dele. Sente-se desamparada, não sabe exatamente o que veio fazer na Europa — não há nada de errado em ser uma atriz no interior dos Estados Unidos, fazendo apenas aquilo de que gosta, e não o que os outros lhe impõem. Quer ser feliz, e não tem certeza se está no caminho certo.

"Pare com isso. Afaste estes pensamentos!"

Não pode fazer ioga ali, mas procura concentrar-se no mar e no céu vermelho e dourado. Está diante de uma oportunidade de ouro — precisa superar sua repulsa e conversar mais com o andrógino nos poucos momentos livres que ainda restam antes do "corredor". Não pode cometer erros; teve sorte e precisa saber aproveitá-la. Abre a bolsa para pegar sua maquiagem e retocar os lábios, e tudo que vê lá dentro é um papel de seda amassado. Esteve pela segunda vez no Salão de Presentes com a maquiadora entediada, e de novo esqueceu de pegar sua roupa e seus documentos; mesmo que tivesse lembrado, onde iria deixá-los?

Aquela bolsa é uma excelente metáfora para o que está vivendo: linda por fora, completamente vazia por dentro.

Controle-se.

"O sol acabou de desaparecer no horizonte, e renascerá amanhã com a mesma força. Eu também preciso renascer agora. O fato de ter repetido em sonhos tantas vezes este momento deve ser o suficiente para me deixar preparada, confiante. Acredito em milagres, e estou sendo abençoada por Deus, que escutou minhas orações. Devo lembrar-me do que o diretor sempre dizia antes de cada ensaio: mesmo que estivesse fazendo a mesma coisa, era necessário descobrir algo novo, fantástico, inacreditável, que havia passado despercebido na vez anterior."

Um homem de aproximadamente quarenta anos, bonito, cabelos grisalhos, vestido em um impecável smoking feito à mão por algum mestre de alfaiataria, entra e se dirige até ela; mas nota a segunda taça de champanhe, e segue em direção ao outro extremo do bar. Tem vontade de conversar com ele; o andrógino está demorando. Mas lembra-se das palavras duras: "Nada de vulgaridades."

De fato é repreensível, inadequado, inconveniente ver uma mulher jovem, sozinha em um bar de um hotel de luxo, abordar um cliente mais velho — o que vão pensar?

Bebe a champanhe e pede mais uma taça. Se o andrógino tiver desaparecido para sempre não tem como pagar a conta, mas isso não tem importância. Suas dúvidas e inseguranças estão desaparecendo com a bebida, e agora o que a assusta é não poder entrar na festa e cumprir com o compromisso assumido.

Não, já não é mais a moça do interior que lutou para subir na vida — e jamais tornará a ser a mesma pessoa. Adiante segue o caminho, mais uma taça de champanhe, e o medo do desconhecido transforma-se no pavor de jamais ter a chance de descobrir o que significa realmente estar ali. O que a aterroriza agora é achar que tudo pode mudar de uma hora para a outra; como fazer para que o milagre de hoje continue a manifestar-se amanhã? Como ter qualquer garantia de que todas as promessas que ouviu nas últimas horas serão realmente cumpridas? Muitas vezes, esteve diante de portas magníficas, oportunidades fantásticas, sonhou por dias e semanas com a possibilidade de mudar sua vida para sempre, para no final descobrir que o telefone não tocara, o currículo tinha sido esquecido em um canto, o diretor telefonava desculpando-se e dizendo que havia encontrado outra pessoa mais adequada para o papel, "embora você tenha muito talento, e não deve deixar-se desencorajar por isso". A vida tem muitas maneiras de testar a vontade de uma pessoa; ou fazendo com que não aconteça nada, ou fazendo com que tudo aconteça ao mesmo tempo.

O homem que entrou sozinho mantém os olhos fixos nela, e na segunda taça de champanhe. Gostaria tanto que se aproximasse! Desde manhã não tivera possibilidade de conversar com ninguém sobre o que estava acontecendo. Havia pensado em telefonar várias vezes para sua família — mas o telefone estava dentro da bolsa de verdade, possivelmente a esta hora entupido de mensagens das amigas do quarto, querendo saber onde estava, se tinha algum convite, se gostaria de acompanhá-las a algum evento de segunda classe, em que "tal pessoa pode aparecer".

Não pode dividir nada com ninguém. Deu um grande passo na sua vida, está sozinha em um bar de hotel, aterrorizada com a possibilidade de o sonho acabar, e ao mesmo tempo sabendo que nunca mais poderá voltar a ser quem era. Chegou perto do topo da montanha: ou faz um esforço extra, ou é derrubada pelo vento.

O homem de cabelos grisalhos, aproximadamente quarenta anos, bebendo um suco de laranja, continua ali. Em dado momento seus olhos se cruzam, e ele sorri. Ela finge que não viu.

Por que está com tanto medo? Porque não sabe exatamente como se comportar a cada passo novo que está dando. Ninguém a ajuda; tudo que fazem é dar ordens, esperando que sejam cumpridas com rigor. Sente-se como uma menina trancada em um quarto escuro, precisando encontrar seu próprio caminho até a porta, porque alguém muito poderoso está chamando e espera ser obedecido.

É interrompida pelo andrógino que acaba de entrar.

— Vamos esperar mais um pouco. Estão começando a entrar neste momento.

O homem bonito se levanta, deixa paga a conta e se dirige para a saída. Parece decepcionado; talvez estivesse esperando o momento certo para aproximar-se, dizer seu nome e...

— ... conversar um pouco.

— O quê?

Deixara escapar algo. Duas taças de champanhe e a língua já estava mais solta do que devia.

— Nada.

— Sim, você disse que precisa conversar um pouco.

O quarto escuro e a menina que não tem ninguém para guiá-la. Humildade. Faça o que prometeu a si mesma alguns minutos atrás.

— Sim. Gostaria de saber o que está fazendo aqui. Como veio parar neste universo que gira em torno de nós, e do qual eu não compreendo ainda quase nada. Tudo é diferente do que imaginei antes; acredite se quiser, quando você foi conversar com os fotógrafos, eu me senti abandonada e assustada. Conto com sua ajuda, e quero saber se é feliz no seu trabalho.

Algum anjo — que gosta de champanhe, com certeza — está fazendo com que diga as palavras certas.

O andrógino a olha com surpresa; será que está tentando ser sua amiga? Por que faz perguntas que ninguém ousa fazer, quando o conhece há apenas algumas horas?

Ninguém confia nele, porque não podem compará-lo com nada — é único. Ao contrário do que pensam, não é homossexual, apenas perdeu o interesse no ser humano. Descoloriu o cabelo, veste-se como sempre sonhou, pesa exatamente o que deseja pesar, sabe que causa uma impressão estranha nas pessoas, mas não é obrigado a ser simpático com ninguém, desde que cumpra bem seu papel.

E agora esta mulher está querendo saber o que pensa? Como se sente? Estende a mão para a taça de champanhe que estava ali esperando sua volta, e bebe todo o conteúdo de uma só vez.

Ela deve estar pensando que faz parte do grupo de Hamid Hussein, tem alguma influência, quer sua cooperação e sua ajuda para saber os passos que deve dar. Ele sabe os passos, mas foi contratado apenas para trabalhar durante o Festival, fazer determinadas coisas, e se limitará a cumprir com seu compromisso. Quando acabarem os dias de luxo e glamour, voltará para seu apartamento em um dos subúrbios de Paris, onde é maltratado pelos vizinhos simplesmente porque sua aparência não se enquadra nos modelos estabelecidos por algum louco que um dia gritou: "Todos os seres humanos são iguais". Não é verdade: todos os seres humanos são diferentes, e devem exercer esse direito até suas últimas consequências.

Ficará vendo televisão, indo ao supermercado ao lado de casa, comprando e lendo revistas, às vezes saindo para ir ao cinema. Porque é considerado uma pessoa responsável, receberá de vez em quando um telefonema de agentes que selecionam auxiliares com "muita experiência" na área de moda; que saibam vestir as modelos, escolher acessórios, acompanhar pessoas que ainda não aprenderam a se comportar direito, evitar erros de etiqueta, explicar o que deve ser feito e o que não pode ser tolerado de nenhuma maneira.

Sim, tem os seus sonhos. É único, repete para si mesmo. É feliz, porque não tem mais nada a esperar da vida; embora pareça muito mais jovem, já está com quarenta anos. Sim, tentou seguir a carreira de estilista, não conseguiu nenhum emprego decente, brigou com as pessoas que podiam tê-lo ajudado, e hoje não espera mais nada da vida — embora tenha cultura, bom gosto e disciplina de ferro. Já não acredita mais que alguém irá olhar a maneira como se veste e dizer "Que fantástico, gostaríamos que viesse conversar conosco". Teve um ou dois convites para posar como modelo, mas isso faz muitos anos; não aceitou porque não fazia parte do seu projeto de vida, e não se arrepende.

Faz suas próprias roupas, com tecidos que são deixados como sobra nos ateliês de alta-costura. Em Cannes, está hospedado com mais duas pessoas no alto da montanha, talvez não muito longe da mulher ao seu lado. Mas ela está tendo sua chance, e, por mais que ache que a vida é injusta, não deve deixar-se dominar pela frustração ou pela inveja — dará tudo de si, ou não será convidado de novo para ser "assistente de produção".

Claro que é feliz: uma pessoa que não deseja nada é feliz. Olha o relógio — talvez seja uma boa hora para entrarem.

— Vamos. Conversamos outra hora.

Paga as bebidas, pede a nota fiscal — para que possa prestar contas de cada centavo quando aqueles dias de luxo e glamour terminarem. Algumas pessoas estão se levantando e fazendo a mesma coisa; devem se apressar, para que ela não seja confundida com a multidão que agora começa a chegar. Caminham pelo salão do hotel até o início do corredor; ele entrega as duas entradas, que guardara cuidadosamente no bolso: afinal de contas, uma pessoa importante jamais se preocupa com esses detalhes, sempre tem um assistente para fazer isso.

Ele é o assistente. Ela é a mulher importante, e já começa a dar sinais de grandeza. Muito em breve, vai saber o que significa este mundo: sugar o máximo de sua energia, encher sua cabeça de sonhos, manipular sua vaidade, para ser descartada quando justamente estiver achando que é capaz de tudo. Isso aconteceu com ele, e aconteceu com todos que vieram antes dele.

Descem as escadas. Param no pequeno hall antes do "corredor"; as pessoas andam devagar, porque logo depois da curva estão os fotógrafos e a possibilidade de aparecer em alguma revista, nem que seja no Uzbequistão.

— Eu vou na sua frente para avisar alguns fotógrafos que conheço. Não se apresse; isso é diferente do tapete vermelho.

Se alguém lhe chamar, vire-se e sorria. Neste caso, as chances são que todos os outros comecem também a tirar fotos, já que pelo menos um deles conhece o seu nome, e você deve ser alguém importante. Não demore mais de dois minutos posando, porque isso é apenas a entrada de uma festa, embora pareça algo de outro mundo. Se você quer ser uma celebridade, comece a se comportar a altura.

— E por que estou entrando sozinha?

— Parece que houve algum contratempo. Ele já devia estar aqui, afinal de contas é um profissional. Mas deve estar atrasado.

"Ele" é a Celebridade. Podia ter dito o que julgava ser verdade: "Deve ter arranjado alguma menina doida para fazer amor, e pelo visto não saiu do quarto na hora marcada". Entretanto, isso poderia ferir o coração daquela principiante — que neste momento devia estar alimentando sonhos de uma linda história de amor, mesmo que não tivesse absolutamente nenhuma razão para isso.

Não precisava ser cruel, como tampouco necessitava ser amigo; bastava cumprir seu dever e logo poderia sair dali. Além do mais, se a menina boboca não soubesse controlar direito suas emoções, as fotos no corredor seriam prejudicadas.

Coloca-se adiante dela na fila, e pede que o siga, mas deixando alguns metros de distância entre os dois. Assim que passar pelo corredor irá direto até os fotógrafos, ver se consegue despertar o interesse de algum.

Gabriela espera alguns segundos, coloca seu melhor sorriso, segura a bolsa corretamente, ajeita a postura, e começa a caminhar com segurança, preparada para encarar os flashes. A curva terminava em um local fortemente iluminado, com uma parede branca coberta com os logotipos do patrocinador;

do outro lado uma pequena arquibancada, onde diversas lentes apontavam em sua direção.

Continuou caminhando, desta vez procurando estar consciente de cada passo — não queria repetir a frustrante experiência do tapete vermelho, que terminara antes que pudesse se dar conta do que acabara de viver. O momento agora precisa ser vivido como se o filme de sua vida estivesse passando em câmera lenta. Em algum momento, as objetivas começariam a disparar.

— Jasmine! — gritou alguém.

Jasmine? Mas seu nome era Gabriela!

Para por uma fração de segundo, o sorriso congelado no rosto. Não, seu nome não era mais Gabriela. Como era mesmo? Jasmine!

De repente, escuta os ruídos de botões sendo apertados, objetivas abrindo e fechando, só que todas as lentes apontavam para a pessoa atrás dela.

— Mova-se! — diz um fotógrafo. — Seu momento de glória já passou. Me deixa trabalhar!

Ela não acredita. Continua sorrindo, mas começa a mover-se mais rápido em direção ao túnel escuro que parece começar onde termina o corredor de luz.

— Jasmine! Olha para este lado! Aqui!

Os fotógrafos parecem tomados de uma histeria coletiva.

Chegou ao final do "corredor" sem que ninguém tivesse sequer se incomodado em gritar seu nome, que por sinal havia esquecido completamente. O andrógino a esperava ali.

— Não se preocupe — disse, mostrando pela primeira vez um pouco de humanidade. — Você verá a mesma coisa acontecer com outras pessoas esta noite. Pior: você verá gente que já teve seu nome gritado, e hoje passa sorrindo, esperando por uma foto, sem que absolutamente ninguém tenha a piedade de disparar um flash.

Precisa mostrar sangue-frio. Controlar-se. Aquilo não era o fim do mundo, os demônios não podem aparecer logo agora.

— Não estou preocupada. Afinal de contas, comecei hoje. Quem é Jasmine?

— Também começou hoje. No final da tarde anunciaram um gigantesco contrato com Hamid Hussein. Mas não é para filmes, não se preocupe.

Não estava preocupada. Simplesmente queria que a terra se abrisse e a engolisse por completo.

20h12

Sorria.

Finja que não está sabendo por que tanta gente está interessada no seu nome.

Caminhe como se fosse um tapete vermelho, e não uma passarela.

Atenção, porque tem gente entrando, os segundos necessários para as fotos já se esgotaram, melhor ir em frente.

Mas os fotógrafos não param de gritar seu nome. Fica constrangida, porque a próxima pessoa — na verdade, um casal — precisa esperar até que todos estejam satisfeitos, o que não vai acontecer nunca, porque sempre querem o ângulo ideal, a foto única (como se isso fosse possível!), um olhar direto para a objetiva de sua câmera.

Agora dê um adeus, sempre sorrindo. Siga adiante.

É cercada por um grupo de jornalistas quando chega ao final do corredor. Querem saber tudo sobre o monumental contrato com um dos estilistas mais importantes do mundo. Gostaria de dizer: "Não é verdade".

— Estamos estudando os detalhes — responde.

Insistem. Uma televisão se aproxima, a repórter com o microfone nas mãos. Pergunta se está contente com as novidades. Sim, acha que o desfile foi ótimo, e que o próximo passo da estilista — faz questão de dizer o nome dela — será a Semana de Moda de Paris.

A jornalista parece não saber que apresentaram uma coleção durante a tarde. As perguntas continuam, só que desta vez estão sendo filmadas.

Não relaxe, responda apenas aquilo que lhe interessa, e não o que estão insistindo para arrancar. Finja que não sabe dos detalhes e fale do sucesso do desfile, da merecida homenagem a Ann Salens, o gênio esquecido porque não teve o privilégio de nascer na França. Um rapaz metido a engraçado quer saber o que está achando da festa; neste caso, ela responde com a mesma ironia: "Você ainda não me deixou entrar". Uma antiga modelo, agora transformada em apresentadora de televisão a cabo, pergunta como se sente ao ser contratada para ser face exclusiva da próxima coleção de HH. Um profissional mais bem informado quer saber se é verdade que estará ganhando por ano uma quantia superior a seis dígitos:

— Deviam ter colocado sete dígitos no release de imprensa, não acha? Superior a seis dígitos soa um pouco absurdo, não acha? Ou melhor, podiam dizer que é mais de um milhão de euros, em vez de obrigar os espectadores a ficarem contando os dígitos, não acha? Aliás, podiam chamar "zeros" em vez de "dígitos", não acha?

Não acha nada.

— Estamos estudando — repete. — Por favor, deixem-me respirar um pouco de ar puro. Mais adiante respondo o que for possível.

Mentira. Mais adiante pegará um táxi de volta para casa.

Alguém pergunta por que não está usando um Hamid Hussein.

— Sempre trabalhei para esta estilista.

Insiste em dizer o nome dela. Alguns anotam. Outros simplesmente ignoram — estão ali para uma notícia que querem publicar, e não para descobrir a verdade por trás dos fatos.

É salva pelo ritmo em que as coisas acontecem em uma festa como aquela: no "corredor" os fotógrafos estão gritando de novo. Como em um movimento orquestrado por um maestro invisível, os jornalistas que a cercam se viram e descobrem que uma celebridade maior, mais importante, acaba de chegar. Jasmine aproveita o segundo de hesitação do grupo e resolve caminhar até a amurada do lindo jardim transformado em salão onde as pessoas bebem, fumam e andam de um lugar para o outro.

Daqui a pouco também poderá beber, fumar, olhar o céu, dar socos no parapeito, fazer meia-volta e ir embora.

Entretanto, uma mulher e uma criatura estranha — parece um androide de filme de ficção científica — estão com os olhos fixos nela, barrando seus passos. Sim, eles não sabem o que estão fazendo ali, melhor aproximar-se e puxar conversa. Apresenta-se. A criatura estranha tira o telefone celular do bolso, faz uma careta, pede desculpas mas precisa se afastar por algum tempo.

A moça fica parada, olhando-a com um ar de "você estragou minha noite".

Está arrependida de ter aceitado o convite para a festa. Chegou pelas mãos de duas pessoas, quando ela e sua companheira se preparavam para ir a uma pequena recepção oferecida pela BCA (Belgium Clothing Association, o órgão que controla e estimula a moda no seu país). Mas nem tudo são nuvens negras no horizonte: seu vestido pode ser visto se as fotos forem publicadas, e alguém pode se interessar em saber mesmo o que está usando.

Os homens que trouxeram o convite pareciam muito bem-educados. Disseram que havia uma limusine esperando do lado de fora; tinham certeza de que uma modelo experiente como ela não demoraria mais de quinze minutos para estar pronta.

Um deles abriu a pasta, tirou um computador e uma impressora também portátil, e disse que estavam ali para fechar o grande contrato de Cannes. Agora era tudo uma questão de detalhes. Preencheriam as condições, e sua agente — sabiam que a mulher ao seu lado era também sua agente — se encarregaria de assiná-los.

Prometeram à sua companheira todas as facilidades possíveis para sua próxima coleção. Sim, claro que seria possível manter o nome e a etiqueta. Evidente que podiam usar o serviço de imprensa deles! Mais do que isso: HH gostaria de comprar a marca, e com isso injetar o dinheiro necessário para que tivesse uma boa visibilidade na imprensa italiana, francesa e inglesa.

Mas havia duas condições. A primeira, que o assunto fosse decidido imediatamente, de modo que pudessem enviar uma nota à imprensa antes que as redações dos jornais fechassem a edição do dia seguinte.

A segunda: que terá que transferir o contrato de Jasmine Tiger, que passaria a trabalhar exclusivamente para Hamid Hussein. Não havia falta de modelos no mercado, de modo que a estilista belga logo conseguiria alguém para substituí-la. Além do mais, como também era sua agente, terminaria ganhando bastante dinheiro.

— Aceito transferir o contrato de Jasmine — respondeu imediatamente sua companheira. — Quanto ao resto, conversamos depois.

Aceitou assim tão rápido? Uma mulher que era responsável por tudo que tinha acontecido em sua vida, e que agora parecia contente em separar-se dela? Estava sendo apunhalada pelas costas pela pessoa que mais amava neste mundo.

O homem tira um blackberry do bolso.

— Mandaremos um comunicado de imprensa agora. Já está escrito: "Estou emocionada com a oportunidade...".

— Um momento. Eu não estou emocionada. Eu não sei exatamente do que estão falando.

Sua companheira, porém, começa a fazer a revisão do texto, trocando "emocionada" por "alegre", e "oportunidade" por "convite". Estuda cuidadosamente cada palavra e cada frase. Exige que mencionem um preço absurdo. Eles não estavam de acordo, podiam inflacionar o mercado se fizessem isso. Então não há negócio, é a resposta. Os dois homens pedem licença, saem, usam seus celulares, e voltam em seguida. Diriam algo vago — um contrato de mais de seis dígitos, sem informar exatamente a quantia. Apertam as mãos das duas, teceram alguns elogios à coleção e à modelo, colocam o computador e a impressora na pasta, pedem que gravem no telefone celular de um deles um acordo formal, de modo que possam ter uma prova de que as negociações sobre Jasmine tinham sido aceitas. Saem com a mesma rapidez que entraram, com os telefones celulares em ação, pedindo que não se atrase mais de quinze minutos — a festa daquela noite fazia parte do contrato que acabavam de fechar.

— Prepare-se para a festa.

— Você não tem o poder de decidir minha vida. Você sabe que não estou de acordo, e não tive sequer a possibilidade de manifestar minha opinião. Não estou interessada em trabalhar para os outros.

A mulher vai até os vestidos que estavam desordenadamente espalhados pelo quarto, escolhe o mais belo — um modelo branco com bordados de borboleta. Fica algum tempo pensando em que sapatos e bolsa devia usar, mas decide rapidamente — não há tempo a perder.

— Eles se esqueceram de pedir que usasse um HH esta noite. Teremos oportunidade de mostrar algo de minha coleção.

Jasmine não acredita no que estava escutando.

— Foi só por isso?

— Sim. Foi só por isso.

As duas estavam frente a frente, e nenhuma desviava os olhos.

— Você está mentindo.

— Sim. Estou mentindo.

Se abraçaram.

— Desde aquele fim de semana na praia, quando tiramos as primeiras fotos, eu sabia que esse dia ia chegar. Demorou um pouco, mas agora você já está com dezenove anos, adulta o suficiente para aceitar o desafio. Outras pessoas me procuraram antes. Eu sempre dizia "não" e me perguntava se era por ciúmes de perdê-la, ou porque ainda não estava preparada. Hoje, quando vi Hamid Hussein na plateia, sabia que não estava ali apenas para prestar seu tributo a Ann Salens — devia ter outra coisa em mente, e só podia ser você.

"Recebi o recado de que queria conversar conosco. Não sabia exatamente o que fazer, mas dei o nome de nosso hotel. Não foi nenhuma surpresa quando chegaram aqui com a proposta."

— Mas por que aceitou?

— Porque quem ama, liberta. Seu potencial é muitíssimo maior do que aquilo que posso lhe oferecer. Abençoo seus passos. Quero que tenha tudo que merece. Continuaremos juntas, porque você tem o meu coração, o meu corpo, a minha alma.

"Mas eu vou manter minha independência — embora saiba que neste ramo os padrinhos são importantes. Se Hamid viesse até mim e propusesse comprar minha marca, não teria nenhum problema em vendê-la e ir trabalhar para ele. Entretanto, a negociação não foi em torno do meu talento, mas do seu trabalho. Eu não seria digna de mim mesma se aceitasse esta parte da proposta."

Ela a beijou.

— Não posso aceitar. Quando a conheci, era apenas uma menina assustada, covarde por ter prestado falso testemunho, infeliz por deixar criminosos à solta, considerando seriamente a possibilidade de suicídio. Você é responsável por tudo que aconteceu em minha vida.

A companheira pediu que sentasse diante do espelho. Antes de começar o penteado, acariciou seus cabelos.

— Quando te conheci, também havia perdido o entusiasmo pela vida. Abandonada por um homem que encontrara uma jovem mais bela e mais rica, obrigada a fazer fotografias para sobreviver, passando os finais de semana em casa lendo, conectada à internet, ou vendo filmes antigos na televisão. O grande sonho de tornar-me estilista parecia cada vez mais distante, porque não conseguia o financiamento necessário, e já não aguentava mais ficar batendo em portas que não se abriam, ou conversando com pessoas que não escutavam o que dizia.

"Foi aí que você apareceu. Naquele fim de semana, preciso confessar, eu estava pensando apenas em mim mesma; tinha uma joia rara nas mãos, poderia fazer uma fortuna se assinássemos um contrato exclusivo. Propus ser sua agente, lembra-se? Mas isso não veio da necessidade de protegê-la do mundo; meus pensamentos eram tão egoístas como os de HH neste momento. Saberia como explorar meu tesouro. Ficaria rica com as fotos."

Deu um retoque final no cabelo, e limpou o excesso de maquiagem no canto esquerdo da testa.

— E você, apesar dos seus dezesseis anos, mostrou-me como o amor é capaz de transformar uma pessoa. Por sua causa, descobri quem eu era. Para poder mostrar ao mundo o seu talento, passei a desenhar as roupas que usava, e que sempre estavam ali, na minha cabeça, esperando uma oportunidade para se transformarem em tecidos, bordados, acessórios. Caminhamos juntas, aprendemos juntas, embora eu já tivesse mais que o dobro da sua idade. Graças a tudo isso as pessoas passaram a prestar atenção no que eu fazia, resolviam investir, e eu podia pela primeira vez realizar tudo aquilo que desejava. Chegamos juntas até Cannes; não é um contrato desses que irá nos separar.

Mudou de tom. Foi até o banheiro, trouxe o estojo de maquiagem, e começou o trabalho.

— Precisa estar deslumbrante esta noite. Nenhuma modelo até hoje saiu do completo anonimato para a glória súbita, de modo que a imprensa vai estar muito interessada no que aconteceu. Diga que não sabe os detalhes; é o suficiente. Vão insistir. Pior que isso: vão sugerir respostas como "Eu sempre sonhei em trabalhar para ele" ou "Estou dando um passo importante em minha carreira".

Acompanhou-a até embaixo; o chofer abriu a porta do carro.

— Mantenha-se firme: não conhece os detalhes do contrato, é a sua agente quem se ocupa disso. E aproveite a festa.

A festa.

Na verdade, o jantar — mas não vê mesas ou comida, apenas garçons andando de um lado para o outro com todo tipo de bebida possível, inclusive água mineral. Os pequenos grupos se formam, as pessoas que chegaram sozinhas parecem perdidas. Está em um gigantesco jardim com poltronas e sofás espalhados por todos os cantos, vários pilares de um metro de altura onde estão modelos semivestidas, corpos esculturais, dançam ao som da música que sai de alto-falantes estrategicamente escondidos.

As celebridades continuam a chegar. Os convidados parecem felizes, estão sorrindo, tratam-se uns aos outros com a intimidade de quem se conhece há muitos anos, mas Jasmine sabe que é mentira: devem se encontrar vez ou outra em ocasiões como essa, jamais lembram o nome da pessoa com quem estão conversando, mas precisam mostrar a todos que são influentes, conhecidos, admirados, cheios de contatos.

A moça — que antes parecia irritada — agora demonstra que está completamente perdida. Pede um cigarro e se apresenta. Em poucos minutos, uma já sabe a vida da outra. Consegue levá-la até a amurada, ficam olhando o oceano enquanto a festa se enche de conhecidos e desconhecidos. Descobrem que estão agora trabalhando para o mesmo homem, embora em projetos diferentes. Nenhuma das duas o conhece, e para ambas tudo aconteceu no mesmo dia.

Volta e meia algum grupo de homens passa, tenta puxar conversa, mas as duas fingem que não é com elas. Gabriela era a pessoa que precisava encontrar para dividir o sentimento de abandono que carrega, apesar de todas as palavras bonitas que sua companheira lhe dissera. Se tivesse que escolher entre sua carreira e o amor de sua vida, não teria dúvidas — deixaria tudo de lado, embora isso fosse um comportamento típico de adolescente. Acontece que o amor de sua vida deseja que escolha sua carreira, e aceitou a proposta de HH apenas para que se orgulhe de tudo que fez por ela, o cuidado como guiou seus passos, o carinho com que corrigiu seus erros, o entusiasmo presente em cada palavra e cada ação — mesmo as mais agressivas.

Gabriela também precisava encontrar Jasmine. Para pedir conselhos, agradecer não estar sozinha naquele momento, acreditar que coisas boas acontecem para todo mundo. Confessar que estava preocupada com a maneira como seu companheiro a havia deixado ali, quando na verdade tinha ordens de apresentá-la a pessoas que deveria conhecer.

— Ele acha que pode disfarçar suas emoções. Mas sei que alguma coisa de errado está acontecendo.

Jasmine diz que não se preocupe, relaxe, beba um pouco

de champanhe, aproveite a música e a paisagem. Imprevistos sempre acontecem, e existe um exército de pessoas para lidar com eles, de modo que ninguém, absolutamente ninguém descubra o que acontece nos bastidores do luxo e do glamour. Em breve a Celebridade estará chegando.

— Mas, por favor, não me deixe sozinha; não vou demorar muito.

Gabriela garante que não a deixará sozinha. É sua única amiga no novo mundo que acaba de pisar.

Sim, é sua única amiga, mas é jovem demais, e isso a faz sentir como se já tivesse passado da idade de começar alguma coisa. A Celebridade demonstrara ser uma pessoa absolutamente superficial enquanto se dirigiam para o tapete vermelho, o encanto havia desaparecido por completo, precisa estar ao lado de um alguém do sexo masculino, arranjar uma companhia para aquela noite, por mais que a menina ao seu lado seja agradável e simpática. Nota que o tal homem que vira no bar também está na amurada do grande jardim, contemplando o oceano, de costas para a festa, completamente alheio ao que se passa no grande jantar de gala. É carismático, bonito, elegante, misterioso. Quando chegasse o momento certo, iria sugerir à sua nova amiga que fossem até lá e iniciassem uma conversa — sobre qualquer assunto.

Afinal de contas, e apesar de tudo, aquele era o seu dia de sorte, e isso incluía encontrar um novo amor.

20h21

O legista, o comissário, o detetive Savoy e uma quarta pessoa — que não se identificou, mas que foi trazida pelo comissário — estão sentados em torno de uma mesa.

A tarefa não é exatamente discutir um novo crime, mas a declaração conjunta que deve ser feita para os jornalistas que se aglomeram na frente do hospital; desta vez uma Celebridade mundial acaba de morrer, um famoso diretor se encontra na unidade de terapia intensiva, e as agências de notícias do planeta devem ter enviado uma mensagem radical aos seus jornalistas: ou conseguem alguma coisa de concreto, ou serão despedidos.

— A medicina legal é uma das ciências mais antigas do planeta. Graças a ela, muitos traços de veneno podiam ser identificados, e antídotos produzidos. Mesmo assim, a realeza e os nobres preferiam ter sempre um "provador oficial de comida", de modo a evitar surpresas não previstas pelos médicos.

Savoy já tinha encontrado o "sábio" durante a tarde. Desta vez, deixa que o comissário entre em cena e acabe com a conversa erudita.

— Chega de demonstrar sua cultura, doutor. Há um criminoso à solta na cidade.

O médico não se deixa impressionar.

— Como legista, não tenho autoridade para determinar a ocorrência de um assassinato. Não posso emitir opiniões, mas definir a causa da morte, a arma utilizada, a identidade da vítima, a hora aproximada que o crime foi cometido.

— O senhor vê alguma relação entre as duas mortes? Há algo que possa ligar o assassinato do produtor com o do ator?

— Sim. Ambos trabalhavam no cinema!

Dá uma gargalhada. Ninguém move um músculo; as pessoas ali naquela sala não têm o menor senso de humor.

— A única relação é que nos dois casos foram usados produtos tóxicos que afetam o organismo com uma velocidade impressionante. Entretanto, a grande surpresa do segundo assassinato é a maneira como o cianureto foi embalado. O envelope possuía no seu interior uma fina membrana de plástico hermeticamente selada a vácuo, mas fácil de ser rompida no momento em que se rasga o papel.

— Pode ter sido fabricado aqui? — pergunta o quarto homem, com forte sotaque estrangeiro.

— Pode. Mas seria muito difícil, porque a manipulação é complexa, e quem o manipulou sabia que o objetivo seria um assassinato.

— Ou seja, o assassino não o fabricou.

— Duvido. Com quase toda certeza foi encomendado a um grupo especializado. No caso do curare, o próprio criminoso poderia ter mergulhado a agulha no veneno, mas o cianureto exige métodos especiais.

Savoy pensa em Marselha, na Córsega, na Sicília, nos países do Leste Europeu, nos terroristas do Oriente Médio. Pede licença, sai da sala por um momento e telefona para a Europol. Explica a gravidade da situação. Pede que façam um levantamento completo de laboratórios onde se podem produzir armas químicas daquela natureza.

É colocado em contato com alguém, que diz que o mesmo acaba de ser requisitado por uma central de inteligência dos Estados Unidos. O que está acontecendo?

— Nada. Por favor me respondam assim que tiverem uma pista. E por favor, tenham essa pista nos próximos dez minutos.

— Impossível — diz a voz do outro lado da linha. — Daremos a resposta quando a tivermos; nem antes nem depois. Precisamos fazer um requerimento para...

Savoy desliga ali mesmo, e torna a juntar-se ao grupo.

Papel.

Essa parece ser a obsessão de todos aqueles que trabalham com a segurança pública. Ninguém quer arriscar dar um passo sem antes ter todas as garantias de que seus superiores aprovaram o que estão fazendo. Homens que tinham uma carreira brilhante pela frente, que começaram a trabalhar com criatividade e entusiasmo, ficam agora amedrontados em um canto, sabendo que estão diante de desafios sérios, é preciso agir com rapidez, mas a hierarquia precisa ser respeitada, a imprensa está pronta para acusar a polícia de brutalidade, os contribuintes vivem reclamando de que nada é resolvido — por tudo isso é melhor passar sempre a responsabilidade para alguém superior.

Seu telefonema não passa de pura encenação: já sabe quem é o criminoso. Irá prendê-lo sozinho, sem que ninguém mais possa evocar para si os louros da descoberta do maior caso policial na história de Cannes. Precisa manter o sangue-frio, mas está doido que aquela reunião termine logo.

Quando volta, o comissário lhe diz que Stanley Morris, o grande especialista da Scotland Yard, acaba de telefonar de Monte Carlo. Diz que não se preocupem muito, duvida que o criminoso utilize de novo a mesma arma.

— Podemos estar diante de uma nova ameaça de terror — diz o estrangeiro.

— Sim, estamos — responde o comissário. — Mas, ao contrário de vocês, a última coisa que queremos é semear o medo na população. O que precisamos definir aqui é o comunicado de imprensa, para evitar que os jornalistas tirem sua própria conclusão e a divulguem no telejornal da noite.

"Estamos diante de um caso isolado de terror: possivelmente um assassino em série."

— Mas...

— Não tem "mas"... — a voz do comissário é dura e autoritária. — A sua embaixada foi contatada porque o morto é do seu país. O senhor está aqui como convidado. No caso das duas outras pessoas mortas, também americanas, não houve o menor interesse de enviar um representante, mesmo que em um desses casos também tenha sido utilizado veneno.

"Portanto, se o que está querendo insinuar é que estamos diante de uma ameaça coletiva, na qual armas biológicas estão sendo utilizadas, pode retirar-se. Não vamos transformar um problema criminal em algo político. Queremos ter mais um Festival no ano que vem com todo o brilho e glamour que merece, acreditamos no especialista da Scotland Yard, e vamos traçar um comunicado que siga essas normas."

O estrangeiro cala-se.

O comissário chama um assistente, pede que vá até o grupo de jornalistas e diga que em dez minutos terão as conclusões que estão aguardando. O legista informa que é possível traçar a origem do cianureto, já que ele deixa uma "assinatura", mas que isso levará mais do que dez minutos — talvez uma semana.

— Havia traços de álcool no organismo. A pele estava vermelha, a morte foi quase imediata. Não há dúvida quanto ao tipo de veneno utilizado. Se tivesse sido algum ácido, encontraríamos queimaduras em torno do nariz e da boca; no caso de beladona, as pupilas dos olhos estariam dilatadas, se...

— Doutor, sabemos que o senhor fez um curso na universidade, que está habilitado a nos dar a causa da morte, e não temos dúvida de sua competência. Então, concluímos que foi cianureto.

O doutor faz uma afirmativa com a cabeça e morde os lábios, controlando sua irritação.

— E quanto ao outro homem que está no hospital? O diretor de cinema...

— Neste caso, usamos oxigênio puro, seiscentos miligramas de Kelocyanor por via intravenosa a cada quinze minutos, e se não der resultado, podemos acrescentar triosulfato sódico diluído em vinte e cinco por cento...

O silêncio na sala é quase palpável.

— Desculpem. A resposta é: será salvo.

O comissário faz anotações em uma folha de papel amarelo. Sabe que já não tem mais tempo. Agradece a todos, diz ao estrangeiro que não saia com eles, para evitar ainda mais especulações. Vai até o banheiro, ajeita a gravata, e pede que Savoy faça a mesma coisa.

— Morris disse que o assassino não tornará a usar veneno da próxima vez. Pelo que pôde pesquisar desde que você saiu, ele está seguindo um padrão, mesmo que inconsciente. Você pode imaginar qual?

Savoy havia pensado nisso, enquanto voltava de Monte Carlo. Sim, havia uma assinatura, que talvez nem mesmo o grande inspetor da Scotland Yard tivesse reparado:

Vítima no banco da praça: o criminoso está perto.

Vítima no almoço: o criminoso está longe.

Vítima no píer: o criminoso está perto.

Vítima no hotel: o criminoso está longe.

Consequentemente, o próximo crime será cometido com a vítima ao lado do assassino. Melhor dizendo: esse devia ser o seu plano, porque será preso na próxima meia hora. Tudo isso, graças aos seus contatos na delegacia, que lhe passaram a informação sem dar muita importância ao caso. E Savoy, por sua vez, respondeu que era irrelevante. Não era, claro — estava agora diante do elo perdido, a pista certa, a única coisa que faltava.

Seu coração está disparado: sonhou com isso a vida inteira e aquela reunião ali parece não terminar nunca.

— Você está me escutando?

— Sim, senhor comissário.

— Pois saiba o seguinte: as pessoas lá fora não estão esperando uma declaração oficial, técnica, com respostas precisas às suas questões. Na verdade, eles farão o possível para que respondamos aquilo que desejam ouvir: não se pode cair nessa armadilha. Vieram até aqui não para nos escutar, mas para nos ver — e para que seu público também possa nos ver.

Olha Savoy com um ar de superioridade, como se fosse a pessoa mais experiente do planeta. Pelo visto, tentar mostrar cultura não era privilégio de Morris ou do legista — todos sempre tinham uma maneira indireta de dizer "eu conheço meu trabalho".

— Seja visual. Melhor dizendo: o corpo e o rosto irão dizer mais do que as palavras. Mantenha o olhar firme, a cabeça erguida, os ombros abaixados e ligeiramente inclinados para trás. Ombros altos denotam tensão, e todos serão capazes de notar que não temos a menor ideia do que está acontecendo.

— Sim, senhor comissário.

Saem até a entrada do Institut de Médecine Légale. As luzes se acendem, os microfones se aproximam, as pessoas começam a se empurrar. Depois de alguns minutos, a desordem ganha um contorno de organização. O comissário tira o papel do bolso.

— O famoso ator de cinema foi assassinado com cianureto, um veneno mortal que pode ser administrado de várias formas, mas neste caso o processo utilizado foi o gás. O diretor de cinema será salvo; neste caso, ocorreu um acidente, entrar em um quarto fechado onde ainda havia restos do produto no ar. Os seguranças notaram, através dos monitores, que um homem dava uma volta no corredor, entrava em um dos apartamentos, e cinco minutos depois saía correndo e caía no corredor do hotel.

Omitiu que o quarto em questão não era visível pela câmera. Omissão não é mentira.

— Os seguranças agiram com rapidez, enviando imediatamente um médico. Quando este se aproximou, notou o cheiro de amêndoas, àquela altura já diluído o suficiente para não causar dano. A polícia foi chamada, chegou ao local menos de cinco minutos depois, isolou a área, chamou a ambulância, os médicos vieram com máscaras de oxigênio e conseguiram socorrê-lo.

Savoy começa a ficar realmente impressionado com a desenvoltura do comissário. Será que em seu posto são obrigados a fazer um curso de relações públicas?

— O veneno veio dentro de um envelope, com uma caligrafia que ainda não podemos determinar se é de homem ou mulher. Dentro havia um papel.

Omitiu que a tecnologia usada para fechar o envelope era a mais sofisticada possível; havia uma chance em um milhão de que algum dos jornalistas presentes soubesse disso, embora mais tarde esse tipo de pergunta fosse inevitável. Omitiu que outro homem da indústria havia sido envenenado aquela tarde; pelo visto, todos achavam que o famoso distribuidor tinha morrido de ataque do coração, embora ninguém, absolutamente ninguém tivesse mentido a respeito. É bom saber que às vezes a imprensa — por preguiça ou por descaso — termina chegando às suas próprias conclusões sem incomodar a polícia.

— O que estava escrito no papel? — foi a primeira pergunta.

O comissário explica que não pode revelar isso agora, ou correrá o risco de atrapalhar as investigações. Savoy começa a entender para onde está conduzindo a entrevista, e fica cada vez mais admirado — realmente aquele homem merece o posto que ocupa.

— Pode ter sido crime passional? — foi a primeira pergunta.

— Todas as possibilidades estão sobre a mesa. Com licença senhores, precisamos voltar a trabalhar.

Entra no carro de polícia, liga a sirene e sai a toda a velocidade. Savoy se encaminha para seu veículo, orgulhoso do comissário. Que maravilha! Já podia imaginar os noticiários que iriam ao ar dali a pouco:

"Acredita-se que tenha sido vítima de um crime passional."

Nada mais poderia substituir o interesse que isso desperta. A força da Celebridade era tão grande que os outros crimes passaram despercebidos. Quem se importa com uma pobre menina, possivelmente drogada, encontrada em um banco de praça? Qual a relevância de um distribuidor de cabelos acaju que pode ter tido um ataque cardíaco durante um almoço? O que comentar sobre um crime — também passional — envolvendo duas pessoas completamente desconhecidas, que jamais frequentaram os holofotes, em um píer afastado de todo o movimento da cidade? Isso acontecia todos os dias, apareceu no noticiário das oito horas, e só continuariam especulando sobre o assunto se não houvesse...

... a Celebridade mundial! Um envelope! Um papel dentro com algo escrito!

Liga a sirene, e dirige na direção oposta da delegacia. Para não levantar suspeitas, usa o rádio do carro. Entra na frequência do comissário.

— Parabéns!

O comissário também está orgulhoso de si mesmo. Ganharam algumas horas, talvez alguns dias, mas ambos sabem que existe um assassino em série, com armas sofisticadas, do sexo masculino, cabelos ficando grisalho, bem-vestido, de aproximadamente quarenta anos. Experiente na arte de matar. Que pode estar satisfeito com os crimes já cometidos, ou que pode atacar de novo, a qualquer momento.

— Envie agentes para todas as festas — ordena o comissário. — Procurem homens sozinhos que correspondam a essa descrição. Peça que os mantenham sob vigilância. Peçam reforços, quero policiais à paisana, discretos, vestidos de acordo com o ambiente; jeans ou traje a rigor. Em todas as festas, repito. Mesmo que tenhamos que mobilizar os guardas de trânsito.

Savoy faz imediatamente o que lhe é pedido. Nesse meio-tempo, recebe uma mensagem em seu telefone portátil: a Europol precisa de mais tempo para determinar os laboratórios solicitados. Três dias úteis, no mínimo.

— Por favor, me enviem isso por escrito. Não quero ser responsável se algo de errado continuar acontecendo aqui.

Ri para si mesmo. Pede que também enviem uma cópia para o agente estrangeiro, já que para ele não tem a menor importância. Vai a toda a velocidade até o hotel Martinez, deixa seu carro na entrada, atrapalhando os dos outros. O porteiro reclama, mas joga as chaves para que o estacione, mostra o distintivo de polícia e entra correndo.

Sobe até um salão privado no primeiro andar, onde um policial está ao lado da gerente do turno e de um garçom.

— Quanto tempo vamos ficar aqui? — pergunta a gerente. Ele a ignora, e se volta para o garçom:

— Tem certeza de que a mulher assassinada, que apareceu no noticiário, é a mesma que estava sentada aqui, hoje à tarde?

— Quase certeza, senhor. Na foto, ela parece mais jovem, os cabelos estão tingidos, mas estou acostumado a guardar o rosto dos meus clientes, caso algum deles resolva sair sem pagar.

— Tem certeza de que estava com o hóspede que reservara a mesa?

— Absoluta. Um homem de aproximadamente quarenta anos, bem-apessoado, cabelos grisalhos.

O coração de Savoy parece saltar pela boca. Volta-se para a gerente e para o policial:

— Vamos até o seu quarto.

— O senhor tem algum mandado de busca? — pergunta a gerente.

Seus nervos não aguentam mais:

— NÃO TENHO! Não preencho papéis! Sabe qual é o problema do nosso país, minha senhora? Todos são muito obedientes! Aliás, não é apenas problema nosso, mas do mundo inteiro! A senhora não obedeceria se mandassem seu filho para uma guerra? Seu filho não obedeceria? Pois é! E já que a senhora é obediente, me acompanhe por favor, ou será presa por cumplicidade!

A mulher parece ficar assustada. Junto com o policial, vão até o elevador, que neste momento desce, parando de andar em andar, sem entender que uma vida humana depende da rapidez com que puderem agir.

Decidem pelas escadas; a gerente reclama, está com saltos altos, mas ele pede que arranque os sapatos e os sigam. Sobem os degraus de mármore, passam pelas elegantes saletas de espera, as mãos segurando o corrimão de bronze. As pessoas que aguardam o elevador perguntam quem é aquela mulher sem sapatos, e o que um policial fardado está fazendo no hotel, correndo daquela maneira. Será que algo grave acaba de acontecer? E, se fosse o caso, por que não usam o elevador, que é mais rápido? Dizem para si mesmas: isso está virando um festival de quinta categoria, os hotéis já não selecionam seus hóspedes, e a polícia invade o local como se se tratasse de um bordel. Assim que puderem vão reclamar com a gerente.

Não sabem que é ela a mulher sem sapatos, correndo escada acima.

Chegam finalmente perto da porta da suíte onde o assassino está hospedado. A esta altura, um membro do "departamento de vigilância de corredores" já mandou alguém para ver o que está acontecendo. Reconhece a gerente, e pergunta se pode ajudar.

Savoy pede que fale mais baixo mas sim, pode ajudar. Tem uma arma? O segurança diz que não.

— Mesmo assim, fique por aqui.

Estão conversando em sussurros. A gerente é instruída a bater na porta, enquanto os três — Savoy, o policial, e o segurança — ficam colados na parede ao lado. Savoy retira sua arma do coldre. O policial faz o mesmo. A gerente bate várias vezes, sem nenhuma resposta.

— Deve ter saído.

Savoy pede que use sua chave mestra. Ela explica que não estava preparada para isso — e, mesmo que estivesse, só abriria aquela porta com autorização do diretor-geral.

Pela primeira vez ele é delicado:

— Não tem importância. Quero agora descer e ficar na sala, junto com a equipe de segurança que vigia o local. Ele vai voltar mais cedo ou mais tarde, e gostaria de ser o primeiro a poder interrogá-lo.

— Temos uma fotocópia do seu passaporte e o número do seu cartão de crédito lá embaixo. Por que estão tão interessados nesse homem?

— Isso também não tem importância.

21h02

A meia hora de carro de Cannes, em um outro país que fala a mesma língua, usa a mesma moeda, não tem controle na fronteira, mas segue um sistema político completamente diferente da França — o poder é ocupado por um príncipe, como nos velhos tempos —, um homem está sentado diante do computador. Um correio eletrônico fora recebido quinze minutos antes, explicando que um famoso ator fora assassinado.

Morris olha a foto da vítima; não tem a menor ideia de quem seja, faz tempo que não vai ao cinema. Mas deve ser alguém importante, porque um portal de notícias está dando a informação.

Embora já estivesse aposentado, assuntos como esse eram o seu grande jogo de xadrez, em que raramente se deixava derrotar pelo adversário. Não era a sua carreira que estava em jogo, mas a sua autoestima.

Existem algumas regras a que sempre gostou de obedecer enquanto trabalhava na Scotland Yard: começar pensando em todas as possibilidades erradas, e a partir daí tudo é possível — porque não está condicionado a acertar. Nos encontros que tinha com os enfadonhos comitês de avaliação de trabalho, gostava de provocar os presentes: "Tudo aquilo que sabem vem da experiência acumulada ao longo de anos de trabalho. Mas essas soluções antigas só servem para problemas igualmente passados. Se desejam ser criativos, esqueçam um pouco que são experientes!".

Os mais graduados fingiam que tomavam notas, os jovens o olhavam com espanto, e a reunião continuava como se nenhuma daquelas palavras tivesse sido dita. Mas ele sabia que o recado fora enviado, e em pouco tempo — sem lhe darem o crédito merecido, claro — os superiores começavam a exigir mais ideias novas.

Imprime os dossiês que a polícia de Cannes tinha enviado; detestava usar papel, porque não queria ser acusado de assassino em série de florestas, mas, às vezes, isso era necessário.

Começa estudando o *modus operandi*, ou seja, a maneira como os crimes foram cometidos. Hora do dia (tanto de manhã, como à tarde e à noite), arma (mãos, veneno, estilete), tipo de vítima (homens e mulheres de idades distintas), aproximação da vítima (duas com contato físico direto, duas com absolutamente nenhum contato), reação das vítimas contra o agressor (inexistente em todos os casos).

Quando se sente diante de um túnel sem saída, a melhor coisa é deixar seu pensamento passear um pouco, enquanto o inconsciente trabalha. Abre uma nova tela no computador, com os gráficos da Bolsa de Valores em Nova York. Como não tem dinheiro aplicado em ações, aquilo não podia ser mais aborrecido, mas era assim que agia: a experiência de muitos anos analisa todas as informações que conseguiu até agora, e a intuição vai formulando respostas — novas e criativas. Vinte minutos depois, volta a olhar os dossiês — sua cabeça já estava vazia de novo.

O processo dera resultado: sim, havia algo em comum em todos os crimes.

O assassino tem uma grande cultura. Deve ter passado dias, semanas em uma biblioteca, estudando a melhor maneira de levar a cabo sua missão. Sabe como lidar com venenos sem correr riscos — e não deve ter manipulado diretamente o cianureto. Conhece bastante de anatomia para enfiar um estilete no local exato, sem encontrar um osso no caminho. Aplica golpes mortais sem muito esforço. Poucas pessoas no mundo conheciam o poder destrutivo do curare. Possivelmente, lera sobre crimes em série, e sabia que uma assinatura sempre leva ao agressor, de modo que cometia seus assassinatos de maneira completamente aleatória, não respeitando um *modus operandi*.

Mas isso é impossível: sem dúvida nenhuma, o inconsciente do assassino estaria deixando uma assinatura — que ainda não conseguira decifrar.

Há algo mais importante ainda: tem dinheiro. O suficiente para fazer um curso de Sambo, e ter absoluta certeza dos pontos do corpo que precisa tocar para paralisar a vítima. Tem contatos: não comprou tais venenos na farmácia da esquina, nem sequer no submundo do crime local. São armas biológicas altamente sofisticadas, que requerem cuidados na manipulação e na aplicação. Devia ter utilizado outras pessoas para conseguir aquilo.

Finalmente, trabalha com rapidez. O que faz Morris concluir que o assassino não deve ficar ali por muito tempo. Talvez uma semana, talvez alguns dias mais.

Aonde poderia chegar com isso?

Se ele não está conseguindo chegar a uma conclusão agora, é porque se acostumou com as regras do jogo. Perdeu a inocência que tanto exigia de seus subordinados. É isso que o mundo termina exigindo de um homem: que vá se transformando em medíocre à medida que a vida passa, de modo a não ser visto como alguém exótico, entusiasmado. A velhice para a sociedade é um estigma, e não um sinal de sabedoria. Todos acreditam que alguém que ultrapassou a barreira dos cinquenta anos já não tem mais condições de acompanhar a velocidade com que as coisas se passam no mundo de hoje.

Claro, já não consegue correr como antigamente, e precisa de óculos para ler. Entretanto, sua mente está mais afiada que nunca — pelo menos quer acreditar nisso.

Mas e o crime? Se é tão inteligente como pensa, por que não consegue resolver o que antes parecia tão fácil?

Não pode chegar a lugar nenhum, no momento. Precisava esperar mais algumas vítimas.

21h11

Um casal passa sorrindo, e diz que ele é um homem de sorte: duas belas mulheres ao seu lado!

Igor agradece; realmente precisa distrair-se. Daqui a pouco vai acontecer o tão esperando encontro, e, mesmo que seja um homem acostumado a aguentar todo tipo de pressão, lembra-se das patrulhas nas cercanias de Kabul: antes de qualquer missão mais perigosa, seus companheiros bebiam, falavam de mulheres e esporte, conversavam como se não estivessem ali, mas em suas cidades natais, em torno de uma mesa com a família e os amigos. Assim, afastavam o nervosismo, recuperavam sua verdadeira identidade, e ficavam mais conscientes e mais atentos para os desafios que iriam se apresentar.

Como bom soldado, sabe que o combate nada tem a ver com a briga, mas com um objetivo a ser atingido. Como bom estrategista — afinal, saiu do nada e transformou sua pequena companhia em uma das mais respeitadas empresas da Rússia —, tem consciência de que esse objetivo deve sempre permanecer o mesmo, embora muitas vezes a razão que o leva até ele vá se modificando no decorrer do tempo. Isso aconteceu hoje: chegara a Cannes por um motivo, mas só quando começou a agir pôde entender as verdadeiras razões que o motivavam. Estivera cego durante todos esses anos, e agora podia ver a luz; a revelação acontecera finalmente.

E, justamente por isso, precisa ir até o final. Suas decisões foram tomadas com coragem, desprendimento, e às vezes com uma certa dose de loucura — não aquela que destrói, mas a que leva o ser humano a dar passos além de seus próprios limites. Sempre fez isso na vida; venceu porque exerceu sua loucura controlada no momento de tomar decisões. Seus amigos iam do comentário "você está se arriscando demais" à conclusão "eu tinha certeza de que você estava dando o passo certo" com uma velocidade nunca vista. Era capaz de surpreender, inovar, e sobretudo correr riscos necessários.

Mas ali em Cannes, talvez por causa do ambiente que lhe era completamente desconhecido, arriscou-se desnecessariamente. Porque estava confuso com a falta de sono, tudo podia ter acabado antes do que planejara. E, se isso acontecesse, jamais teria chegado ao momento de lucidez que agora o faz ver com outros olhos a mulher por quem julgava estar apaixonado, que merecia sacrifícios e martírio. Lembra-se do momento em que se aproximou do policial para confessar seus atos. Foi ali que começou a transição. Foi ali que o espírito da menina de sobrancelhas grossas o protegeu e lhe explicou que estava fazendo as coisas certas, mas por razões erradas. Acumular amor significa sorte, acumular ódio significa calamidade. Quem não reconhece a porta dos problemas termina deixando-a aberta, e as tragédias conseguem entrar.

Ele aceitara o amor da menina. Tinha sido um instrumento de Deus, enviado para resgatá-la de um futuro sombrio; agora ela o ajudava a continuar adiante.

Está consciente de que, por mais precauções que tenha tomado, pode não ter pensado em tudo, e ainda pode ver sua missão interrompida antes que consiga chegar ao final. Mas não há por que lamentar-se ou temer: fez o que podia, agiu de maneira impecável, e, se Deus não quiser que termine seu trabalho, deve aceitar Suas decisões.

Relaxe. Converse com as moças. Deixe que seus músculos descansem um pouco antes do golpe final, assim eles estarão mais preparados. Gabriela — a jovem que estava sozinha no bar quando chegou à festa — parece extremamente excitada e, sempre que um garçom passa com um copo de bebida, devolve o seu, mesmo que ainda esteja pela metade, e pega um novo.

— Gelada, sempre gelada!

Sua alegria o contagia um pouco. Pelo que contou, acaba de ser contratada para um filme, embora não saiba o título e o papel que vai fazer, mas segundo suas palavras "será a atriz principal". O diretor é conhecido pela capacidade que tem de selecionar bons atores e bons roteiros. O ator principal, que Igor conhece e admira, inspira respeito. Quando ela menciona o nome do produtor, ele faz um sinal com a cabeça, querendo dizer "sim, sei quem é", mas sabendo que ela irá entender como "não sei quem é, mas não quero passar por ignorante". Fala sem parar sobre quartos cheios de presentes, o tapete vermelho, o encontro no iate, e a seleção absolutamente rigorosa, os projetos que tem para o futuro.

— Neste momento, existem milhares de moças nesta cidade, e milhões no mundo inteiro, que gostariam de estar aqui conversando com você, e podendo contar estas histórias. Minhas preces foram ouvidas. Meu esforço foi recompensado.

A outra moça parece mais discreta e mais triste — talvez por causa de sua idade e da falta de experiência. Igor estava exatamente atrás dos fotógrafos quando ela passou, viu que gritavam seu nome, que a entrevistavam no final do "corredor". Mas, pelo visto, as outras pessoas na festa não sabiam de quem se tratava; tão assediada no início, e de repente colocada de lado.

Com toda certeza, foi a moça falante que decidiu aproximar-se, perguntando o que fazia ali. No início sentiu-se incomodado, mas sabia que se não fossem elas, outras pessoas sozinhas iriam fazer a mesma coisa para evitar a impressão de que estavam perdidas, isoladas deste mundo, sem amigos na festa. Por isso, aceitou a conversa — melhor dizendo, aceitou a companhia, embora sua mente estivesse concentrada em outra coisa. Deu o seu nome (Gunther), explicou que era um industrial alemão especializado em maquinaria pesada (um assunto que não interessa a ninguém), tinha sido convidado por amigos para aquela noite. Iria partir no dia seguinte (o que esperava que fosse verdade, embora os desígnios de Deus sejam misteriosos).

Quando soube que não trabalhava na indústria do cinema, e que não estaria no Festival por muito tempo, a atriz quase se afasta; mas a outra a impediu, dizendo que sempre é bom conhecer pessoas novas. E ali estavam os três: ele esperando o amigo que não chegava, ela esperando um assistente que tinha desaparecido, e a moça calada não esperando absolutamente nada, apenas um pouco de paz.

Tudo se passou muito rápido. A atriz deve ter notado alguma poeira no casaco do smoking, levou a mão antes que ele pudesse reagir, e ficou surpresa:

— Você fuma charuto?

Ainda bem: charuto.

— Sim, depois do jantar.

— Se quiser, convido vocês dois para uma festa em um iate esta noite. Mas antes preciso localizar o meu assistente.

A outra moça sugere que não seja tão rápida. Em primeiro lugar, acabara de ser contratada para um filme e ainda faltava muito para que pudesse cercar-se de amigos (ou "entourage", a palavra universalmente conhecida para os parasitas que circulam em torno de celebridades). Devia ir sozinha, seguir as normas do protocolo.

A atriz agradece o conselho. Mais um garçom passa, a taça de champanhe pela metade é colocada na bandeja, e outra taça cheia é retirada.

— Acho também que deve parar de beber tão rápido — diz Igor/ Gunther, pegando delicadamente a taça de sua mão e jogando o conteúdo pela balaustrada. A atriz faz um gesto de desespero, mas depois se conforma: entende que o homem ao seu lado quer apenas o seu bem.

— Estou muito excitada — confessa. — Preciso acalmar-me um pouco. Será que eu poderia fumar um dos seus charutos?

— Lamento, tenho apenas um. E, além do mais, está provado cientificamente que a nicotina é estimulante, e não calmante.

Charuto. Sim, a forma era parecida mas, fora isso, os dois objetos nada mais tinham em comum. No bolso superior esquerdo do seu paletó carregava um supressor de ruídos, também chamado de silenciador. Uma peça de aproximadamente dez centímetros de comprimento que, uma vez acoplado ao cano da Beretta guardada no bolso da calça, era capaz de fazer um grande milagre:

Transformar "BANG!" em "puff...".

Isso porque algumas simples leis da física entravam em ação quando a arma era disparada: a velocidade da bala diminuía um pouco porque é obrigada a atravessar uma série de anéis de borracha, enquanto os gases do disparo enchem o compartimento oco em torno do cilindro, se resfriam rapidamente, e impedem que o barulho da explosão da pólvora seja ouvido.

Péssimo para tiros a longa distância, porque interfere no curso do projétil. Mas ideal para disparos à queima-roupa.

Igor começa a ficar impaciente; será que o casal havia cancelado o convite? Ou será que — ele sente-se perdido por uma fração de segundo — a suíte onde colocara o envelope era exatamente a mesma em que eles estavam hospedados?

Não, não pode ser; seria muita falta de sorte. Pensa na família daqueles que morreram. Se tivesse ainda como único objetivo reconquistar a mulher que o abandonara por um homem que não a merecia, todo aquele trabalho teria sido inútil.

Começa a perder o sangue-frio; será que essa é a razão pela qual Ewa não tentou entrar em contato com ele, apesar de todas as mensagens que enviara? Ligara duas vezes para o amigo que tinham em comum, e foi informado de que não havia nenhuma novidade.

A dúvida começa a ganhar contornos de certeza: sim, o casal estava morto naquele momento. Isso explicava a partida súbita do "assistente" da atriz ao seu lado. E o abandono completo da menina de dezenove anos que tinha sido contratada para aparecer ao lado do grande estilista.

Quem sabe Deus o estava punindo por ter amado tanto uma mulher que não merecia? Foi sua ex-esposa que usou suas mãos para estrangular uma moça que tinha a vida inteira pela frente, podia descobrir a cura do câncer ou a maneira de fazer com que a humanidade tomasse consciência de que estava destruindo o planeta. Mesmo que Ewa não soubesse de nada, foi ela quem o estimulou a usar os venenos; Igor estava certo, absolutamente certo de que nada daquilo seria necessário, um simples mundo destruído e o recado chegaria ao seu destino. Carregou o pequeno arsenal consigo sabendo que tudo aquilo não passava de um jogo; ao chegar ao bar onde fora beber champanhe antes de sair para a festa, descobriria sua presença ali, entenderia que havia sido perdoada por toda a maldade e destruição que causara à sua volta. Sabe através de pesquisas científicas que pessoas que passaram muito tempo juntas são capazes de pressentir a presença do outro em um mesmo ambiente, mesmo que não saibam exatamente onde está.

Isso não aconteceu. A indiferença de Ewa na noite anterior — ou talvez sua culpa pelo que fizera com ele — não permitira que notasse o homem que fingia esconder-se atrás de uma pilastra, mas que tinha em sua mesa revistas de economia escritas em russo, pista suficiente para quem está buscando sempre aquele que perdeu. Uma pessoa apaixonada sempre acredita que está vendo na rua, nas festas, nos teatros, o grande amor da sua vida: talvez Ewa tivesse trocado seu amor pelo brilho e pelo glamour.

Começa a acalmar-se. Ewa era o veneno mais poderoso que havia sobre a face da Terra e, se fora destruída por cianureto, isso não era nada. Merecia algo muito pior.

As duas moças continuavam conversando; Igor se afasta, não pode deixar-se dominar pelo pânico de ter destruído sua própria obra. Precisa de isolamento, frieza, capacidade de reagir com rapidez à súbita mudança de rumo.

Aproxima-se de outro grupo de pessoas, que conversam animadamente sobre os métodos que estão utilizando para deixar de fumar. Sim, esse era um dos poucos assuntos preferidos naquele mundo: mostrar aos amigos que são capazes de ter força de vontade, existe um inimigo a ser vencido, e elas conseguem dominá-lo. Para distrair-se, acende um cigarro, sabendo que isso é uma provocação.

— Faz mal à sua saúde — comenta a mulher coberta de diamantes, corpo esquelético, um copo de suco de laranja na mão.

— Faz mal à saúde estar vivo — responde. — Sempre acaba em morte, cedo ou tarde.

Os homens riem. As mulheres olham o recém-chegado com interesse. Mas neste momento, no corredor que se encontra a duas dezenas de metros de distância, os fotógrafos voltaram a gritar.

— Hamid! Hamid!

Mesmo de longe, e com a visão atrapalhada pelas pessoas que circulam no jardim, pode ver o costureiro entrando com sua companheira — aquela que no passado fizera o mesmo percurso com ele, em outros lugares do mundo, aquela que segurava seu braço com carinho, delicadeza, elegância.

Antes mesmo que possa respirar aliviado, algo o faz olhar na direção oposta: um homem entra pelo outro lado do jardim, sem ser interrompido por nenhum dos seguranças, e começa a mover a cabeça em todas as direções: estava procurando alguém, e não era um amigo perdido na festa.

Sem se despedir do grupo, volta para a amurada onde as duas moças ainda se encontram conversando, e segura a mão da atriz. Faz uma prece silenciosa à menina de sobrancelhas grossas; pede perdão por haver duvidado, mas os seres humanos ainda são impuros, incapazes de compreender as bênçãos que tão generosamente recebem.

— Não acha que está indo muito rápido? — perguntou a atriz, sem demonstrar nenhuma vontade de mover o braço.

— Acho que sim. Mas, pelo que você contou, parece que hoje as coisas se aceleraram muito em sua vida.

Ela riu. A moça triste também riu. O policial passou sem prestar atenção neles — seus olhos se detinham em homens de aproximadamente quarenta anos, alguns cabelos grisalhos.

Mas que estavam sozinhos.

21h20

Médicos olham exames com resultados totalmente diferentes daquilo que acreditam ser a doença — e a partir daí devem decidir se acreditam na ciência ou no coração. Com o passar do tempo, dão mais atenção aos instintos e veem que os resultados melhoram.

Grandes homens de negócio que estudam gráficos atrás de gráficos terminam comprando ou vendendo exatamente o oposto da tendência do mercado e ficam mais ricos.

Artistas escrevem livros ou filmes que todo mundo diz "isso não vai dar certo, ninguém toca nesses temas" e terminam se transformando em ícones da cultura popular.

Líderes religiosos utilizam o medo e a culpa em vez do amor, que teoricamente seria a coisa mais importante do mundo; suas igrejas se enchem de fiéis.

Todos contra a tendência geral, exceto um grupo: políticos. Esses querem agradar a todos, e seguem o manual de atitudes corretas. Acabam tendo que renunciar, desculpar-se, desmentir.

Morris abre uma tela atrás da outra em seu computador. E isso nada tinha a ver com tecnologia, mas com intuição. Já fizera isso com o índice Dow Jones e, mesmo assim, não estava contente com os resultados. Melhor agora se concentrar um pouco nos personagens que conviveram com ele em grande parte de sua vida.

Olha mais uma vez o vídeo em que Gary Ridgway, o "Assassino de Green River", conta com uma voz calma como matou quarenta e oito mulheres, quase todas prostitutas. Está relatando seus crimes não porque deseja a absolvição dos seus pecados, ou queira aliviar o peso de sua consciência; o promotor ofereceu trocar o risco da condenação à morte pela prisão perpétua. Ou seja, apesar de tanto tempo agindo com impunidade, não deixou provas suficientes para comprometê-lo. Mas talvez já esteja cansado ou entediado com a tarefa macabra a que se propôs realizar.

Ridgway. Trabalho estável como pintor de carrocerias de caminhão, e que só é capaz de lembrar das vítimas se conseguir relacioná-las com seus dias de trabalho. Durante vinte anos, às vezes com mais de cinquenta detetives seguindo seus passos, sempre conseguiu cometer mais um crime sem deixar assinaturas ou pistas.

"Era uma pessoa não muito brilhante, deixava muito a desejar no seu trabalho, não tinha grande cultura, mas era um assassino perfeito", diz um dos detetives na fita.

Ou seja, nasceu para isso. Tinha domicílio fixo. Seu caso chegou a ser arquivado como insolúvel.

Já tinha assistido àquele vídeo centenas de vezes em sua vida. Normalmente, costumava inspirá-lo para resolver outros casos, mas hoje não estava surtindo efeito. Fecha a tela, abre outra, com a carta do pai de Jeffrey Dahmer, "O Açougueiro de Milwaukee", responsável por matar e esquartejar dezessete homens entre os anos de 1978 e 1991:

"Claro que eu não podia acreditar no que a polícia dizia a respeito do meu filho. Muitas vezes, sentei-me na mesa que foi usada como lugar de esquartejamento e altar satânico. Quando abria seu refrigerador, via apenas algumas garrafas de leite e latas de soda. Como é possível que a criança que eu carreguei em meu colo tantas vezes e o monstro que agora tinha seu rosto em todos os jornais pudessem ser a mesma pessoa? Ah, se eu estivesse no lugar dos outros pais que em julho de 1991 receberam a notícia que temiam — seus filhos não apenas desapareceram, mas foram assassinados. Neste caso, eu poderia visitar o túmulo onde repousavam seus restos, cuidar da sua memória. Mas não: o meu filho estava vivo, e era o autor desses crimes horríveis."

Altar satânico. Charles Manson e sua "família". Em 1969, três jovens entram na casa de uma celebridade do cinema e matam todos que estão ali, inclusive um rapaz que estava saindo naquele momento. Mais dois assassinatos no dia seguinte — desta vez, um casal de empresários.

"Eu, sozinho, podia assassinar toda a humanidade", diz.

Vê pela milésima vez a foto do mentor dos crimes sorrindo para a câmera, cercado de amigos hippies, inclusive um famoso músico da época. Todos absolutamente insuspeitos, sempre falando de paz e amor.

Fecha todos os arquivos abertos no seu computador. Manson é o que existe de mais próximo do que está acontecendo agora — cinema, vítimas conhecidas. Uma espécie de manifesto político contra o luxo, o consumismo, a celebridade. Apesar de ser o mentor dos crimes, jamais esteve no lugar onde foram perpetrados; usava seus adeptos para isso.

Não, a pista não está aí. E, apesar dos correios eletrônicos que mandou explicando que não pode ter respostas em tão pouco tempo, Morris começa a sentir que está tendo o mesmo sintoma que todos os detetives, em todos os tempos, tiveram a respeito de assassinos em série:

O caso passa a ser pessoal.

De um lado, um homem que provavelmente tem outra profissão, deve ter planejado seus crimes por causa das armas que usa, mas não conhece a capacidade da polícia local, está agindo em um terreno completamente desconhecido. Um homem vulnerável. Do outro lado, a experiência de vários órgãos de segurança acostumados a lidar com todas as aberrações da sociedade.

Mesmo assim, incapaz de interromper a trilha homicida de um simples amador.

Não devia ter atendido à chamada do comissário. Decidira morar no sul da França porque o clima era melhor, as pessoas mais divertidas, o mar estava sempre por perto, e esperava que ainda tivesse muitos anos pela frente para poder gozar os prazeres da vida.

Tinha deixado sua divisão em Londres sendo considerado o melhor de todos. E agora, porque dera um passo errado, sua falha iria chegar até os ouvidos de seus colegas — e já não poderia desfrutar a merecida fama que alcançara com muito trabalho e muita dedicação. Dirão: "Ele tentou compensar suas deficiências quando foi a primeira pessoa que insistiu para que computadores modernos fossem instalados em nosso departamento. E, apesar de toda a tecnologia ao seu alcance, está velho, incapaz de acompanhar os desafios de um novo tempo".

Apertou o botão certo: desligar. A tela apagou-se logo depois de mostrar o logotipo da marca do software que estava usando. Dentro da máquina, os impulsos eletrônicos desapareciam da memória fixa, e não deixavam nenhum sentimento de culpa, remorso, impotência.

Mas seu corpo não tem botões semelhantes. Os circuitos em seu cérebro continuam funcionando, repetindo sempre as mesmas conclusões, tentando justificar o injustificável, causando danos em sua autoestima, convencendo-o de que seus colegas têm razão: talvez seu instinto e sua capacidade de análise tenham sido afetados pela idade.

Caminha até a cozinha, liga a máquina de café expresso, que está dando problemas. Anota mentalmente o que pretende fazer: como qualquer eletrodoméstico atual, é mais barato jogá-la fora e comprar uma nova na manhã seguinte.

Por sorte, resolveu desta vez funcionar, e ele bebe sem pressa o café. Grande parte do seu dia consiste em apertar botões: computador, impressora, telefone, luz, fogão, máquina de café, aparelho de fax.

Mas agora precisa apertar o botão correto em sua mente: não vale a pena reler os documentos enviados pela polícia. Pense diferente. Faça uma lista, mesmo que ela seja repetitiva:

a) o criminoso tem cultura e sofisticação suficientes — pelo menos no que se refere a armas. E sabe como utilizá-las;

b) não é da região, ou teria escolhido uma época melhor, e um local menos policiado;

c) não deixa assinatura clara. Ou seja, não quer ser identificado. Embora isso pareça óbvio, as assinaturas nos crimes são uma maneira desesperada de o Médico tentar evitar os males causados pelo Monstro, de dr. Jekyll dizer a sr. Hyde: "Por favor, me detenha. Eu sou um mal para a sociedade, e não consigo me controlar";

d) como foi capaz de aproximar-se de pelo menos duas vítimas, olhar em seus olhos, conhecer um pouco de sua história, está acostumado a matar sem remorso. Portanto, já deve ter participado de alguma guerra;

e) deve ter dinheiro, bastante dinheiro — não porque Cannes seja caríssima durante os dias do Festival; mas pelo custo da produção do envelope de cianureto. Morris estima que deve ter pago em torno de cinco mil dólares — quarenta pelo veneno, e 4460 pela maneira de acondicioná-lo;

f) não faz parte de máfias de drogas, tráfico de armas, coisas do tipo, ou já estaria sendo seguido pela Europol. Ao contrário do que a maioria desses criminosos pensa, só permanecem em liberdade porque ainda não chegou a hora certa de serem colocados atrás das grades de uma prisão. Seus grupos estão infiltrados por agentes que são pagos a peso de ouro;
g) como não deseja ser preso, toma todas as precauções. Mas não pode controlar seu inconsciente, e está — sem querer — obedecendo a um padrão determinado;
h) é uma pessoa absolutamente normal, incapaz de levantar suspeitas, possivelmente doce e afável, capaz de ganhar confiança dos que atrai para a morte. Passa algum tempo com suas vítimas, duas delas do sexo feminino, muito mais desconfiado do que os homens;
i) Não escolhe suas vítimas. Elas podem ser homens, mulheres, qualquer idade, qualquer posição social.

Morris para um momento. Algo que escreveu não está combinando direito com o resto.

Relê tudo duas ou três vezes. Na quarta leitura, consegue identificar:

c) não deixa assinatura clara. Ou seja, não quer ser identificado. Ora, o assassino não está tentando limpar o mundo como Manson, não pretende purificar sua cidade como Ridgway, não quer satisfazer o apetite dos deuses, como Dahmer. Grande parte dos criminosos não deseja ser preso, mas quer ser identificado. Alguns para ganhar a manchete de jornais, a fama, a glória, como Zodíaco ou Jack, o Estripador — talvez achem que seus netos terão orgulho do que fizeram, quando descobrirem um diário empoeirado no sótão da casa. Outros têm uma missão a cumprir; instalar o terror e afastar as prostitutas, por exemplo. Psicanalistas ouvidos a respeito concluíram que assassinos em série que pararam de matar de uma hora para a outra agiram assim porque o recado que pretendiam enviar tinha sido recebido.

Sim. Essa é a resposta. Como não havia pensado nisso antes?

Por uma simples razão: porque lançaria a busca policial em duas direções opostas. A do assassino e a da pessoa a quem deseja mandar o recado. E, no caso de Cannes, ele está matando com muita rapidez: Morris tem quase certeza de que deve desaparecer em breve, assim que a mensagem for entregue.

No máximo em dois, três dias. E, como alguns dos assassinos em série que as vítimas não têm uma característica em comum, a mensagem deve estar sendo destinada a uma pessoa.

Apenas uma pessoa.

Volta ao computador, torna a ligá-lo, e envia uma mensagem tranquilizadora ao comissário:

"Não se preocupe, os crimes devem cessar abruptamente, antes que o Festival termine."

Apenas pelo prazer de correr riscos, envia uma cópia para um amigo na Scotland Yard — de modo que saibam que a França o respeita como profissional, pediu sua ajuda, e obteve. Ainda é capaz de chegar a conclusões profissionais que mais adiante vão se mostrar acertadas. Não está velho como querem fazer pensar.

Sua reputação está em jogo; mas tem certeza do que acaba de escrever.

22h19

Hamid desliga o celular — não está nem um pouco interessado no que ocorre no resto do mundo. Na última meia hora seu telefone foi inundado com mensagens negativas.

Tudo isso é um sinal para que termine de uma vez com essa ideia absurda de fazer um filme. Deixou-se levar pela vaidade, em vez de escutar os conselhos do sheik e de sua mulher. Pelo visto, está começando a perder contato consigo mesmo: o mundo do luxo e do glamour começa a envenená-lo — logo ele, que sempre se julgou imune a isso!

Basta. Amanhã, quando tudo estiver mais calmo, irá convocar a imprensa mundial ali presente e dizer que, apesar de já ter investido uma quantia razoável na produção do projeto, irá interrompê-lo porque "era um sonho comum de todos os envolvidos, e um deles já não está mais entre nós". Um jornalista, com certeza, procurará saber se tem outros projetos em mente. Ele responderá que ainda é cedo para falar disso, "precisamos respeitar a memória daquele que partiu".

É evidente que lamentava, como qualquer ser humano com um mínimo de decência, o fato de que o ator que estava para contratar tinha acabado de morrer envenenado, e que o diretor escolhido para o projeto estava em um hospital — felizmente sem risco de vida. Mas ambas as coisas continham uma mensagem bem clara: nada de cinema. Não é o seu ramo, iria perder dinheiro e nada ganhar em troca.

Cinema para os cineastas, música para os músicos, literatura para os escritores. Desde que embarcara naquela aventura, dois meses atrás, só tinha conseguido aumentar seus problemas: lidar com egos gigantescos, rejeitar orçamentos irreais, corrigir um roteiro que parecia pior a cada vez que lhe entregavam a nova versão, aturar produtores com ar afetado que o tratavam com certa complacência, como se fosse um total ignorante no assunto.

Sua intenção fora a melhor possível: mostrar a cultura do lugar de onde veio, a beleza do deserto, a sabedoria milenar e os códigos de honra dos beduínos. Tinha esse débito com a sua tribo, embora o sheik tivesse insistido que não devia se desviar do caminho originalmente traçado.

"As pessoas se perdem no deserto porque se deixam levar por miragens. Você está cumprindo bem o seu trabalho, concentre nele todas as suas energias."

Mas Hamid queria ir mais longe: mostrar que era capaz de surpreender ainda mais, subir mais alto, demonstrar coragem. Pecou por orgulho, e isso não tornaria a acontecer.

Os jornalistas o cobrem de perguntas — pelo visto, a notícia viajara com mais velocidade que nunca. Diz que ainda não conhece os detalhes do caso, mas que irá fazer um pronunciamento no dia seguinte. Repete dezenas de vezes a mesma resposta, até que um de seus seguranças se aproxima e pede que deixem o casal em paz.

Chama um assistente. Pede que encontre Jasmine na multidão que circula pelos jardins, e a traga até ele. Sim, precisam de algumas fotos juntos, um novo press release confirmando a negociação, uma boa assessoria de imprensa que seja capaz de manter o assunto vivo até outubro, data da Semana de Moda de Paris. Mais adiante, irá convencer pessoalmente a estilista belga; gostou muito do seu trabalho, está certo de que poderá render dinheiro e prestígio para o seu grupo — o que é absolutamente verdade. Mas, no momento, sabe o que ela está pensando: que tentou comprá-la para que liberasse o contrato de sua principal modelo. Aproximar-se agora não apenas aumentaria o preço, como seria deselegante. Tudo tem seu tempo, melhor aguardar o momento certo.

— Acho que devemos ir embora daqui.

Pelo visto, Ewa está incomodada com as perguntas dos jornalistas.

— Esqueça isso. Não tenho o coração de pedra, como sabe, mas tampouco posso começar a sofrer por algo que na verdade só fez confirmar aquilo que você me dissera antes: afaste-se do cinema. Estamos em uma festa, e vamos ficar aqui até que termine.

Sua voz saiu mais dura do que imaginava, mas Ewa pareceu não se incomodar — como se seu amor ou seu ódio lhe fossem absolutamente indiferentes. Continua, já desta vez usando um tom mais apropriado:

— Veja a perfeição de festas como esta. Nosso anfitrião deve estar gastando uma quantia altíssima pela sua presença em Cannes, as despesas de passagens e hospedagem de celebridades escolhidas para participar com exclusividade deste caríssimo jantar de gala. Pode ter certeza de que terá dez a doze vezes mais lucro com a visibilidade gratuita que isso proporcionará: páginas inteiras de revistas, jornais, espaços em canais de televisão, horas nas TVs a cabo que não têm nada para mostrar além de grandes acontecimentos sociais. Mulheres vão associar suas joias ao glamour e ao brilho, homens usarão seus relógios como demonstração de poder e dinheiro. Jovens irão abrir as páginas de moda e pensar: "Um dia quero estar ali, usando exatamente a mesma coisa".

— Vamos embora. Tenho um pressentimento.

Aquilo era a gota d'água. Passara o dia inteiro aturando o mau humor da mulher, sem reclamar um segundo. A toda hora ela abria seu telefone para ver se havia chegado outra mensagem, e agora começava a desconfiar seriamente que algo muito estranho se passava. Outro homem? Seu ex-marido, que vira no bar do hotel, e que queria marcar de qualquer maneira um encontro? Se fosse assim, por que não falava diretamente o que estava sentindo, em vez de se trancar em si mesma?

— Não me venha com pressentimentos. Estou tentando carinhosamente explicar por que fazem uma festa como esta. Se deseja voltar a ser a mulher de negócios que sempre sonhou, se deseja voltar a trabalhar com venda de alta-costura, procure prestar atenção no que digo. Por sinal, eu comentei que vi seu ex-marido no bar ontem à noite, e você me disse que era impossível. É por causa dele que está com seu celular ligado?

— Ele não tem o que fazer aqui.

Sentia vontade de dizer: "Eu sei quem tentou e conseguiu destruir seu projeto de cinema. E sei que é capaz de ir muito mais além disso. Entenda que estamos correndo perigo, vamos embora".

— Você não respondeu à minha pergunta.

— A resposta é: sim. É por isso que estou com meu celular ligado. Porque eu o conheço, sei que ele está por perto, e estou com medo.

Hamid ri.

— Eu também estou por perto.

Ewa pega uma taça de champanhe e bebe de uma só vez. Ele não faz nenhum comentário: aquilo era apenas mais uma provocação.

Olha à sua volta, procurando esquecer as notícias que tinham surgido na tela do seu telefone, e aguardando a possibilidade de tirar fotos com Jasmine antes que todos fossem chamados para o salão onde o jantar seria servido, e onde os fotógrafos estavam proibidos de entrar. O envenenamento do ator famoso não podia ter acontecido em pior momento: ninguém havia perguntado sobre o grande contrato que assinara com a modelo desconhecida. Meia hora atrás, era a única coisa que queriam saber; agora isso não interessava mais à imprensa.

Apesar de tantos anos trabalhando com luxo e glamour, ainda tem muito que aprender: enquanto o contrato milionário tinha sido esquecido rapidamente, seu anfitrião conseguira manter o interesse na festa perfeita. Nenhum dos fotógrafos e jornalistas presentes havia deixado o local para ir até a delegacia ou ao hospital apurar direito o que havia acontecido. Claro, eram todos especializados em moda, mas mesmo assim seus editores não ousaram deslocá-los dali por uma simples razão: crimes não frequentam as mesmas páginas de eventos sociais.

Especialistas em joias de luxo não se metem em aventuras cinematográficas. Grandes promotores de eventos sabem que, independente de todo o sangue que estiver correndo no mundo naquele exato momento, as pessoas sempre vão procurar as fotos que representam um mundo perfeito, inatingível, exuberante.

Assassinatos podem acontecer na casa ao lado, ou na rua adiante. Festas como aquela, só no topo do mundo. O que é mais interessante para os mortais?

A festa perfeita.

Cuja promoção começara meses antes, com notas na imprensa, afirmando que mais uma vez a joalheria iria realizar o seu evento anual em Cannes, mas que os convites já estavam todos distribuídos. Não era bem assim; àquela altura, metade dos convidados estava recebendo uma espécie de memorando, pedindo gentilmente que reservassem a data.

Como tinham lido as notícias, claro que respondiam de imediato. Reservavam a data. Compravam seus bilhetes de avião e pagavam os hotéis por doze dias, mesmo que fossem ficar apenas por quarenta e oito horas. Precisavam mostrar a todos que ainda continuavam na Superclasse, e isso terminaria por facilitar negócios, abrir portas, alimentar o ego.

Dois meses depois, chegava o luxuoso convite. As mulheres começavam a ficar nervosas porque não conseguiam decidir qual o melhor vestido para a ocasião, e os homens mandavam suas secretárias ligarem para alguns conhecidos, perguntando se havia possibilidade de tomarem champanhe no bar e discutirem determinado assunto profissional antes que o jantar começasse. Era a maneira masculina de dizer: "Fui convidado para a festa. Você também foi?". Mesmo que o outro alegasse que estava ocupado e que dificilmente poderia viajar para Cannes naquela época, o recado estava dado: a tal "agenda completa" era uma desculpa para o fato de ainda não ter recebido nenhuma comunicação a respeito.

Minutos depois, o "homem ocupado" começava a mobilizar amigos, assessores, sócios, até conseguir o convite. Dessa maneira, o anfitrião podia selecionar qual seria a outra metade a ser convidada, baseando-se em três coisas: poder, dinheiro, contatos.

A festa perfeita.

Uma equipe profissional é contratada. Quando chega o dia, a ordem é servir o máximo de bebida alcoólica, de preferência a mítica e insuperável champanhe francesa. Convidados de outros países não se davam conta de que nesse caso estavam servindo uma bebida produzida no próprio país, e portanto bem mais barata do que imaginavam. As mulheres — como Ewa fazia naquele momento — achavam que a taça com o líquido dourado era o melhor complemento para o vestido, os sapatos e a bolsa. Os homens também tinham uma taça nas mãos, mas bebiam muito menos; estavam ali para encontrar o concorrente com quem deviam fazer as pazes, o fornecedor com quem precisavam melhorar as relações, o potencial cliente que seria capaz de distribuir seus produtos. Centenas de cartões de visita eram trocados em uma noite como essa — a grande parte entre profissionais. Alguns poucos, claro, eram dirigidos a mulheres bonitas, mas todos sabiam que era um desperdício de papel: ninguém estava ali para encontrar o homem ou a mulher da sua vida.

E sim para fazer negócios, brilhar e, eventualmente, divertir-se um pouco. A diversão era opcional, e a coisa menos importante.

As pessoas que estão ali naquela noite vêm de três pontas de um triângulo imaginário. De um lado, estão os que já conseguiram tudo, passam seus dias nos campos de golfe, nos intermináveis almoços, nos clubes exclusivos — e quando entram em uma loja têm bastante dinheiro para comprar sem perguntar o preço. Chegaram ao topo e se dão conta de algo em que nunca tinham pensado antes: não podem viver sozinhos. Não suportam a companhia do marido ou da esposa, precisam estar em movimento, acreditando que ainda fazem uma grande diferença para a humanidade — embora tenham descoberto que, no momento em que se retiram de suas carreiras, passam a enfrentar um cotidiano tão aborrecido como o de qualquer classe média: café da manhã, leitura de jornais, almoço, um cochilo em seguida, jantar, televisão. Aceitam a maioria dos convites para jantar. Vão a eventos sociais e esportivos nos finais de semana. Passam as férias em lugares da moda (embora já tenham se aposentado, ainda acreditam que existe algo chamado "férias").

Na segunda ponta do triângulo, aqueles que ainda não conseguiram nada, tentando remar em águas turbulentas, quebrar a resistência dos vencedores, mostrar alegria mesmo se estão com o pai ou a mãe no hospital, vendendo o que ainda não possuem.

Finalmente, no vértice superior, está a Superclasse.

Essa é a mistura ideal de uma festa: os que chegaram lá e seguiram o caminho normal da vida; seu tempo de influência terminou embora ainda tenham dinheiro para muitas gerações, e agora descobrem que o poder é mais importante que a riqueza, mas já é tarde. Os que ainda não chegaram, e lutam com toda a energia e entusiasmo para animar a festa, achando que realmente conseguiram causar uma boa impressão, e descobrindo que ninguém telefonou para eles nas semanas seguintes, apesar dos muitos cartões distribuídos. Finalmente, aqueles que se equilibram no topo, sabendo que ali venta muito, e qualquer coisa poderá desequilibrá-los, fazendo cair no abismo.

As pessoas continuam se aproximando para conversar com ele; ninguém toca no assunto do assassinato — seja por ignorância completa, já que vivem em um mundo onde essas coisas não acontecem, seja por delicadeza, o que duvida muito. Olha à sua volta, e vê exatamente aquilo que mais detesta em matéria de moda: mulheres de meia-idade vestidas como se tivessem vinte anos. Será que não percebem que já está na hora de mudar de estilo? Conversa com um, sorri para outro, agradece elogios, apresenta Ewa aos poucos que ainda não a conhecem. Tem apenas um pensamento fixo: encontrar-se com Jasmine e posar para os fotógrafos nos próximos cinco minutos.

Um industrial e sua esposa relatam em detalhes a última vez que se viram — algo de que Hamid não consegue se lembrar, mas concorda com a cabeça. Falam de viagens, encontros, projetos que estão sendo desenvolvidos. Ninguém toca em assuntos interessantes, como "você está mesmo feliz?" ou "depois de tudo que vivemos, qual é realmente o sentido da vitória?" Se fazem parte da Superclasse, claro que devem se comportar como se estivessem contentes e realizados, mesmo que estejam perguntando a si mesmos: o que realmente fazer do meu futuro, agora que tenho tudo que sonhei?

Uma criatura sórdida, saída de uma história em quadrinhos e usando calças justas por debaixo de um traje indiano, se aproxima:

— Senhor Hamid, lamento muito...

— Quem é você?

— Estou neste momento trabalhando para o senhor.

Que absurdo.

— Estou ocupado. E já sei tudo que precisava saber a respeito do lamentável incidente desta noite, de modo que não se preocupe.

Mas a criatura não se afasta. Hamid começa a sentir-se constrangido por sua presença, principalmente porque outros amigos que estavam por perto escutaram a terrível frase: "Estou trabalhando para o senhor". O que vão pensar?

— Senhor Hamid, vou trazer a atriz do filme para que o senhor a conheça. Tive que me afastar dela assim que recebi um recado pelo telefone, mas...

— Mais tarde. Neste momento estou aguardando Jasmine Tiger.

O ser estranho afastou-se. Atriz do filme! Pobre moça, contratada e despedida no mesmo dia.

Ewa tem uma taça de champanhe em uma das mãos, um celular na outra, e um cigarro apagado entre os dedos. O industrial tira um isqueiro de ouro do bolso e faz menção de acendê-lo.

— Não se preocupe, eu mesma podia fazer isso — responde. — Mas tenho justamente a outra mão ocupada porque estou tentando fumar menos.

Gostaria de dizer: "Estou com o celular nas mãos para proteger esse idiota que está ao meu lado. Que não acredita em mim. Que jamais se interessou por minha vida e pelas coisas por que passei. Se eu tornar a receber uma mensagem, faço um escândalo e ele será obrigado a sair daqui comigo, mesmo que não queira. Mesmo que depois me insulte, pelo menos estarei consciente de que salvei sua vida. Conheço o criminoso. Sinto que a Maldade Absoluta está por perto".

Uma recepcionista começa a pedir que os convidados se dirijam ao salão superior. Hamid Hussein está pronto para aceitar o seu destino sem grandes reclamações; a foto fica para amanhã, irá subir os degraus com ela. Neste momento, um de seus assistentes aparece.

— Jasmine Tiger não está na festa. Deve ter ido embora.

— Não tem importância. Talvez tenham esquecido de avisá-la que deveríamos nos encontrar aqui.

Tem o ar calmo, de quem está acostumado a lidar com situações semelhantes. Mas seu sangue está fervendo: foi embora da festa? Quem está pensando que é?

Tão fácil morrer. Embora o organismo humano seja um dos mecanismos mais bem concebidos da criação, basta um pequeno projétil de chumbo entrar com certa velocidade, cortar aqui e ali sem nenhum critério, e pronto.

Morte: segundo o dicionário, o final de uma vida (embora vida também seja algo que necessite de definição correta). A paralisação permanente das funções vitais do corpo, como o cérebro, a respiração, a corrente sanguínea e o coração. Duas coisas resistem a esse processo por mais alguns dias ou semanas: tanto os cabelos como as unhas continuam a crescer.

A definição muda quando se pensa nas religiões: para algumas se trata de uma passagem para um estado superior, enquanto outras garantem que é um estado provisório, e a alma que antes habitava aquele corpo deverá retornar mais adiante, para pagar seus pecados ou desfrutar em uma próxima vida as bênçãos que lhe foram recusadas durante a encarnação anterior.

A moça está quieta ao seu lado. Ou o efeito da champanhe chegou ao máximo, ou já passou — e agora ela se dá conta de que não conhece ninguém, que pode ser seu primeiro e último convite, que, às vezes, os sonhos se transformam em pesadelos. Alguns homens se aproximaram quando ele se afastou com a menina triste, mas pelo visto nenhum conseguiu deixá-la confortável. Quando o viu de novo, pediu que a acompanhasse durante o resto da festa. Perguntou se tinha transporte para a volta, porque está sem dinheiro, e seu companheiro pelo visto não irá mais voltar.

— Sim, posso deixá-la em casa. Com todo prazer.

Não estava nos seus planos, mas, desde que notou o policial vigiando a multidão, é preciso mostrar que está acompanhado; é mais uma das muitas pessoas importantes e desconhecidas que estão presentes, orgulhoso de ter ao seu lado uma mulher bonita, bem mais jovem, o que se encaixa perfeitamente nos padrões do local.

— Não acha que devemos entrar?

— Sim. Mas conheço este tipo de evento, e o mais inteligente é esperar que antes todos estejam sentados. Pelo menos três ou quatro mesas têm lugares reservados, e não podemos correr o risco de passar por uma situação constrangedora.

Nota que a moça ficou um pouco decepcionada por ele não ter um lugar reservado, mas conformou-se.

Os garçons estão recolhendo os copos vazios espalhados por todo o jardim. As modelos já desceram dos ridículos pedestais, onde dançavam para mostrar aos homens que ainda há vida interessante na face da Terra, e relembrar às mulheres que estão urgentemente precisando de uma lipoaspiração, um pouco de botox, uma aplicação de silicone, uma cirurgia estética.

— Por favor, vamos. Preciso comer. Vou passar mal.

Ela o pega pelo braço e começam a caminhar para o salão no andar superior. Pelo visto, o recado para Ewa foi recebido e descartado; mas agora sabe o que deve esperar de uma pessoa tão corrompida como a sua ex-mulher. A presença do anjo de sobrancelhas grossas continua ao seu lado, foi ela que o fez virar-se na hora certa, notar o policial à paisana, quando teoricamente sua atenção devia estar concentrada no famoso costureiro que acabara de chegar.

— Está bem, vamos entrar.

Sobem as escadas e caminham até o salão. Na hora de entrarem, pede delicadamente que ela solte seu braço, já que seus amigos ali poderiam entender errado o que viam.

— Você é casado?

— Divorciado.

Sim, Hamid está certo, sua intuição estava correta, os problemas daquela noite já não significam nada diante do que acaba de ver. Já que não tem absolutamente nenhum interesse profissional para participar de um festival de filmes, só há uma razão para a sua presença.

— Igor!

O homem à distância, acompanhado de uma mulher mais jovem, olha em sua direção. O coração de Ewa dispara.

— O que você está fazendo?

Mas Hamid já se levantou sem pedir licença. Não, ele não sabe o que está fazendo. Está caminhando em direção à Maldade Absoluta, sem limites, capaz de fazer qualquer coisa — absolutamente qualquer coisa. Pensa que está diante de um adulto e pode enfrentá-lo, seja com a força física ou com argumentos lógicos. O que não sabe é que a Maldade Absoluta tem um coração de criança, sem absolutamente nenhuma responsabilidade por seus atos, sempre convencido de que está certo. E quando não consegue o que quer, não teme usar todos os artifícios possíveis para satisfazer seu desejo. Agora entende como o Anjo se transformou em demônio com tanta rapidez: porque sempre guardou vingança e rancor em seu coração, apesar de afirmar que havia crescido e superado todos os seus traumas. Porque foi o melhor entre os melhores quando precisou demonstrar sua capacidade de vencer na vida, e isso lhe confirmou a condição de onipotência. Porque não sabe desistir — já que conseguiu sobreviver aos piores tormentos pelos quais era capaz de caminhar sem jamais olhar para trás, carregando certas palavras em seu coração: "Um dia eu volto. E vocês verão do que sou capaz".

— Pelo visto, encontrou alguém mais importante que nós — alfineta a ex-miss Europa, também sentada na mesa principal, junto com outras duas celebridades e o anfitrião da festa.

Ewa procura disfarçar o mal-estar que se instalou. Mas não sabe o que fazer. O anfitrião parece divertir-se com aquilo; aguarda sua reação.

— Desculpem. É um antigo amigo meu.

Hamid se encaminha para o homem, que parece vacilar. A moça que está com ele grita:

— Sim, estou aqui, senhor Hamid Hussein! Sou sua nova atriz! Pessoas nas outras mesas se viram para ver o que está acontecendo. O anfitrião sorri — sempre é bom que aconteça alguma coisa fora do comum, assim os seus convidados terão muito que conversar depois. A esta altura Hamid parou diante do homem; o anfitrião percebe que alguma coisa está errada, e se dirige para Ewa.

— Acho melhor trazê-lo de volta. Ou, se quiser, podemos colocar uma cadeira extra para o seu amigo, mas sua companheira terá que sentar-se longe daqui.

Os convidados já desviaram a atenção para os seus pratos, suas conversas sobre iates, aviões privados, cotação na Bolsa de Valores. Apenas o anfitrião está atento ao que se passa.

— Vá até lá — insiste.

Ewa não está ali, como ele pensa. Seu pensamento está a milhares de quilômetros de distância, em um restaurante em Irkutsk, perto do lago Baikal. A cena era diferente; Igor conduzia outro homem para o lado de fora.

Com muito esforço, levanta-se e se aproxima.

— Volte para sua mesa — ordena Hamid em voz baixa.
— Nós dois vamos sair para conversar.

Isso era exatamente o passo mais absurdo que poderia ser dado naquele momento. Ela o agarra pelo braço, finge que está rindo e animada por reencontrar alguém que não via há tanto tempo, e diz com a voz mais calma do mundo:

— Mas o jantar está começando!

Evitou dizer "meu amor". Não quer abrir as portas do inferno.

— Ela tem razão. Melhor conversarmos aqui mesmo.

Ele disse isso? Será que então está imaginando coisas, e não é nada do que pensa, a criança finalmente cresceu e se transformou em um adulto responsável? O demônio foi perdoado pela sua arrogância, e agora volta aos reinos dos céus?

Quer estar errada, mas os dois homens mantêm o olhar fixo um no outro. Hamid pode ler algo perverso por detrás das pupilas azuis, e por um momento sente um arrepio. A moça lhe estende a mão.

— Muito prazer. Meu nome é Gabriela...

Ele não retribui o cumprimento. Os olhos do outro homem brilham.

— Há uma mesa no canto. Vamos nos sentar juntos — diz Ewa.

Uma mesa no canto? Sua mulher irá sair do lugar de honra e sentar-se a uma mesa no canto da festa? Mas a esta altura Ewa já segurou os dois homens pelos braços e os conduz para a única mesa disponível, perto do local onde saem os garçons. A "atriz" segue o grupo. Hamid solta-se por um minuto, volta até o anfitrião e pede desculpas.

— Acabei de encontrar um amigo de infância, que irá viajar amanhã, e não quero perder de maneira nenhuma esta oportunidade de conversar um pouco. Por favor, não esperem por nós, não sei quanto tempo vamos demorar ali.

— Ninguém ocupará os seus lugares — responde sorrindo o anfitrião, já sabendo que as duas cadeiras ficarão desocupadas.

— Achei que era um amigo de infância da sua mulher — alfineta de novo a ex-miss Europa.

Mas Hamid já se dirigia à pior mesa do salão — reservada para os assessores das celebridades, que sempre conseguiam uma maneira de esgueirar-se para lugares onde não devem estar presentes, apesar de todas as precauções.

"Hamid é um bom homem", pensa o anfitrião, enquanto vê o famoso estilista se afastando de cabeça erguida. "E este início de noite deve estar sendo muito difícil para ele."

Sentam-se à mesa do canto. Gabriela entende que esta é uma chance única — mais uma das chances únicas que aconteceram naquele dia. Diz quanto está contente com o convite, que fará o possível e o impossível para atender ao que estão esperando dela.

— Confio no senhor. Assinei o contrato sem ler.

As outras três pessoas não dizem uma palavra, apenas se olham. Será que há algo errado? Ou será que é o efeito da champanhe? Melhor continuar a conversa.

— E fico ainda mais contente porque, ao contrário do que dizem aí, o seu processo de seleção foi justo. Nada de pedidos, nada de favores. Fiz um teste de manhã e, antes mesmo que terminasse de ler o meu texto, me interromperam. E me pediram para ir até um iate conversar com o diretor. Isso é um bom exemplo para todo o mundo artístico, senhor Hussein. Dignidade com a profissão. Honestidade no momento de escolher com quem irá trabalhar. As pessoas imaginam que o mundo do cinema é completamente diferente, que a única coisa que realmente conta...

Ia dizer "dormir com o produtor", mas ele está ao lado da mulher.

— ... é a aparência da pessoa.

O garçom traz a entrada e começa a recitar o monólogo que esperam dele:

— Como entrada, temos corações de alcachofra em molho de mostarda Dijon, temperados com óleo de oliva, ervas finas e acompanhados de pequenas fatias de queijo de cabra dos Pirineus...

Só a moça mais jovem, com um sorriso no rosto, presta atenção ao que está dizendo. Ele percebe que não é bem-vindo e se afasta.

— Deve estar uma delícia!

Olha em torno. Ninguém levou seus talheres ao prato. Algo está muito errado ali.

— Vocês estão precisando conversar, não é verdade? Talvez seja melhor eu sentar em outra mesa.

— Sim — diz Hamid.

— Não, fique aqui — diz a mulher.

E agora, o que fazer?

— Está contente com a sua companhia? — pergunta a mulher.

— Acabei de conhecer Gunther.

Gunther. Hamid e Ewa olham para o impassível Igor ao seu lado.

— E o que ele faz?

— Mas vocês são amigos dele!

— Sim. E sabemos o que ele faz. O que não sabemos é quanto conhece de sua vida.

Gabriela se vira para Igor. Por que ele não a ajuda?

Alguém chega perguntando que tipo de vinho desejam tomar:

— Branco ou tinto?

Acaba de ser salva por um estranho.

— Tinto para todos — responde Hamid.

— Voltando ao assunto, o que Gunther faz?

Não foi salva.

— Maquinaria pesada, pelo que pude entender. Não temos nenhuma outra relação, e a única coisa em comum entre nós é que ambos estávamos esperando amigos que não chegaram.

Boa resposta, pensa Gabriela. Quem sabe aquela mulher tivesse um caso secreto com o seu recém-parceiro. Ou um caso aberto, que o marido tinha acabado de descobrir naquela noite — e por isso a tensão no ar.

— Seu nome é Igor. Tem uma das maiores operadoras de telefonia celular da Rússia. Isso é muitíssimo mais importante que vender maquinaria pesada.

E se é assim, por que mentiu? Resolve ficar quieta.

— Esperava encontrá-lo aqui, Igor — agora ela se dirige ao homem.

— Vim para buscá-la. Mas mudei de ideia — é a resposta direta.

Gabriela toca na bolsa cheia de papel, e faz um ar de surpresa.

— Meu celular está tocando. Acho que minha companhia acaba de chegar, e preciso ir encontrá-lo. Peço desculpas, mas veio de longe apenas para acompanhar-me, não conhece ninguém aqui, e me sinto responsável por sua presença.

Levanta-se. A etiqueta ensina que não se deve apertar a mão de quem está comendo — embora até o momento nenhum deles tenha sequer tocado nos talheres. Mas os copos de vinho tinto já estão vazios.

E o homem que se chamava Gunther até dois minutos atrás acaba de pedir que tragam uma garrafa inteira para a mesa.

— Espero que tenha recebido os meus recados — diz Igor.

— Recebi três. Talvez a telefonia aqui seja pior do que a que você desenvolveu.

— Não estou falando de telefone.

— Então não sei do que está falando.

Tem vontade de dizer: "Claro que sei".

Como Igor deve saber que, durante o primeiro ano de sua relação com Hamid, esperou um telefonema, uma mensagem, algum amigo em comum dizendo que ele sentia sua falta. Não queria tê-lo por perto, mas sabia que magoá-lo seria a pior coisa que podia fazer — precisava pelo menos acalmar a Fúria, fingir que terminariam sendo bons amigos no futuro. Certa tarde, quando bebeu um pouco e resolveu chamá-lo, havia trocado o número de celular. Quando ligou para o escritório, soube que "estava em reunião". Nos telefonemas seguintes — sempre quando bebia um pouco, e sua coragem aumentava — descobria que Igor "viajou" ou "ia telefonar logo em seguida". O que nunca acontecia, claro.

E ela começou a ver fantasmas em todos os cantos, sentir que estava sendo vigiada, que em breve teria o mesmo destino do mendigo e das outras pessoas que ele insinuara "ter permitido passar para uma situação melhor". Enquanto isso, Hamid não lhe perguntava nunca sobre o passado, sempre alegando que é um direito de todos guardar sua vida privada nos subterrâneos da memória. Fazia tudo para que ela se sentisse feliz, dizia que a vida tinha passado a ter sentido a partir do momento em que a encontrara, e lhe dava mostras de que podia sentir-se segura, protegida.

Um dia a Maldade Absoluta tocou a campainha de sua casa em Londres. Hamid estava em casa e o expulsou. Nada aconteceu nos meses que se seguiram.

Pouco a pouco, foi conseguindo enganar a si mesma. Sim, fizera a escolha certa: a partir do momento em que elegemos um caminho, os outros desaparecem. Era infantil pensar que podia estar casada com um, e ser amiga do outro — aquilo só acontece quando as pessoas são equilibradas, o que não era o caso de seu ex-marido. Melhor acreditar que alguma mão invisível a salvou da Maldade Absoluta. É mulher o suficiente para fazer com que o homem que passou a ter a seu lado se torne dependente dela, e tenta ajudá-lo em tudo que pode: amante, conselheira, esposa, irmã.

Dedica toda a sua energia para ajudar o novo companheiro. Durante todo esse tempo tivera apenas uma única e verdadeira amiga — que, assim como surgiu, desapareceu. Também era russa, mas, ao contrário dela, tinha sido abandonada por seu marido, e estava na Inglaterra sem saber exatamente o que fazer. Conversava com ela quase todos os dias.

"Deixei tudo para trás", dizia. "E não me arrependo de minha decisão. Teria feito a mesma coisa mesmo que Hamid — contra a minha vontade — não tivesse comprado a linda fazenda na Espanha e a colocado em meu nome. Tomaria a mesma decisão se Igor, meu ex-marido, tivesse me oferecido metade de sua fortuna. Tomaria a mesma decisão porque sei que não preciso mais ter medo. Se um dos homens mais desejados do mundo quer estar ao meu lado, sou melhor do que eu mesma penso."

Tudo mentira. Não estava tentando convencer a sua única confidente, mas a si mesma. Era uma farsa. Por detrás da mulher forte, neste momento sentada naquela mesa com dois homens importantes e poderosos, estava uma menina que tinha medo de perder, de ficar sozinha, pobre, sem jamais ter experimentado a sensação de ser mãe. Estava acostumada com o luxo e o glamour? Não. Procurava estar preparada para perder tudo no dia seguinte, quando descobrissem que era muito pior do que pensava, incapaz de corresponder às expectativas dos outros.

Sabia manipular os homens? Sim. Todos pensavam que era forte, segura de si, dona de seu próprio destino; que podia de uma hora para a outra abandonar qualquer homem, por mais importante e desejado que fosse. E o que era pior: os homens acreditavam. Como Igor. Como Hamid.

Porque sabia representar. Porque nunca dizia exatamente o que pensava. Porque era a melhor atriz do mundo, sabia esconder melhor que ninguém o seu lado patético.

— O que você quer? — ele pergunta em russo.

— Mais vinho.

Sua voz soava como se não estivesse se importando muito com a resposta: ele já tinha dito o que desejava.

— Antes de você partir, eu lhe disse algo. Acho que se esqueceu.

Havia dito muitas coisas, como "por favor, eu prometo que vou mudar e trabalharei menos", ou "você é a mulher da minha vida", "se você for embora, está me destruindo", frases que todo mundo escuta, e sabe que são absolutamente vazias de sentido.

— Eu lhe disse: se você for embora, vou destruir o mundo.

Não conseguia se lembrar, mas era possível. Igor sempre foi um péssimo perdedor.

— E o que isso quer dizer? — perguntou em russo.

— Tenham pelo menos a boa educação de falar em inglês — interrompeu Hamid.

Igor o encarou.

— Vou falar inglês não por causa da boa educação. Mas porque quero que entenda.

E voltando-se de novo para Ewa:

— Eu disse que ia destruir o mundo para tê-la de volta. Comecei a fazer isso, mas fui salvo por um anjo; você não merece. É uma mulher egoísta, implacável, interessada apenas em conseguir mais fama, mais dinheiro. Recusou tudo de bom que eu tinha para oferecer, porque acha que uma casa no interior da Rússia não condiz com o mundo em que sonha viver — ao qual não pertence, e jamais pertencerá.

"Sacrifiquei a mim e a outros por sua causa, e isso não pode ficar assim. Preciso ir até o final, de modo que possa voltar ao mundo dos vivos com a sensação do dever cumprido e da missão completa. Neste momento em que conversamos, estou no mundo dos mortos."

Os olhos daquele homem inspiravam a Maldade Absoluta, pensa Hamid, enquanto assiste àquela conversa absurda, entremeada de longos períodos de silêncio. Ótimo: deixará que as coisas cheguem até o fim como ele está sugerindo, desde que esse fim não implique na perda da mulher amada. Melhor ainda: o ex-marido apareceu acompanhado daquela mulher vulgar, e a insulta em sua frente. Deixará que vá um pouco mais longe, e saberá interromper a conversa no momento desejado — quando ele já não puder mais pedir desculpas e dizer que está arrependido.

Ewa deve estar enxergando a mesma coisa: um ódio cego contra tudo e contra todos, simplesmente porque determinada pessoa não conseguiu satisfazer a sua vontade. Pergunta o que teria feito se estivesse no lugar do homem que agora parecia lutar pela mulher amada.

Seria capaz de matar por ela.

O garçom aparece e repara que os pratos não tinham sido tocados.

— Há algo de errado com a comida?

Ninguém responde. O garçom entende tudo: a mulher estava com um amante em Cannes, o marido descobriu, e agora estavam se enfrentando. Tinha visto aquela cena muitas vezes, e geralmente terminava em briga ou escândalo.

— Mais uma garrafa de vinho — disse um dos homens.

— Você não merece absolutamente nada — diz o outro, com os olhos fixos na mulher. — Você me usou como está usando este idiota ao seu lado. Foi o maior erro de minha vida.

O garçom resolve consultar o dono da festa antes de atender ao pedido sobre a outra garrafa, mas o outro homem já havia se levantado, dizendo para a mulher:

— Basta. Vamos sair daqui.

— Sim, vamos sair, mas vamos lá fora — diz o outro. — Quero ver até onde pode ir para defender uma pessoa que não sabe o que significa as palavras "honra" e "dignidade".

Os machos se enfrentam por causa da fêmea. A mulher pede que não façam isso, que voltem para a mesa, mas o seu marido parece estar realmente disposto a revidar o insulto. Pensa em avisar os seguranças que é possível acontecer uma briga lá fora, mas o maître diz que o serviço está lento, o que ele está fazendo parado ali? Precisa servir outras mesas.

Tem toda razão: o que acontece lá fora não é problema seu. Se disser que estava escutando a conversa, será repreendido.

Está sendo pago para servir mesas, e não para salvar o mundo.

Os três atravessam o jardim onde tinha sido servido o coquetel, e que está sendo rapidamente transformado; quando os convidados descerem vão encontrar uma pista de dança com luzes especiais, um tablado de material sintético, algumas poucas poltronas e muitos bares com bebida gratuita espalhados pelos cantos.

Igor caminha na frente sem dizer nada. Ewa o segue em silêncio, e Hamid completa a fila. A escada até a praia está fechada por uma pequena porta de metal, que é facilmente aberta. Igor pede que passem à sua frente, Ewa recusa. Ele parece não se incomodar e continua adiante, descendo os muitos lances de degraus que levam até o mar bem lá embaixo. Sabe que Hamid não irá demonstrar covardia. Até o momento em que o encontrara na festa, não passava de um costureiro sem escrúpulos, capaz de seduzir uma mulher casada e manipular a vaidade dos outros. Agora, porém, o admira secretamente. É um verdadeiro homem, capaz de lutar até o fim por alguém que julga importante, embora Igor saiba que Ewa não merece sequer as migalhas do trabalho da atriz que encontrara naquela noite. Não sabe representar: pode sentir o seu medo, sabe que está suando, pensando quem deve chamar, como pedir socorro.

Chegam à areia, Igor vai até o final da praia e senta-se perto de alguns rochedos. Pede que os dois façam a mesma coisa. Sabe que além de todo o pavor que está sentindo, Ewa também pensa: "Vou amarrotar meu vestido. Vou sujar meus sapatos". Mas ela senta-se ao seu lado. O homem pede que se afaste um pouco, ele deseja sentar-se ali. Ewa não se move.

Ele não insiste. Agora ali estão os três, como se fossem velhos conhecidos, em busca de um momento de paz para contemplar a lua cheia que nasce, antes que sejam obrigados a subir de novo e escutar o barulho infernal da discoteca lá em cima.

Hamid promete para si mesmo: dez minutos, tempo suficiente para que o outro diga tudo que pensa, desafogue sua raiva e volte para o lugar de onde veio. Se tentar alguma violência, estará perdido: é fisicamente mais forte, e foi educado pelos beduínos para reagir com velocidade e precisão a qualquer ataque. Não queria um escândalo no jantar, mas que o tal russo não se engane: está preparado para tudo.

Quando subirem de novo irá pedir desculpas ao anfitrião, e explicar que o incidente já foi resolvido: sabe que pode falar abertamente com ele, dizer que o ex-marido de sua mulher aparecera sem avisar, e fora obrigado a retirá-lo da festa antes que causasse algum problema. Por sinal, se o homem não sair no momento em que voltarem lá para cima, chamará um dos seus seguranças para expulsá-lo. Tanto faz que seja rico, que tenha uma das maiores empresas de telefonia celular da Rússia; ele está sendo inconveniente.

— Você me traiu. Não apenas os dois anos que está com este homem, mas todo o tempo de nossa vida que passamos juntos.

Ewa não responde nada.

— O que você seria capaz de fazer para continuar com ela?

Hamid cogita se deve responder ou não. Ewa não é uma mercadoria, que pode ser negociada.

— Pergunte de outra maneira.

— Perfeito. Você daria sua vida pela mulher que está ao seu lado?

Maldade pura nos olhos daquele homem. Mesmo que ele tenha conseguido retirar uma faca do restaurante (não prestou atenção a este detalhe, mas deve pensar em todas as possibilidades), conseguirá facilmente desarmá-lo. Não, não seria capaz de dar a vida por ninguém, exceto por Deus ou pelo chefe de sua tribo. Mas precisava dizer algo.

— Seria capaz de lutar por ela. Penso que, em um momento extremo, seria capaz de matar por ela.

Ewa não aguenta mais a pressão; gostaria de dizer tudo o que sabe a respeito do homem ao seu lado direito. Tem certeza de que cometeu o crime, acabou com o sonho de produtor que seu novo companheiro acalentava há tantos anos.

— Vamos subir.

Na verdade quer dizer: "Por favor, vamos sair daqui imediatamente. Você está conversando com um psicopata".

Igor parece que não a escuta.

— Seria capaz de matar por ela. Portanto, seria capaz de morrer por ela.

— Se eu lutasse e perdesse, acho que sim. Mas não vamos começar uma cena aqui na praia.

— Quero subir — repete Ewa.

Mas Hamid agora está sendo tocado em seu amor-próprio. Não pode sair dali como um covarde. A ancestral dança dos homens e animais para impressionar a fêmea está começando.

— Desde que você partiu, nunca mais pude ser eu mesmo — diz Igor, como se estivesse sozinho naquela praia. — Meus negócios prosperaram. Consegui manter o sangue-frio durante o dia, enquanto passava as noites em depressão completa. Perdi algo de mim que nunca mais poderei recuperar. Achei que podia, quando vim até Cannes. Mas, agora que cheguei aqui, vejo que a parte que morreu em mim não pode e não deve ser ressuscitada. Jamais voltaria para você, mesmo que se arrastasse aos meus pés, implorasse perdão, ameaçasse suicídio.

Ewa respira. Pelo menos não haverá brigas.

— Você não entendeu meus recados. Eu disse que seria capaz de destruir o mundo, e você não viu. E, se viu, não acreditou. O que é destruir o mundo?

Coloca a mão no bolso da calça e tira uma pequena arma. Mas não a está apontando para ninguém; continua com os olhos fixos no mar, na lua. O sangue começa a correr mais rápido nas veias de Hamid: ou o outro está querendo apenas assustá-los e humilhá-los, ou está diante de um combate mortal. Mas ali naquela festa? Sabendo que poderá ser preso assim que subir de novo as escadas? Não pode ser tão louco assim — ou não teria conseguido tudo o que conseguiu na vida.

Basta de distrações. É um guerreiro treinado para se defender e para atacar. Deve ficar absolutamente imóvel, porque, embora o outro não o esteja olhando diretamente, sabe que seus sentidos estão atentos a qualquer gesto.

Tudo que pode mover sem ser percebido são seus olhos; não há ninguém na praia. Lá em cima começam os primeiros acordes da banda, afinando os instrumentos, preparando-se para a grande alegria da noite. Hamid não está pensando — seus instintos agora estão treinados para agir sem a interferência do cérebro.

Entre ele e o homem está Ewa, hipnotizada pela visão da arma. Se tentar qualquer coisa, ele irá virar-se para disparar, ela pode ser atingida.

Sim, talvez sua primeira hipótese seja correta. Está apenas querendo assustá-los um pouco. Obrigá-lo a ser covarde, a perder sua honra. Se realmente estivesse interessado em atirar, não estaria segurando a arma de maneira não displicente. Melhor conversar, relaxá-lo, enquanto busca uma saída.

— O que é destruir o mundo? — pergunta.

— É destruir uma simples vida. O universo acaba ali. Tudo aquilo que a pessoa viu, experimentou, todas as coisas más e boas que cruzaram o seu caminho, todos os sonhos, esperanças, derrotas e vitórias, tudo deixa de existir. Quando éramos crianças, aprendíamos na escola um trecho, que só mais tarde iria descobrir que vinha de um religioso protestante. Ele dizia algo como: "Quando este mar diante de nós leva um grão de areia para suas profundezas, a Europa inteira fica menor. Claro que não percebemos, porque é apenas um grão de areia. Mas naquele momento, o continente foi diminuído".

Igor faz uma pausa. Começa a ficar irritado com o barulho lá em cima, as ondas o estavam deixando relaxado e tranquilo, pronto para saborear este momento com o respeito que merece. O anjo de sobrancelhas grossas está assistindo a tudo, e está contente com o que vê.

— Aprendíamos isso para entender também que éramos responsáveis pela sociedade perfeita, o comunismo — continua. — Um era irmão do outro. Na verdade, um era vigia, delator do outro.

Voltou a estar calmo, reflexivo.

— Não estou lhe escutando direito. Assim tem um motivo para se mover.

— Claro que está. Claro que sabe que estou com uma arma na mão, e quer se aproximar para ver se consegue tomá-la de mim. Procura conversar para distrair-me enquanto pensa no que deve fazer. Por favor, não se mexa. O momento ainda não chegou.

— Igor, vamos deixar isso tudo para lá — diz Ewa em russo. — Eu te amo. Vamos embora juntos.

— Fale em inglês. Seu companheiro precisa entender tudo.

Sim, ele entenderia. E mais tarde iria agradecer-lhe por isso.

— Eu te amo — repete em inglês. — Jamais recebi seus recados, ou teria voltado correndo. Tentei ligar para você várias vezes, e não consegui. Deixei muitas mensagens com a sua secretária, que nunca foram retornadas.

— É verdade.

— Desde que recebi suas mensagens hoje, não podia esperar a hora de encontrá-lo. Não tinha ideia de onde estava, mas sabia que ia me buscar. Sei que não quer me perdoar, mas pelo menos me permita que volte a viver ao seu lado. Serei sua empregada, sua faxineira, cuidarei de você e de sua amante, se resolver arranjar uma. Mas tudo que desejo é ficar ao seu lado.

Depois explicaria tudo isso a Hamid. Agora era o momento de dizer qualquer coisa, desde que pudessem sair dali e voltar lá para cima, para o mundo real, onde existiam policiais capazes de impedir que a Maldade Absoluta continuasse a mostrar seu ódio.

— Ótimo. Eu gostaria de acreditar nisso. Melhor dizendo, eu gostaria de acreditar que a amo também, e que a quero ter de volta. Mas não é verdade. E acho que você está mentindo, como sempre mentiu.

Hamid já não escuta o que nenhum dos dois está dizendo — sua mente está longe dali, junto com os guerreiros antepassados, pedindo inspiração para o golpe certo.

— Você podia ter me dito que nosso casamento não estava andando do jeito que ambos esperávamos. Nós construímos tanta coisa juntos; será que era impossível encontrar uma solução? Sempre existe uma maneira de permitir que a felicidade entre em nossa casa, mas para isso é preciso que ambos se deem conta dos problemas. Eu escutaria tudo que você teria para me dizer, o casamento ganharia de novo a excitação e a alegria de quando nos encontramos. Mas você não quis fazer isso. Preferiu a saída mais fácil.

— Sempre tive medo de você. E agora, com essa arma em suas mãos, continuo com mais medo ainda.

Hamid é puxado de volta à terra pelo comentário de Ewa — já não está mais com a alma solta no espaço, pedindo conselho aos guerreiros do deserto, procurando saber como agir.

Ela não podia ter dito isso. Está dando poder ao inimigo; ele agora sabe que é capaz de aterrorizá-la.

— Eu gostaria de ter lhe convidado para jantar um dia, dizer que me sentia solitária apesar de todos os banquetes, as joias, as viagens, os encontros com reis e presidentes — continua Ewa. — Sabe mais o quê? Você sempre me trazia presentes caros, mas jamais me mandou a coisa mais simples do mundo: flores.

Virou uma discussão de casal.

— Vou deixar vocês dois conversando.

Igor não diz nada. Continua com os olhos fixos no mar, mas lhe aponta a arma, sugerindo que não se mova. É louco; aquela aparente calma é mais perigosa que gritos de raiva ou ameaças de violência.

— Enfim — continua, como se não tivesse se distraído com os comentários dela nem com o movimento dele —, você escolheu a saída mais fácil. Abandonar-me. Não me deu nenhuma chance, não entendeu que tudo que eu fazia era por você, para você, em sua honra.

"Mesmo assim, apesar de todas as injustiças, de todas as humilhações, eu aceitaria qualquer coisa para tê-la de volta. Até hoje. Até o momento em que lhe mandei os recados, e você fingiu que não recebeu. Ou seja, até o sacrifício de pessoas não foi capaz de movê-la, de matar sua sede de poder e de luxo."

A Celebridade envenenada e o diretor que está entre a vida e a morte: será que Hamid está imaginando o inimaginável? E compreende algo mais grave: o homem ao seu lado acaba de assinar uma sentença de morte com a sua confissão. Ou se suicida, ou acaba com a vida dos dois que sabem demais.

Pode estar delirando. Pode estar entendendo errado, mas sabe que o tempo se esgota.

Olha a arma na mão do homem. Pequeno calibre. Se não acertar em pontos críticos do corpo, não causará muito dano. Não deve ter experiência com isso, ou teria escolhido algo mais poderoso. Ele não sabe o que está fazendo, deve ter comprado a primeira coisa que lhe ofereceram, dizendo que disparava balas e podia matar.

Por outro lado, por que começaram a ensaiar lá em cima? Não entendem que o barulho da música não deixará que se ouça um tiro? Saberiam a diferença entre um tiro e um dos muitos ruídos artificiais que neste momento infestam — o termo é esse mesmo, infestam, empesteiam, poluem — o ambiente?

O homem voltou a ficar quieto, e isso é muito mais perigoso do que se continuasse falando, esvaziando um pouco o coração de sua amargura e de seu ódio. Pesa de novo as possibilidades, precisa agir nos próximos segundos. Atirar-se por cima de Ewa e agarrar a arma enquanto ainda está displicentemente colocada no seu colo, embora o dedo esteja no gatilho. Estender os braços para a frente. Ele irá recuar de susto, e neste momento Ewa sairá da linha de tiro. Ele irá levantar o braço em sua direção, apontando a arma, mas já estará perto o suficiente para poder segurar o seu punho. Tudo acontecerá em um segundo.
Agora.
Pode ser que este silêncio signifique algo positivo; ele perdeu a concentração. Ou pode ser o início do fim; já disse tudo que tinha para dizer.
Agora.
Na primeira fração de segundo, seu músculo da coxa esquerda tensiona-se ao máximo, empurrando-o com toda rapidez e a violência em direção à Maldade Absoluta; a área do seu corpo diminui à medida que se deita sobre o colo da mulher, com as mãos estendidas para a frente. O primeiro segundo continua, e ele vê a arma sendo apontada diretamente para a sua testa — o movimento do homem foi mais rápido do que pensava.
Seu corpo continua voando em direção à arma. Deviam ter conversado antes — Ewa jamais lhe falara muito do ex-marido, como se ele pertencesse a um passado que não gostaria de lembrar em nenhuma circunstância. Embora tudo esteja acontecendo em câmera lenta, ele recuou com a rapidez de um gato. A pistola não está tremendo.

O primeiro segundo está chegando ao final. Ele viu um movimento no dedo, mas não há som, exceto a pressão de alguma coisa quebrando os ossos no centro de sua testa. A partir daí, o seu universo se apaga e, junto com ele, vão as lembranças do jovem que sonhou ser alguém, a vinda para Paris, o seu pai com a loja de tecidos, o sheik, as lutas para conseguir um lugar ao sol, os desfiles, as viagens, o encontro com a mulher amada, os dias de vinho e rosas, os sorrisos e prantos, o último nascer da lua, os olhos da Maldade Absoluta, os olhos assustados de sua mulher, tudo desaparece.

— Não grite. Não diga uma palavra. Acalme-se.

Claro que ela não vai gritar, e tampouco precisa pedir que se acalme. Está em estado de choque como animal que é, apesar das joias e do vestido caro. O sangue já não circula com a mesma velocidade, o rosto fica pálido, a voz desaparece, a pressão arterial começou a despencar. Sabe exatamente o que está sentindo — ele já experimentara isso quando viu o rifle do guerreiro afegão apontado para o seu peito. Imobilidade total, incapacidade de reagir. Fora salvo porque um companheiro disparou primeiro. Até hoje era grato ao homem que salvara sua vida; todos imaginavam que era seu motorista, quando na verdade tinha muitas ações da companhia, conversavam sempre, haviam se falado naquela tarde — ele telefonara perguntando se Ewa dera algum sinal de ter recebido as mensagens.

Ewa, pobre Ewa. Com um homem morrendo em seu colo. Os seres humanos são imprevisíveis, reagem como aquele tolo reagiu, sabendo que em momento algum tinha condições de vencê-lo. As armas também são imprevisíveis: achou que a bala iria sair do outro lado da cabeça, arrancando uma tampa do cérebro, mas, pelo ângulo do tiro, ela deve ter atravessado o cérebro, desviado em algum osso e penetrado no tórax. Que treme descontroladamente, sem sangramento visível.

Deve ser o tremor, e não o tiro, que colocou Ewa neste estado. Empurra o corpo com os pés, e dá um tiro em sua nuca. Os tremores cessam. O homem merece ter uma morte digna — foi valente até o final.

Estão os dois a sós na praia. Ele ajoelha-se diante dela e coloca a pistola em seu seio. Ewa não faz nenhum movimento.

Tinha sempre imaginado um final diferente para esta história: ela entendendo os recados. Dando uma nova chance à felicidade. Tinha pensado em tudo que diria quando finalmente estivessem como estavam agora, sem ninguém por perto, olhando o mar calmo do Mediterrâneo, sorrindo e conversando.

Não ficará com essas palavras na garganta, mesmo que agora sejam absolutamente inúteis.

— Sempre imaginei que tornaríamos a caminhar de mãos dadas em um parque, ou na beira do mar, dizendo finalmente um para o outro as palavras de amor que viviam sendo adiadas. Jantaríamos fora uma vez por semana, viajaríamos juntos para lugares que nunca estivemos apenas pelo prazer de descobrir coisas novas na companhia um do outro.

"Enquanto você esteve fora, eu copiei poemas em um caderno, para que pudesse sussurrá-los em seu ouvido enquanto adormecesse. Escrevi cartas dizendo tudo que sentia, que deixaria em um lugar onde você terminaria descobrindo, e entendendo que não a esqueci um só dia, um minuto sequer. Iríamos discutir juntos os projetos para a casa que pretendia construir só para nós na margem do lago Baikal; sei que tinha várias ideias a respeito. Planejei um aeroporto privado, deixaria que você usasse o seu bom gosto para cuidar da decoração. Você, a mulher que justificou e deu um sentido à minha vida."

Ewa não diz nada. Apenas olha o mar à sua frente.

— Vim até aqui por sua causa. E entendi, finalmente, que tudo isso era absolutamente inútil.

Apertou o gatilho.

Quase não se ouviu nenhum som, já que o cano da arma estava colado no corpo. A bala penetrou no ponto certo, e o coração deixou de bater imediatamente. Apesar de toda a dor que lhe causara, não queria que sofresse.

Se existia uma vida após a morte, ambos — a mulher que o traiu e o homem que permitiu que isso acontecesse — agora estavam de mãos dadas, caminhando pelo luar que chegava até a beira da praia. Encontravam o anjo de sobrancelhas grossas, que explicaria direito tudo que aconteceu, e não permitiria sentimentos de rancor ou ódio; todo mundo um dia precisa partir do planeta conhecido como Terra. E que o amor justifica certos atos que os seres humanos são incapazes de compreender — a não ser que estejam vivendo o que ele vivera.

Ewa mantinha os olhos abertos, mas seu corpo perde a rigidez, e cai na areia. Deixa os dois ali, vai até os rochedos, limpa cuidadosamente as impressões digitais da arma e a atira no mar, o mais longe possível do local onde contemplavam a lua. Volta a subir as escadas, encontra uma lixeira no caminho e deixa ali o silenciador — não houvera necessidade, a música tinha aumentado no momento certo.

22h55

Gabriela vai até a única pessoa que conhece.

Os convidados estão neste momento saindo do jantar; o conjunto está tocando músicas dos anos 60, a festa começa, as pessoas sorriem e conversam uma com as outras, apesar do barulho ensurdecedor.

— Estive procurando por você! Onde estão seus amigos?
— Onde está seu amigo?
— Acaba de sair, dizendo que houve um grande problema com o ator e o diretor! Me deixou aqui, sem me dar nenhuma explicação maior! Não haverá festa no barco, foi tudo que me disse.

Igor imagina o problema. Não tinha a menor intenção de matar alguém que admirava tanto, procurava assistir a seus filmes sempre que tinha um pouco de tempo. Mas, enfim, é o destino que escolhe — o homem é apenas um instrumento.

— Estou indo embora. Se quiser, posso deixá-la em seu hotel.
— Mas a festa está começando agora!
— Aproveite, então. Preciso viajar amanhã cedo.

Gabriela precisa tomar uma decisão rapidamente. Ou fica ali com a bolsa cheia de papel, em um lugar que não conhece ninguém, esperando que uma alma caridosa resolva levá-la pelo menos até a Croisette — onde tirará os sapatos, antes de subir a interminável ladeira até o quarto que divide com mais quatro amigas.

Ou aceita o convite daquele homem gentil, que deve ter excelentes contatos, é amigo da mulher de Hamid Hussein. Presenciara o começo de uma discussão, mas acredita que coisas como essa aconteçam todos os dias, e em breve fariam as pazes.

Já tem um papel garantido. Está exausta de todas as emoções daquele dia. Tem medo de terminar bebendo demais e estragar tudo. Homens solitários vão se aproximar perguntando se está sozinha, o que irá fazer depois, se gostaria de visitar no dia seguinte uma joalheria com algum deles. Terá que passar o resto da noite esquivando-se gentilmente, sem ferir nenhuma suscetibilidade, porque nunca sabe com quem está falando. Aquele jantar é um dos mais exclusivos do Festival.

— Vamos.

Uma estrela se comporta assim; sai quando ninguém espera.

Caminham até a portaria do hotel, Gunther (não consegue se lembrar do outro nome) pede um táxi, o recepcionista diz que eles têm sorte — se tivessem esperado um pouco mais, seriam obrigados a entrar em uma fila gigantesca.

No caminho de volta, ela pergunta por que mentiu a respeito do que fazia. Ele diz que não mentiu — já teve realmente uma companhia telefônica, mas resolveu vendê-la porque achava que o futuro estava em maquinaria pesada.

E o nome?

— Igor é um apelido carinhoso, o diminutivo de Gunther em russo.

Gabriela aguarda a cada minuto o famoso convite "Vamos tomar um drinque no meu hotel antes de dormir?". Mas nada acontece: ele a deixa na porta da sua casa, despede-se com um aperto de mão, e continua adiante.

Isso é que é elegância!

Sim, foi o seu primeiro dia de sorte. O primeiro de muitos. Amanhã, quando recuperar o seu telefone, irá fazer uma ligação a cobrar para uma cidade perto de Chicago contando as grandes novidades, pedindo que comprem as revistas, porque ela foi fotografada subindo os degraus com a Celebridade. Dirá também que foi obrigada a mudar de nome. Mas se perguntarem, excitados, o que vai acontecer, mudará de assunto: tem uma certa superstição em comentar projetos antes que eles se realizem. Irão saber das coisas, à medida que as notícias começarem a pipocar: atriz desconhecida eleita para papel principal. Lisa Winner foi a convidada principal de uma festa em Nova York. Moça de Chicago, até então desconhecida, é a grande revelação do filme de Gibson. Agente negocia contrato milionário com uma das grandes produtoras de Hollywood.

O céu é o limite.

23h11

— Mas você já está de volta?

— E teria chegado muito antes, se não fosse o trânsito.

Jasmine atira os sapatos de um lado, a bolsa de outro, e joga-se na cama, exausta, sem tirar o vestido.

— As palavras mais importantes em todas as línguas são palavras pequenas. "Sim", por exemplo. Ou "Amor". Ou "Deus". São palavras que saem com facilidade e preenchem espaços vazios em nosso mundo. Entretanto, existe uma palavra — também muito pequena — que eu tenho uma imensa dificuldade em dizer. Mas farei isso agora.

Olhou para a sua companheira:

— Não.

Bateu na cama, pedindo que sentasse ao seu lado. Acariciou seus cabelos.

— O "não" tem fama de maldito, egoísta, pouco espiritual. Quando dizemos um "sim", nos achamos generosos, compreensivos, educados. Mas é isso que estou lhe dizendo agora: "não". Não farei o que me pede, o que me obriga, achando que é o melhor para mim. Claro que você vai dizer que tenho apenas dezenove anos e ainda não entendo direito o que é a vida. Mas basta uma festa como a de hoje para saber o que desejo e o que não quero de jeito nenhum.

"Nunca pensei em ser modelo. Mais que isso, nunca pensei que era capaz de me apaixonar. Sei que o amor só é capaz de viver em liberdade, mas quem lhe disse que sou escrava de alguém? Sou escrava apenas do meu coração, e neste caso o fardo é suave, e o peso é inexistente. Escolhi você antes mesmo que tivesse me escolhido. Me entreguei a uma aventura que parecia impossível, aguentando sem reclamar todas as consequências — desde os preconceitos da sociedade até os problemas com a minha família. Superei tudo para estar aqui com você esta noite, em Cannes, saboreando a vitória de um excelente desfile, sabendo que teria outras oportunidades na vida. Sei que as tenho, junto de você."

A companheira estendeu-se na cama ao lado dela, e colocou sua cabeça no colo.

— Quem me chamou a atenção para isso foi um estrangeiro que conheci esta noite, enquanto estava ali, perdida no meio da multidão, sem saber exatamente o que dizer. Perguntei o que fazia na festa: respondeu que perdera seu amor, viera até aqui para buscá-la, e agora já não tinha mais certeza de que desejava exatamente aquilo. Pediu que olhasse ao redor: estávamos cercados de pessoas cheias de certezas, de glórias, de conquistas. Comentou: "Não estão se divertindo. Acham que chegaram ao topo de suas carreiras, e a inevitável descida os assusta. Esqueceram que ainda existe um mundo inteiro para conquistar, porque...".

— ... porque se acostumaram.

— Exatamente. Passaram a ter muitas coisas, e poucas aspirações. Estão cheios de problemas resolvidos, projetos aprovados, empresas que prosperam sem que seja necessária qualquer interferência. Agora, só lhes resta ter medo da mudança, e por isso vão de festa em festa, de encontro em encontro — para não terem tempo de pensar. Para encontrarem as mesmas pessoas, e acharem que tudo continua igual. As certezas substituíram as paixões.

— Tire a roupa — disse a companheira, tentando evitar qualquer comentário.

Jasmine levanta-se, tira a roupa, e entra debaixo das cobertas.

— Dispa-se você também. E me abrace. Preciso muito do seu abraço, porque hoje achei que ia me deixar ir embora.

A companheira também tira a roupa, apaga a luz. Jasmine dorme logo em seguida em seus braços. Fica acordada algum tempo, olhando o teto, pensando que, às vezes, uma menina de dezenove anos, na sua inocência, consegue ser mais sábia que uma mulher de trinta e oito. Sim, por mais que temesse, por mais insegura que se sentisse neste momento, seria forçada a crescer. Terá um poderoso inimigo pela frente, HH com certeza vai criar todas as dificuldades possíveis para impedi-la de participar da Semana de Moda, em outubro. Primeiro, insistirá em comprar sua marca. Como isso será impossível, tentará desacreditá-la junto à Federação, dizendo que não cumprira sua palavra.

Os próximos meses seriam muito difíceis.

Mas o que HH e ninguém mais sabe é que ela tem uma força absoluta, total, que a ajudará a superar todas as dificuldades: o amor da mulher que agora se aconchegava entre seus braços. Por ela, faria absolutamente tudo, exceto matar.

Com ela, seria capaz de tudo — inclusive vencer.

1h55

O jato de sua companhia já está com os motores ligados. Igor toma seu assento preferido — segunda fileira, lado esquerdo — e espera a decolagem. Quando os sinais de apertar o cinto se apagam, vai até o bar, serve uma generosa dose de vodca, e bebe de um gole só.

Por um instante, pensa se realmente tinha enviado direito os recados para Ewa, enquanto ia destruindo mundos à sua volta. Será que devia ter sido mais claro, colocando algo como um bilhete, um nome, coisas assim? Arriscadíssimo — podiam pensar que era um assassino em série.

Não era: tinha um objetivo que felizmente foi corrigido a tempo.

A lembrança de Ewa já não pesava tanto quanto antes. Não a ama como a amava, e não a odeia como passou a odiá-la. Com o passar do tempo, irá desaparecer por completo de sua vida. Que pena; apesar de todos os seus defeitos, dificilmente tornaria a encontrar outra mulher como ela.

Vai até o bar de novo, abre outra garrafinha de vodca, e torna a beber. Será que vão se dar conta de que a pessoa que apagava os mundos dos outros era sempre a mesma? Isso já não lhe diz respeito; se tem um único arrependimento, foi o momento em que desejou entregar-se à polícia, durante a tarde. Mas o destino estava do seu lado, e conseguiu terminar sua missão.

Sim, venceu. Mas o vencedor não está só. Seus pesadelos acabaram, um anjo de sobrancelhas grossas vela sobre ele, e irá lhe ensinar o caminho a ser percorrido a partir de agora.

Dia de São José, 19 de março de 2008

Agradecimentos

Seria impossível escrever este livro sem a ajuda de muitas pessoas que, de maneira aberta ou confidencial, me permitiram ter acesso às informações aqui contidas. Quando iniciei a pesquisa, não imaginava encontrar tanta coisa interessante por detrás do luxo e do glamour. Além dos amigos que pediram — e terão — seus nomes omitidos aqui, quero agradecer a Alexander Osterwald, Bernadette Imaculada Santos, Claudine e Elie Saab, David Rothkopf (criador do termo "Superclasse"), Deborah Williamson, Fátima Lopes, Fawaz Gruosi, Franco Cologni, Hildegard Follon, James W. Wright, Jennifer Bollinger, Johan Reckman, Jörn Pfotenhauer, Juliette Riga, Kevin Heienberg, Kevin Karroll, Luca Borei, Maria de Lourdes Débat, Mario Rosa, Monty Shadow, Steffi Czerny, Victoria Navaloska, Yasser Hamid, Zeina Raphael, que colaboraram direta ou indiretamente para este livro. Devo confessar que, em sua maior parte, colaboraram indiretamente — já que nunca costumo comentar sobre o tema que estou escrevendo.

TIPOGRAFIA Adriane por Marconi Lima
DIAGRAMAÇÃO Osmane Garcia Filho
PAPEL Pólen Soft, Suzano S.A.
IMPRESSÃO Geográfica, dezembro de 2019

A marca FSC® é a garantia de que a madeira utilizada na fabricação do papel deste livro provém de florestas que foram gerenciadas de maneira ambientalmente correta, socialmente justa e economicamente viável, além de outras fontes de origem controlada.